Oscar bestsellers

D1589552

di Sophie Kinsella

nella collezione Oscar

*I love shopping*
*I love shopping a New York*
*I love shopping collection*
(5 voll. in cofanetto)
*I love shopping con mia sorella*
*I love shopping in bianco*
*I love shopping per il baby*
*La ragazza fantasma*
*La regina della casa*
*Sai tenere un segreto?*
*Ti ricordi di me?*

nella collezione Omnibus

*I love mini shopping*

firmandosi come
Madeleine Wickham
(suo vero nome)

nella collezione Oscar

*La signora dei funerali*

nella collezione Omnibus

*La compagna di scuola*

SOPHIE KINSELLA

# LA REGINA DELLA CASA

Traduzione di Annamaria Raffo

**OSCAR MONDADORI**

Copyright © 2005 Sophie Kinsella
Titolo originale dell'opera: *The Undomestic Goddess*
© 2005 Arnoldo Mondadori Editore S.p.A., Milano

I edizione Omnibus agosto 2005
I edizione Oscar bestsellers gennaio 2007


ISBN 978-88-04-56386-0


Questo volume è stato stampato
presso Mondadori Printing S.p.A.
Stabilimento NSM - Cles (TN)
Stampato in Italia. Printed in Italy


Anno  2011  -  Ristampa               13  14

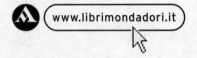
www.librimondadori.it

# LA REGINA DELLA CASA

*A Linda Evans*

# RINGRAZIAMENTI

Sono profondamente grata alle numerose persone che mi hanno aiutato a scrivere questo libro. A Emily Stokely, straordinaria regina della casa, per avermi insegnato come si fa il pane. A Roger Barron, per avermi dedicato così tanto tempo e per avermi messo a parte dei segreti del diritto societario (per non parlare della sua competenza riguardo a Jo Malone!). E in particolare ad Abigail Townley, per la consulenza legale e per avermi permesso di seguirla come un'ombra rispondendo a mille domande stupide.

Un grazie a Patrick Plonkington-Smythe, Larry Finlay, Laura Sherlock, Ed Christie, Androulla Michael, Kate Samano, Judith Welsh e ai meravigliosi collaboratori della Transworld per il loro sostegno. Un grazie alla mia stupenda agente, Araminta Whitley, per il grande entusiasmo dimostrato nei riguardi di questo libro, e a Lizzie Jones, Lucinda Cook, Nicki Kennedy e Sam Edenborough. Grazie a Valerie Hoskins, Rebecca Watson e Brian Siberell. Grazie, come sempre, ai membri del comitato e a tutti i miei ragazzi, grandi e piccoli.

Un ringraziamento doveroso anche a Nigella Lawson, che non ho mai incontrato di persona, ma i suoi libri dovrebbero costituire una lettura obbligatoria per tutte le mancate regine della casa.

## 1

**Ti consideri stressata?**

*No. Non sono stressata.*

*Sono... molto impegnata. Ma il mondo è pieno di gente impegnata. È la vita. Ho un lavoro di grande responsabilità, e per me la carriera è importante.*

*E va bene. A volte mi sento un po' tesa. Sotto pressione. Ma... cavolo, faccio l'avvocato nella City. Cosa vi aspettate?*

Mentre scrivo, premo così forte sulla pagina da bucare il foglio. Accidenti. Non importa. Passiamo alla prossima domanda.

**Mediamente quante ore al giorno passi in ufficio?**

~~14~~

~~12~~

~~8~~

*Dipende.*

**Fai attività fisica regolare?**

~~Nuoto abitualmente~~

~~Nuoto di tanto in tanto~~

*Ho intenzione di iniziare un programma regolare di nuoto. Quando avrò tempo. Ultimamente ho avuto parecchio da fare in ufficio, è un momentaccio.*

**Bevi 8 bicchieri d'acqua al giorno?**

~~Sì~~

~~Talvolta~~

*No.*

Poso la penna e mi schiarisco la gola. All'altro lato della stanza, Maya alza lo sguardo dai barattoli di ceretta e dalle boccette di smalto che sta riordinando. Oggi lei sarà la mia consulente di bellezza. Ha una lunga treccia di capelli neri percorsa per tutta la lunghezza da una ciocca bianca, e una minuscola pallina d'argento in una narice.

«Problemi col questionario?» domanda, con la sua voce carezzevole.

«Ti ho accennato che ho un po' di fretta» rispondo, con gentilezza. «Tutte queste domande sono proprio necessarie?»

«Ci serve avere il maggior numero di informazioni possibile per valutare le tue esigenze in fatto di salute e bellezza» ribatte lei col suo tono suadente ma implacabile.

Lancio un'occhiata all'orologio. Le nove e quarantacinque.

Non ho tempo per queste cose. Non ho proprio tempo. Ma è il mio regalo di compleanno e l'ho promesso a zia Patsy.

Per essere precisi, è il regalo dello *scorso* compleanno. Poco più di un anno fa, zia Patsy mi ha regalato un buono per l'innovativo programma "Esperienza defatigante". Zia Patsy è la sorella della mamma ed è terribilmente preoccupata per le donne in carriera. Ogni volta che ci incontriamo mi afferra per le spalle e mi scruta negli occhi con espressione corrucciata. Nel bigliettino che accompagnava il buono c'era scritto: "Trova un po' di tempo per te, Samantha!!!".

Cosa che intendevo assolutamente fare. Ma abbiamo avuto un paio di emergenze al lavoro e, non so come, è passato un anno senza che riuscissi a trovare un momento libero. Faccio l'avvocato e lavoro alla Carter Spink, e questo è un periodo un po' frenetico. Ma passerà. Le cose andranno meglio. Devo solo riuscire a sopravvivere alle prossime due settimane.

Comunque, è successo che zia Patsy mi ha mandato un biglietto d'auguri per il compleanno di quest'anno, e di colpo mi sono ricordata del buono, che stava per scadere. E così, eccomi qui, il giorno del mio ventinovesimo compleanno, seduta su un lettino, con indosso un accappatoio di spugna bianca e delle assurde mutandine di carta. Con la mattinata libera. Al massimo.

**Fumi?**
*No.*

**Bevi alcolici?**
*Sì.*

**Consumi regolarmente pasti cucinati in casa?**

Alzo lo sguardo, sulla difensiva. E questo cosa c'entra? Perché un pasto cucinato in casa dovrebbe essere migliore di un altro?

*Seguo una dieta varia e nutriente*, scrivo alla fine.

Il che è assolutamente vero.

E comunque, lo sanno tutti che i cinesi vivono più a lungo di noi, quindi cosa può esserci di più sano del loro cibo? E la pizza rientra nella dieta mediterranea. Per questo probabilmente è più salutare di un pasto cucinato in casa.

**Ritieni che la tua vita sia equilibrata?**
*Sì.*
*N*
*Sì.*

«Ho finito» annuncio, porgendo i fogli a Maya, che comincia a leggere le mie risposte. Le sue dita scorrono sulla pagina con la velocità di una lumaca. Come se avessi tutto il tempo del mondo.

Lei forse ce l'ha, ma io devo assolutamente tornare in ufficio entro l'una.

«Ho letto le tue risposte con attenzione» dice Maya, osservandomi con espressione pensierosa. «Ed è ovvio che tu sei una donna molto stressata.»

Come? E cosa glielo fa pensare? Ho chiaramente indicato sul modulo che *non* sono stressata.

«No, non sono stressata.» Le rivolgo un sorriso rilassato, della serie: "Guarda come sono serena". Maya non sembra convinta.

«Il tuo lavoro evidentemente è molto logorante.»

«Io do il meglio quando sono sotto pressione» spiego. Ed è vero. Lo so da quando...

Be', da quando me l'ha detto mia madre, avevo circa otto

11

anni. "Tu dai il meglio quando sei sotto pressione, Samantha."
Tutta la nostra famiglia dà il meglio quando è sotto pressione.
È il nostro motto, si può dire.

A parte mio fratello Peter, ovviamente. Lui ha avuto un
esaurimento nervoso, ma il resto della famiglia…

Io amo il mio lavoro. Amo la soddisfazione che mi procura
l'individuare una scappatoia in un contratto. Amo la scossa di
adrenalina che si prova nel chiudere un accordo. Amo l'eccitazione che viene da una trattativa, dal confronto, dal fare l'osservazione migliore fra tutti i presenti a una riunione.

Ogni tanto, forse, mi sento come se qualcuno mi stesse cari-
cando dei pesi sulle spalle. Tipo grossi blocchi di cemento, impilati uno sopra l'altro, e io li devo reggere, anche se sono
esausta…

Ma probabilmente capita a tutti di sentirsi così. È normale.

«Hai la pelle molto disidratata» osserva Maya, scuotendo la
testa. Mi passa una mano esperta sulla guancia e si ferma sul
collo, con espressione preoccupata. «Hai i battiti del cuore molto accelerati. Non è un buon segno. Sei particolarmente tesa in
questo momento?»

«Ho parecchio da fare» rispondo, stringendomi nelle spalle.
«Ma passerà. Io sto bene.» Allora, possiamo procedere?

«D'accordo.» Maya si alza. Preme un pulsante sulla parete e
una musica dolce, di flauto, riempie la stanza. «Posso solo dire che sei venuta nel posto giusto, Samantha. Il nostro obiettivo è quello di rilassare, rivitalizzare, disintossicare.»

«Perfetto» dico, ascoltandola con un orecchio solo. Mi sono
appena ricordata che non ho più richiamato David Elldridge
riguardo a quel contratto per il petrolio ucraino. Dovevo chiamarlo ieri. Merda.

«Lo scopo del Green Tree Centre è quello di fornire un'oasi
di tranquillità, lontano dalle preoccupazioni quotidiane.»
Maya preme un altro pulsante e la luce si smorza fino a tra-
sformarsi in un chiarore soffuso. «Hai qualche domanda, prima di cominciare?» chiede a voce bassa.

«A dire il vero, sì.» Mi sporgo in avanti.

«Bene!» fa lei, raggiante. «Sei curiosa di sapere qualcosa di
più sui trattamenti di oggi o è una domanda in generale?»

«Potrei mandare un'e-mail veloce?» chiedo, garbata.

Il sorriso le si gela sulle labbra.

«Velocissima» aggiungo. «Ci metterò solo un secondo.»

«Samantha, Samantha...» Maya scuote la testa. «Tu sei qui per rilassarti. Per prenderti un momento tutto per te. Non per mandare e-mail. È un'ossessione! Una dipendenza! Dannosa come l'alcol o la caffeina.»

Per amor del cielo! Io non sono ossessionata. Insomma, è assurdo. Controllo la mia posta elettronica ogni... ogni trenta secondi sì e no.

Il fatto è che in trenta secondi possono succedere tante cose.

«E poi, Samantha» prosegue Maya «vedi un computer in questa stanza?»

«No» rispondo, docile, guardandomi intorno nel piccolo locale immerso nella penombra.

«È per questo che vi chiediamo di lasciare tutte le apparecchiature elettroniche nella cassaforte. Non sono ammessi cellulari. Né computer portatili.» Maya fa un ampio gesto con le braccia. «Questo è un rifugio. Un luogo di evasione dal mondo.»

«Giusto» annuisco, conciliante.

Probabilmente non è il momento per rivelare che ho un palmare nascosto nelle mutandine di carta.

«Bene, cominciamo» dice Maya con un sorriso. «Sdraiati sul lettino e copriti con un asciugamano. Togliti l'orologio, per favore.»

«Ma io bisogno dell'orologio!»

«Ecco un'altra dipendenza» osserva lei, facendo schioccare la lingua con aria di disapprovazione. «Mentre sei qui non ti serve sapere che ora è.»

Mi volta le spalle, discreta, e io mi tolgo l'orologio con riluttanza. Poi, con movimenti impacciati, mi accomodo meglio sul lettino, cercando di non schiacciare il mio prezioso palmare.

Ho letto il regolamento a proposito delle apparecchiature elettroniche. E ho consegnato il registratore tascabile. Ma non potevo separarmi dal palmare per tre ore. Voglio dire, e se succedesse qualcosa? Se ci fosse un'emergenza?

E poi non ha senso. Se davvero vogliono che la gente si rilassi dovrebbero lasciare che si tenga a portata di mano palmari e cellulari, altro che confiscarli.

E, comunque, non lo vedrà mai sotto l'asciugamano.

«Cominceremo con un massaggio rilassante ai piedi» dice Maya, e sento che mi spalma una specie di lozione. «Cerca di liberare la mente.»

Fisso ubbidiente il soffitto. Liberare la mente. La mia mente è libera e trasparente come... vetro...

Come faccio con Elldridge? Avrei dovuto richiamarlo. Starà aspettando una risposta. E se dice ai soci che sono stata negligente? Le mie probabilità di diventare socio potrebbero diminuire?

Avverto una fitta d'ansia. Non è il momento di lasciare nulla al caso.

«Cerca di liberarti di tutti i pensieri...» sta dicendo Maya, con tono carezzevole. «Senti la pressione che si allenta...»

Potrei mandargli un'e-mail veloce. Da sotto l'asciugamano.

Con una mossa furtiva infilo le mani sotto il telo e sento lo spigolo del palmare. Lo estraggo lentamente dalle mutandine. Maya continua a massaggiarmi i piedi, ignara.

«Il tuo corpo si sta facendo pesante... la mente si sta svuotando...»

Avvicino piano il palmare al petto finché riesco a vedere lo schermo sotto l'asciugamano. Grazie al cielo questa stanza è buia. Cercando di ridurre i movimenti al minimo, comincio a digitare furtiva un messaggio con una sola mano.

«Rilassati...» sussurra Maya, con voce suadente. «Immagina di passeggiare lungo una spiaggia...»

«Ah, ah...» mormoro.

"David" sto scrivendo "riguardo al contratto per il petrolio ZFN, ho letto le modifiche. Credo che la nostra risposta dovrebbe..."

«Cosa stai facendo?» chiede Maya, improvvisamente all'erta.

«Niente!» rispondo in fretta, infilando il palmare sotto l'asciugamano. «Mi sto... ehm... rilassando.»

Maya gira intorno al lettino e osserva il piccolo rigonfiamento, nel punto in cui la mia mano stringe il palmare.

«Stai nascondendo qualcosa?» mi chiede, incredula.

«No!»

Da sotto il telo il palmare emette un piccolo *bip*. Maledizione!

«Sarà stata una macchina» dico, fingendo indifferenza. «Giù in strada.»

Maya stringe gli occhi.

«Samantha» dice, con voce lenta e minacciosa «hai qualche diavoleria elettronica nascosta lì sotto?»

Ho la netta sensazione che se non confesso lei solleverà l'asciugamano.

«Stavo soltanto mandando un'e-mail» ammetto alla fine, e tiro fuori il palmare con aria colpevole.

«Ah, voi fanatici del lavoro!» Me lo strappa di mano, esasperata. «Le e-mail possono aspettare. Tutto può aspettare. Tu non sei capace di rilassarti!»

«Io non sono una fanatica del lavoro!» ribatto, indignata. «Io sono un avvocato. È diverso.»

«Tu sei in fase di negazione» fa lei, scuotendo la testa.

«Non è vero! Senti, stiamo lavorando a dei grossi contratti, nel mio studio. Io non posso troncare le comunicazioni! Specialmente adesso. Io... io sono in lizza per diventare socio.»

Nell'attimo in cui pronuncio queste parole a voce alta avverto la familiare fitta allo stomaco. Socio di uno dei maggiori studi legali del paese. L'unica cosa che io abbia mai desiderato.

«Sono in lizza per diventare socio» ripeto, con tono più calmo. «Decideranno domani. Se dovesse succedere, sarò il socio più giovane nella storia dello studio. Capisci quanto sia importante? Hai idea...»

«Tutti possono prendersi un paio d'ore di pausa» mi interrompe Maya. Mi mette le mani sulle spalle. «Samantha, tu sei incredibilmente tesa. Hai le spalle rigide, il battito accelerato... mi sembra che tu sia troppo agitata.»

«Sto benissimo.»

«Ma sei un fascio di nervi!»

«Non è vero!»

«Devi importi di rallentare, Samantha.» Mi fissa con espressione seria. «Solo tu puoi decidere di cambiare la tua vita. Hai intenzione di farlo?»

«Be'...»

Mi blocco, lasciandomi sfuggire un gridolino di sorpresa, perché ho avvertito un sussulto dentro le mutandine di carta.

Il telefonino. Lo avevo infilato lì insieme al palmare, dopo averlo messo sulla "vibrazione" in modo che non facesse rumore.

«Cos'è quello?» Maya sta fissando a bocca aperta l'asciugamano che si muove. «Cosa diavolo è quel... tremolio?»

Non posso ammettere che è un telefonino. Non dopo il palmare.

Il telefono sussulta di nuovo dentro le mutandine. Devo rispondere. Potrebbe essere l'ufficio.

«Ehm...» Mi schiarisco la voce. «È il mio... giocattolo privato.»

«Il tuo cosa?» Maya sembra sconcertata.

«Ehm... sai, sto per raggiungere un momento molto intimo.» Le rivolgo un'occhiata eloquente. «Ti dispiacerebbe... lasciarmi sola?»

Negli occhi di Maya passa un lampo di sospetto.

«Un momento!» Guarda meglio. «Quello lì sotto è un telefonino? Hai portato di nascosto anche un cellulare?»

Oh, Dio. Sembra davvero infuriata.

«Senti» dico, cercando di apparire debitamente contrita «so che qui avete le vostre regole, e io le rispetto, ma il fatto è che ho bisogno del mio cellulare.» Lo tiro fuori da sotto il telo.

«Non toccarlo!» L'urlo di Maya mi coglie di sorpresa. «Samantha» dice, sforzandosi di mantenere la calma «se hai ascoltato una sola parola di quanto ho detto... spegnilo immediatamente.»

Il cellulare mi vibra di nuovo nella mano. Guardo il numero sul display e provo una stretta allo stomaco. «È l'ufficio.»

«Possono lasciare un messaggio. Possono aspettare.»

«Ma...»

«Questo è il *tuo* tempo.» Si sporge in avanti e mi afferra una mano. «Il tuo tempo.»

Dio, proprio non capisce. Quasi quasi mi verrebbe da ridere.

«Io sono un'associata della Carter Spink» spiego. «Io non ho tempo mio.» Apro il telefono e vengo aggredita da una collerica voce maschile. «Samantha, dove diavolo si trova?»

Mi sento male. È Ketterman. Il capo del nostro ufficio contratti. Deve avere un nome di battesimo, suppongo, ma tutti lo chiamano sempre e soltanto Ketterman. Ha i capelli neri, occhiali con la montatura di metallo e penetranti occhi grigi. Appena arrivata alla Carter Spink me lo sognavo tutte le notti. Ed erano incubi.

«L'accordo Fallons è ripartito. Venga subito qui. C'è una riunione alle dieci e mezzo.»

Ripartito?

«Arrivo subito.» Chiudo il telefono con uno scatto e guardo Maya con aria affranta. «Mi dispiace.»

Non sono ossessionata dall'orologio.

Ma ovviamente dipendo da lui. Succederebbe anche a voi, se il vostro tempo fosse scandito da segmenti di sei minuti. Ogni sei minuti della mia vita lavorativa si suppone che io fatturi a un cliente. Tutto va su un foglio di presenza computerizzato, in addebiti separati.

11.00-11.06 Stesura bozza contratto per Progetto A.
11.06-11.12 Correzione documentazione per Cliente B.
11.12-11.18 Consulenza per Accordo C.

Quando ho cominciato a lavorare alla Carter Spink mi spaventava un po' l'idea di dover annotare tutto quello che facevo, ogni minuto della giornata. "E se non faccio niente per sei minuti?" pensavo. "Cosa devo scriverci?"

11.00-11.06 Fissato senza scopo fuori dalla finestra.
11.06-11.12 Sognato a occhi aperti di andare a sbattere contro George Clooney mentre vado al lavoro.
11.12-11.18 Tentato di toccare il naso con la punta della lingua.

Ma la verità è che ci si abitua. Ci si abitua a misurare la propria vita in piccoli segmenti di sei minuti. E ci si abitua a lavorare. A lavorare sempre.

Se sei alla Carter Spink non stai con le mani in mano. Non guardi fuori dalla finestra, non sogni a occhi aperti. Non quando sei minuti del tuo tempo valgono così tanto. Mettiamola in questi termini: se lascio passare sei minuti senza concludere niente, ho fatto perdere allo studio cinquanta sterline. Dodici minuti, cento sterline. Diciotto minuti, centocinquanta sterline.

Come ho detto, gli avvocati della Carter Spink non stanno mai con le mani in mano.

## 2

Quando arrivo in ufficio, trovo Ketterman accanto alla mia scrivania che osserva con espressione disgustata il casino di carte e fascicoli sparsi ovunque.

Lo ammetto, la mia non è la scrivania più ordinata del mondo. In effetti... è una vera schifezza. Ma ho la ferma intenzione di sistemarla e di trovare posto alle pile di vecchi contratti ammassati per terra. Appena avrò un attimo di tempo.

«La riunione è fra dieci minuti» dice, guardando l'orologio. «Voglio la bozza di proposta finanziaria.»

«Certo» rispondo, cercando di restare calma. Ma è sufficiente la sua presenza a mettermi in agitazione.

Normalmente Ketterman incute timore. Emana una forza paurosa e inquietante come gli altri uomini emanano odore di dopobarba. Ma oggi è mille volte peggio, perché Ketterman fa parte del comitato decisionale. Domani lui e altri tredici soci si riuniranno per decretare chi diventerà nuovo socio dello studio.

Domani saprò se ce l'ho fatta o se la mia vita è stata un grosso fallimento. Cosa vuoi che sia!

«La bozza è qui...» Allungo la mano verso una pila di classificatori e con uno svolazzo estraggo quella che sembra la custodia di un raccoglitore.

È una vecchia scatola di ciambelle.

Mi affretto a gettarla nel cestino. «È qui da qualche parte, ne sono sicura...» Frugo con frenesia e finalmente trovo il fascicolo giusto. Grazie a Dio. «Eccola!»

«Non so proprio come riesca a lavorare in questo disordine,

Samantha.» La voce di Ketterman è asciutta e sprezzante, i suoi occhi tremendamente seri.

«Se non altro è tutto a portata di mano!» Azzardo una risatina, ma lui resta impassibile. Agitata, sposto la sedia, e una pila di lettere di cui mi ero dimenticata frana a terra.

«Sa, un tempo vigeva una regola per cui le scrivanie dovevano essere sgombre per le sei di sera. Forse faremmo meglio a ripristinarla.»

«Forse!» Mi sforzo di sorridere, ma Ketterman mi rende sempre più nervosa.

«Samantha!» Una voce affabile ci interrompe. Mi volto, confortata, e vedo Arnold Saville venirci incontro nel corridoio.

Arnold è il socio anziano che preferisco. Ha capelli grigi lanosi sempre un po' troppo scompigliati per un avvocato, e un gusto vistoso in fatto di cravatte. Oggi ne indossa una rosso brillante con disegnini cachemire, e un fazzoletto da taschino coordinato. Mi saluta con un gran sorriso che contraccambio, sentendomi subito più rilassata.

Sono sicura che è lui quello che sostiene la mia nomina a socio. Come sono sicura che è Ketterman quello che si oppone. Arnold è lo spirito libero dello studio, quello che infrange le regole, quello che non dà importanza a sciocchezze tipo le scrivanie in disordine.

«Una lettera di apprezzamento per te, Samantha.» Arnold mi rivolge un sorriso raggiante e mi porge un foglio. «Nientemeno che dal presidente della Gleiman Brothers.»

Sorpresa, prendo il foglio di carta intestata e do uno sguardo allo scritto vergato a mano: "... grande stima... prestazioni sempre molto professionali...".

«Ho saputo che gli hai fatto risparmiare qualche milione di sterline. E lui non se lo aspettava.» Arnold ammicca. «È al settimo cielo.»

«Ah, sì.» Arrossisco leggermente. «Una cosa da niente. Ho soltanto notato un'anomalia nel modo in cui stavano organizzando la loro struttura finanziaria.»

«Evidentemente gli hai fatto un'ottima impressione.» Arnold inarca le sopracciglia a cespuglio. «Vuole che d'ora in avanti sia tu a occuparti di tutti i suoi contratti. Eccellente, Samantha! Brava.»

«Ehm... grazie.» Rivolgo un'occhiata a Ketterman giusto per vedere se la notizia lo ha colpito. Ma lui sfoggia ancora quella sua aria di impaziente disapprovazione.

«Voglio anche che si occupi di questo» dice Ketterman e mi molla un fascicolo sulla scrivania. «Ho bisogno di una *due diligence* entro quarantott'ore.»

Oh, no! Guardo il voluminoso fascicolo e mi sento mancare. Mi ci vorranno giorni.

Ketterman continua ad affidarmi lavori extra di cui lui non ha voglia di occuparsi. A dire il vero tutti i soci lo fanno, anche Arnold. Il più delle volte non me lo dicono neppure: si limitano a lasciare il fascicolo sulla mia scrivania con un appunto illeggibile e si aspettano che io esegua.

«Qualche problema?» I suoi occhi si stanno facendo piccoli.

«Certo che no» rispondo con il tono vivace e zelante di un potenziale futuro socio. «Ci vediamo alla riunione.»

Mentre esce, lancio un'occhiata all'orologio. Le 10.22. Ho esattamente otto minuti per accertarmi che tutti i documenti riguardanti l'accordo Fallons siano in ordine. Apro il fascicolo e scorro le pagine, alla ricerca di errori, di lacune. Ho imparato a leggere molto più veloce da quando lavoro alla Carter Spink.

Anzi, faccio tutto più veloce. Cammino più veloce, parlo più veloce, mangio più veloce... faccio sesso più veloce...

Non che ultimamente ne abbia fatto molto. Un anno fa uscivo con un socio anziano della Berry Forbes. Si chiamava Jacob, si occupava di grossi contratti internazionali e aveva ancora meno tempo di me. Alla fine avevamo fissato circa sei minuti per le nostre performance, cosa che sarebbe stata molto comoda se avessimo dovuto addebitarci a vicenda il nostro tempo (il che, ovviamente, non succedeva). Lui mi faceva venire, io lo facevo venire. E poi controllavamo la posta elettronica.

Questo significa praticamente orgasmi simultanei. Quindi nessuno può dire che non fosse sesso soddisfacente. Io leggo "Cosmopolitan" e certe cose le so.

E comunque, Jacob ricevette una splendida offerta di lavoro, si trasferì a Boston e la cosa finì. Non mi dispiacque poi molto.

A essere del tutto sinceri, non è che lui mi piacesse da impazzire.

«Samantha?» Una voce interrompe le mie riflessioni. È Maggie, la mia segretaria. Lavora con noi solo da qualche settimana e non la conosco ancora bene. «È arrivato un messaggio per te, mentre eri via. Una certa Joanne.»

«Joanne della Clifford Chance?» Sollevo lo sguardo, improvvisamente vigile. «Okay. Dille che ho ricevuto il suo messaggio riguardo alla clausola 4 e che concordo…»

«Non quella Joanne» mi interrompe Maggie. «Joanne, la tua nuova donna delle pulizie. Vuole sapere dove tieni i sacchetti per l'aspirapolvere.»

La guardo senza capire.

«I cosa?»

«I sacchetti per l'aspirapolvere» ripete Maggie, paziente. «Non riesce a trovarli.»

«E perché l'aspirapolvere dovrebbe stare in un sacchetto?» chiedo, perplessa. «Deve portarlo da qualche parte?»

Maggie mi scruta come se non capisse se sto scherzando o se faccio sul serio.

«I sacchetti che vanno *dentro* l'aspirapolvere» dice, scandendo le parole. «Sai, per raccogliere la polvere?»

«Ah!» faccio io. «Quei sacchetti! Ehm…»

Aggrotto la fronte con aria pensierosa, come se avessi la risposta sulla punta della lingua. La verità è che non riesco neppure a visualizzare il mio aspirapolvere. L'ho mai visto? So che me l'hanno recapitato, perché il portiere ha firmato la bolla di consegna.

«Forse è un Dyson» suggerisce lei. «Quelli non hanno sacchetto. È a cilindro o verticale?» Mi guarda, in attesa di una risposta.

Non so di cosa stia parlando. Ma non ho alcuna intenzione di ammetterlo.

«Ci penserò io» dico con modi spicci, iniziando a raccogliere le mie carte. «Grazie, Maggie.»

«Aveva anche un'altra domanda da farti.» Maggie consulta i suoi appunti. «Come si accende il forno?»

Per un attimo continuo a radunare i documenti come se non avessi sentito. Ovviamente io so accendere il forno.

«Be'… si gira la manopola» dico, alla fine, cercando di apparire disinvolta. «Non mi sembra così difficile…»

«Ha detto che ha uno strano timer.» Maggie aggrotta la fronte. «È a gas o elettrico?»

Okay, penso che troncherò questa conversazione. Adesso.

«Maggie, dovrei fare una telefonata» dichiaro con aria dispiaciuta, indicando il telefono.

«Allora cosa devo dirle?» insiste lei. «Aspetta che la richiami.»

«Dille… di lasciar perdere per oggi. Ci penserò io.»

Quando Maggie esce dall'ufficio prendo penna e taccuino.

1. Come si accende il forno?
2. Comperare sacchetti aspirapolvere.

Poso la penna e mi massaggio la fronte. Non ho tempo per queste cose. Voglio dire, i sacchetti per l'aspirapolvere. Per l'amor di Dio, non so neppure come sono fatti, figuriamoci dove comperarli…

E poi ho una folgorazione. Ordinerò un nuovo aspirapolvere. Di sicuro arriverà con il sacchetto già inserito.

«Samantha.»

«Eh? Cosa c'è?» Faccio un salto, allarmata, e apro gli occhi. Guy Ashby è sulla soglia del mio ufficio.

Guy è il mio miglior amico allo studio: un metro e novanta di altezza, colorito olivastro, occhi scuri e l'aplomb dell'avvocato elegante e sicuro di sé. Questa mattina, però, ha i capelli arruffati e gli occhi segnati da profonde occhiaie.

«Rilassati» dice, sorridendo. «Sono solo io. Vieni alla riunione?»

Ha un sorriso favoloso. Non lo dico solo io, l'hanno notato tutti dal primo momento che è arrivato allo studio.

«Oh, sì, certo.» Prendo i documenti e poi aggiungo, con noncuranza: «Ti senti bene, Guy? Hai l'aria un po' sbattuta».

Ha rotto con la sua ragazza. Hanno litigato tutta la notte e lei l'ha lasciato per sempre…

No, anzi, si è trasferita in Australia…

«Sono stato alzato tutta la notte» dice con una smorfia. «Quel bastardo di Ketterman. È disumano.» Si lascia sfuggire un grosso sbadiglio, mettendo in mostra la dentatura bianca e perfetta che si è fatto sistemare quando era ad Harvard.

Dice che non è stata una sua scelta. A quanto pare non ti

22

permettono di laurearti finché non hai ricevuto l'okay del chirurgo estetico.

«Che rompipalle.» Sorrido in segno di solidarietà, e spingo indietro la sedia. «Andiamo.»

Conosco Guy da un anno, da quando è entrato all'ufficio contratti come socio. È intelligente, spiritoso, lavora con il mio stesso metodo, e in un certo senso... funzioniamo bene, in coppia.

E, sì, fra noi avrebbe anche potuto nascere qualcosa di tenero se le cose fossero andate diversamente. Ma c'è stato quello stupido malinteso...

E comunque... è andata così. I dettagli non contano. Non è una cosa alla quale penso spesso. Siamo amici, e a me va bene.

Okay, ecco come sono andate esattamente le cose.

A quanto pare Guy mi ha notata praticamente il giorno stesso in cui è arrivato allo studio, come io ho notato lui. Ed era interessato. Ha chiesto se ero single. E lo ero.

Questa è la parte cruciale: io ero single. Avevo appena rotto con Jacob. Sarebbe stato perfetto.

Cerco di non pensare troppo spesso a quanto sarebbe stato perfetto.

Ma Nigel MacDermot, che è uno stupido, stupido idiota antiquato e ottuso, ha detto a Guy che io stavo con un socio anziano della Berry Forbes.

Nonostante io fossi single.

Se volete sapere la mia opinione, questo sistema ha un grosso vizio di forma. Dovrebbe essere tutto più chiaro. La gente dovrebbe esporre dei cartelli di fidanzamento. Come i servizi igienici. Libero. Occupato. Non dovrebbe esserci alcuna ambiguità in proposito.

E, in ogni caso, io un cartello non ce l'avevo. O, se ce l'avevo, era quello sbagliato. Ci furono alcune settimane un po' imbarazzanti in cui non facevo che sorridere a Guy; lui pareva a disagio e cominciò a evitarmi, perché non voleva a) rompere una relazione o b) fare un triangolo con me e Jacob.

Io non capivo cosa stesse succedendo e così feci marcia indietro. Poi sentii dire che aveva cominciato a uscire con una ragazza di nome Charlotte, conosciuta a una festa durante un fine settimana. Dopo un paio di mesi lavorammo insieme a un contratto, e avemmo modo di conoscerci meglio come amici. È così che sono andate le cose, più o meno.

Voglio dire, non c'è problema. Davvero. È la vita. Alcune cose succedono, altre no. Questa, evidentemente, non era destinata a succedere.

Solo che, dentro di me, nel profondo... sono ancora convinta del contrario.

«Allora, socio» esordisce Guy, mentre percorriamo il corridoio, diretti alla riunione. E inarca un sopracciglio.

«Non dirlo» sussurro, inorridita. Porta male.

«Su, lo sai anche tu che ce l'hai fatta.»

«Io non so nulla.»

«Samantha, tu sei l'avvocato più brillante del tuo anno. E sei quella che lavora di più. Quant'è il tuo QI, 600?»

«Chiudi quella bocca.» Fisso la moquette azzurra e Guy ride. «Quanto fa 124 × 75?»

«Novemilatrecento» rispondo a denti stretti.

Questa è l'unica cosa che mi irrita di Guy. Da quando avevo dieci anni sono in grado di eseguire mentalmente calcoli molto complicati. Dio solo sa perché, ma è così. E tutti dicono: "Oh, fantastico!", e subito se ne dimenticano.

Guy no. Continua a parlarne, lanciandomi numeri come fossi un'artista da circo. So che lui lo trova divertente, ma dopo un po' diventa seccante.

Una volta gli ho dato di proposito una risposta sbagliata. Ma poi è saltato fuori che il risultato gli serviva davvero e l'ha messo su un contratto; c'è mancato poco che l'affare andasse a monte. Così non ho più osato farlo.

«Non hai fatto le prove davanti allo specchio per la foto da mettere sul sito web dello studio?» Guy assume una posa pensierosa, con un dito appoggiato al mento. «Signorina Samantha Sweeting, socio.»

«Non ci ho neppure pensato» dico, alzando gli occhi al cielo con aria sdegnata.

Non è del tutto vero. Ho già deciso come pettinarmi per la foto. E quale tailleur nero indossare. E questa volta sorriderò. Nella foto che compare adesso sulla mia pagina del sito web della Carter Spink ho un'aria decisamente troppo seria.

«Ho sentito che la tua presentazione li ha lasciati di stucco» aggiunge Guy, più serio.

Il mio sdegno svanisce in un secondo. «Davvero?» dico, cercando di non apparire troppo ansiosa. «L'hai sentito veramente?»

«E hai ripreso William Griffiths di fronte a tutti su un punto di una legge?» Guy incrocia le braccia sul petto e mi guarda con espressione divertita. «Commetti mai errori, Samantha Sweeting?»

«Oh, un sacco di errori» rispondo, allegra. «Credimi.»

Tipo quello di non averti acchiappato il primo giorno che ci siamo conosciuti per dirti che ero single.

«Un errore non è un errore...» Guy fa una pausa «a meno che non vi si possa porre rimedio.» Mentre pronuncia queste parole i suoi occhi sembrano penetrare più a fondo nei miei.

O forse sono soltanto un po' lucidi per la nottata insonne. Non sono mai stata molto brava a interpretare questi segni.

Avrei dovuto laurearmi in questa materia, anziché in legge. Sarebbe stato molto più utile. Laureata in lettere con specializzazione in "Come capire quando gli uomini ti fanno il filo o quando vogliono soltanto essere gentili".

«Pronti?» La voce sferzante di Ketterman alle nostre spalle ci fa trasalire. Mi volto e vedo una falange di uomini sobriamente vestiti, insieme a un paio di donne altrettanto sobriamente vestite.

«Certo.» Guy fa un cenno d'assenso col capo in direzione di Ketterman, poi si volta verso di me e mi strizza l'occhio.

O forse dovrei semplicemente iscrivermi a un corso di telepatia.

## 3

Nove ore dopo siamo ancora in riunione.

L'enorme tavolo di mogano è ricoperto da bozze di contratto, rapporti finanziari, bloc-notes pieni di appunti frettolosi, tazze da caffè di polistirolo e post-it. Sul pavimento sono sparpagliati i contenitori del pranzo. Una segretaria sta distribuendo copie fresche di stampa della bozza di accordo. Due avvocati della parte avversa si sono alzati dal tavolo e stanno confabulando nella zona separata di cui è dotata ogni sala riunioni: una piccola terra di nessuno dove appartarsi per conversazioni riservate o quando ti viene voglia di spaccare qualcosa.

Il fervore del pomeriggio si è placato. È come il riflusso della marea. I volti intorno al tavolo sono ancora accalorati, gli animi accesi, ma nessuno urla più. I clienti se ne sono andati. Raggiunto l'accordo verso le quattro, si sono stretti la mano e sono salpati a bordo delle loro scintillanti limousine.

Ora tocca a noi, i legali, capire quello che si sono detti e quello che realmente intendevano dire (e se pensate che si tratti della stessa cosa, lasciate perdere il lavoro di avvocato) e tradurlo in una bozza di accordo, in tempo per la riunione di domani.

Quando probabilmente loro riprenderanno a urlare.

Mi passo le mani sul viso e bevo un sorso di cappuccino prima di rendermi conto che ho preso la tazza sbagliata... questo è freddo, gelido, ed è lì da ore. Che schifo! E non posso certo sputarlo sul tavolo.

Ingoio il liquido rivoltante con una smorfia. Le luci al neon mi tremolano negli occhi e mi sento prosciugata. Il mio ruolo in tutti questi grossi accordi riguarda la parte finanziaria, quindi sono stata io a negoziare il prestito fra il nostro cliente e la PGNI Bank. Sono stata io a salvare la situazione quando è saltato fuori un buco nero di passività in una società controllata. E sono stata sempre io, questo pomeriggio, a discutere per tre ore dell'uso di una singola, stupida espressione nella clausola 29(d).

L'espressione era "ogni sforzo". La parte avversa voleva usare "ogni ragionevole sforzo". Non ricordo cosa abbiamo deciso e, francamente, non mi interessa. Io so solo che sono le sette e diciannove e fra undici minuti dovrei essere all'altro capo della città, a cena con mia madre e mio fratello Daniel.

Dovrò dare forfait. La mia cena di compleanno.

Appena formulo il pensiero mi sembra di sentire la voce indignata di Freya, la mia più vecchia compagna di scuola.

"Non possono costringerti a restare al lavoro il giorno del tuo compleanno!"

Ho dovuto annullare anche con lei, la scorsa settimana: dovevamo andare a un cabaret. Il contratto andava chiuso la mattina seguente e quindi non avevo scelta.

Quello che lei non capisce è che le scadenze hanno la precedenza su tutto. Fine della storia. Gli impegni personali non contano, i compleanni non contano. Ogni settimana vengono annullate vacanze. Di fronte a me, all'altro lato del tavolo, c'è Clive Sutherland dell'ufficio contratti. Questa mattina sua moglie ha avuto due gemelli, e per l'ora di pranzo lui era già di ritorno allo studio.

«Okay, gente.» La voce di Ketterman richiama la nostra immediata attenzione.

Ketterman è l'unico a non avere l'aria stanca. Ha l'aspetto efficiente di sempre, laccato come questa mattina. Quando si arrabbia, lui non si scompone. Emana una furia silenziosa, implacabile.

«Dobbiamo aggiornarci.»

Cosa? Sollevo la testa di scatto.

Altre teste si sono alzate. Sento la speranza crescere intorno al tavolo. Siamo come scolari che avvertono un certo scompiglio durante il compito in classe di matematica, ma non osano muoversi per paura di beccarsi una punizione.

«Finché non abbiamo la documentazione della Fallons non

possiamo procedere. Ci vediamo qui domani mattina, alle nove.» Esce maestosamente e, quando la porta si chiude, mi lascio sfuggire un rantolo. Ora mi rendo conto che stavo trattenendo il respiro.

Clive Sutherland è già in piedi, vicino alla porta. Gli altri sono al telefono, e discutono di cene, di film, riconfermano appuntamenti annullati. C'è un che di gioioso nell'aria. Provo un desiderio improvviso di urlare: "Evviva!".

Ma non sarebbe un comportamento da socio.

Raccolgo le mie carte, le infilo nella valigetta e mi alzo dalla sedia.

«Ah, Samantha, dimenticavo.» Guy sta venendo verso di me. «Ho una cosa per te.»

Mi porge un semplicissimo pacchetto bianco e io provo un assurdo impeto di gioia. Un regalo. È l'unico qui allo studio a essersi ricordato del mio compleanno. Sono raggiante mentre apro la busta di cartoncino rigido.

«Guy, non dovevi!»

«Figurati, non è niente» risponde lui, minimizzando.

«Invece sì!» dico, ridendo. «Pensavo che tu...»

Mi interrompo di colpo vedendo un DVD dell'azienda nella sua custodia laminata. È un compendio della presentazione sui partner europei fatta l'altro giorno. Gli avevo detto che mi avrebbe fatto piacere averne una copia.

Lo rigiro fra le mani, assicurandomi di avere ancora il sorriso sulle labbra prima di alzare lo sguardo. Ovvio che non si è ricordato del mio compleanno. Perché avrebbe dovuto? Probabilmente non sa neppure quand'è.

«È... fantastico» dico, alla fine. «Grazie!»

«Figurati.» Sta già prendendo la valigetta. «Ti auguro una buona serata. Hai qualche programma?»

Non posso dirgli che è il mio compleanno. Penserebbe... capirebbe...

«Solo una cosa in famiglia» rispondo con un sorriso. «Ci vediamo domani.»

Comunque, la cosa importante è che riuscirò ad andare alla cena. E non dovrei neppure essere troppo in ritardo!

Mentre il mio taxi avanza lentamente nel traffico di Cheapside, frugo nella borsa e tiro fuori la mia nuova trousse del trucco. L'altro ieri, durante la pausa pranzo, ho fatto un salto da Selfridges perché mi ero resa conto che stavo ancora usando il vecchio eyeliner grigio e il mascara comperati per la laurea, sei anni fa. Non avevo tempo di fare prove, e ho chiesto alla commessa di darmi velocemente tutto ciò di cui, secondo lei, potevo aver bisogno.

Non ho fatto attenzione mentre lei mi spiegava l'uso di ogni articolo, perché ero al telefono con Elldridge per quel contratto ucraino. Ma ricordo bene che si è raccomandata che usassi un prodotto che si chiama Bronzer Powder. Ha detto che mi avrebbe dato un colorito luminoso e non mi avrebbe più fatta sembrare così spaventosamente...

Poi si è bloccata. «Pallida» ha concluso, dopo un attimo di esitazione. «Lei è solo un po'... pallida.»

Tiro fuori il portacipria e un enorme pennello, e comincio ad applicare la polvere sulle guance e sulla fronte. Quando mi guardo nello specchietto, soffoco una risata. Il volto che mi osserva dal portacipria è stranamente dorato e luminoso. Sono ridicola.

Chi voglio prendere in giro? Un avvocato della City che non fa una vacanza da due anni non può essere abbronzato. E neppure avere un colorito luminoso. Potrei farmi le treccine e fingere di essere appena rientrata da Barbados.

Mi guardo ancora per qualche secondo, poi tiro fuori una salviettina detergente e mi tolgo la polvere dal viso finché non torna bianco, con una sfumatura grigiastra. Di nuovo normale.

La commessa non ha fatto che parlare delle mie occhiaie. La questione è che, se non avessi le occhiaie, probabilmente mi licenzierebbero.

Indosso un tailleur nero, come sempre. Mia madre mi ha regalato cinque tailleur neri per il mio ventunesimo compleanno, e non ho mai realmente interrotto la consuetudine. L'unico tocco di colore nel mio abbigliamento è costituito dalla borsa, che è rossa. Anche questa me l'ha regalata la mamma, due anni fa.

O meglio, lei me ne aveva regalata una nera. Ma per qualche motivo – forse era una giornata di sole, o avevo appena concluso un contratto fantastico, non ricordo – ho provato un impulso improvviso e l'ho cambiata con una rossa. Non sono sicura che me l'abbia perdonato.

Libero i capelli dall'elastico, li pettino in fretta, quindi li raccolgo di nuovo. I capelli non sono mai stati il mio vanto. Sono color topo, di una lunghezza media, né mossi né lisci. Almeno, così erano l'ultima volta che li ho guardati. Per la maggior parte del tempo stanno stretti in uno chignon.

«Ha in programma una serata speciale?» domanda il tassista, che continua a osservarmi dal retrovisore.

«A dire il vero è il mio compleanno.»

«Auguri!» Mi fa l'occhiolino nello specchietto. «Allora si festeggia. Notte brava, eh?»

«Ehm… più o meno.»

La mia famiglia e le feste sfrenate non vanno esattamente d'accordo. Ma anche così, sarà bello vederci e raccontarci le ultime novità. Non succede spesso.

Non è che non ne abbiamo voglia, è che siamo tutti troppo impegnati col lavoro. Mia madre fa l'avvocato. È piuttosto famosa. Ha aperto uno studio tutto suo dieci anni fa e l'anno scorso ha vinto il premio "Donne avvocato". Poi c'è mio fratello Daniel, che ha trentasei anni ed è responsabile degli investimenti alla Whittons. L'anno scorso è stato eletto uno fra i migliori operatori della City.

Poi c'è l'altro mio fratello, Peter, ma, come ho già detto, lui ha avuto un esaurimento nervoso. Ora vive in Francia e insegna inglese in una scuola. Non ha neppure la segreteria telefonica. E mio padre, ovviamente, che vive in Sud Africa con la terza moglie. Dopo i tre anni non l'ho più visto molto, ma va bene così. Mia madre ha energia sufficiente per due genitori.

Mentre sfrecciamo lungo lo Strand, guardo l'orologio. Le sette e quarantadue. Comincio a sentirmi piuttosto eccitata. Da quanto tempo non vedo la mamma? Dev'essere… da Natale. Sei mesi.

Ci fermiamo davanti al ristorante, pago il tassista e aggiungo una mancia generosa.

«Le auguro una splendida serata, tesoro!» dice. «E buon compleanno!»

«Grazie!»

Entro in fretta e mi guardo in giro alla ricerca della mamma o di Daniel, ma non li vedo.

«Salve!» dico al maître. «Ho appuntamento con la signora Tennyson.»

Sarebbe la mamma. Lei disapprova le donne che prendono il cognome del marito. Disapprova anche le donne che stanno a casa, cucinano, puliscono o imparano a battere a macchina, e ritiene che una donna dovrebbe guadagnare più del marito perché è più intelligente per natura.

Il maître mi accompagna a un tavolo vuoto nell'angolo e io mi accomodo sulla panca di pelle scamosciata.

«Salve!» Sorrido al cameriere che si avvicina. «Vorrei un Buck's Fizz, un gin tonic e un martini, per favore. Ma li porti solo quando arrivano gli altri ospiti.»

La mamma prende sempre gin tonic. Non ho idea di cosa beva di questi tempi Daniel, ma sono sicura che non dirà di no a un martini.

Il cameriere annuisce e si allontana. Apro il tovagliolo, osservando gli altri ospiti. Maxim's è un ristorante piuttosto chic, tutto pavimenti di wengè, tavoli in acciaio e luci d'atmosfera. Va molto di moda fra gli avvocati, e infatti la mamma ha il conto aperto qui. A un tavolo piuttosto lontano dal mio sono seduti due soci della Linklaters e al bar vedo uno dei più famosi avvocati d'assalto di Londra. Il vocio, il rumore dei tappi che saltano e delle forchette che tintinnano contro i grandi piatti è come il ruggito del mare, interrotto di quando in quando dall'onda di una risata che fa girare le teste dei presenti.

Scorrendo il menu scopro improvvisamente di avere fame. È una settimana che non faccio un pasto decente ed è tutto così invitante. Foie gras con glassa d'albicocca. Agnello con purea di ceci. E tra i piatti del giorno c'è il soufflé al cioccolato al profumo di menta e due sorbetti della casa. Spero solo che la mamma possa fermarsi abbastanza a lungo per il dolce. Ha la pessima abitudine di venire a cena e sparire a metà del secondo. Dice sempre che metà cena è più che sufficiente. Il problema è che il cibo non le interessa. Come non le interessa chiunque sia meno intelligente di lei. Il che esclude la maggior parte della popolazione.

Ma Daniel resterà. Una volta che mio fratello attacca una bottiglia di vino, si sente obbligato a finirla.

«Signorina Sweeting?» Alzo lo sguardo e vedo il maître venire verso di me con un telefono in mano. «Ho un messaggio per lei. Sua madre è stata trattenuta in ufficio.»

«Oh.» Cerco di nascondere la delusione. Ma non posso certo protestare. Io ho fatto lo stesso con lei un sacco di volte. «E quindi... a che ora arriverà?»

Il maître mi guarda in silenzio per qualche istante. Mi sembra di cogliere nei suoi occhi un lampo di pietà.

«È al telefono. La sua segretaria gliela passerà subito... Pronto?» dice, all'apparecchio. «Ho qui la figlia della signora Tennyson.»

«Samantha?» dice una voce secca e decisa. «Tesoro, purtroppo stasera non posso venire.»

«Non puoi proprio venire?» Il mio sorriso svanisce. «Neppure... per un drink?»

Il suo ufficio è a soli cinque minuti da qui, a Lincoln's Inn Fields.

«Ho troppo da fare. Sto lavorando a un grosso caso e domani devo essere in tribunale... no, mi porti l'altro fascicolo» dice, parlando con qualcuno in ufficio. «Sono cose che succedono» riprende. «Ma ti auguro di passare una bella serata con Daniel. Ah, buon compleanno. Ti ho fatto un bonifico di trecento sterline sul conto.»

«Oh, grazie» rispondo, dopo un attimo di pausa.

«Novità a proposito della nomina a socio?»

«Non ancora.» Sento che tamburella con la penna sul ricevitore.

«Quante ore hai fatto questo mese?»

«Ehm... forse duecento...»

«Sono sufficienti? Samantha, non vorrai farti passare avanti da qualcun altro, vero? Ci saranno avvocati più giovani che premono. Una nella tua posizione potrebbe facilmente perdere il treno.»

«Duecento ore sono molte» cerco di spiegarle. «In confronto a quelle degli altri...»

«Tu devi fare meglio degli altri!» La sua voce mi interrompe come se fossimo in tribunale. «Non puoi permettere che le tue prestazioni siano meno che eccellenti. Questo è un momento cruciale... non quel fascicolo!» aggiunge, spazientita, a chiunque ci sia dall'altra parte. «Resta un attimo in linea, Samantha...»

«Samantha?»

Alzo lo sguardo, confusa, e vedo una ragazza con un tailleur azzurrino che si sta avvicinando al tavolo. Ha in mano un cesto regalo, con un nastro, e sfoggia un gran sorriso.

«Sono Lorraine, l'assistente personale di Daniel» annuncia con un tono cantilenante che improvvisamente riconosco. «Purtroppo non è riuscito a venire stasera. Ma ho una piccola cosa per lei... e lui è in linea per salutarla...»

Mi porge un cellulare illuminato. Totalmente confusa lo prendo e lo avvicino all'orecchio.

«Ciao, Samantha» dice la voce strascicata e perentoria di Daniel. «Senti, tesoro, siamo nel bel mezzo di un contratto da fantascienza. Non posso venire.»

Lo sgomento mi assale.

Nessuno dei due può venire?

«Mi dispiace tanto, sorellina» sta dicendo Daniel. «Sai come vanno queste cose... ma divertiti con la mamma, okay?»

Deglutisco più volte. Non posso confessare che anche lei mi ha dato buca. Non posso confessare che sono seduta qui tutta sola.

«D'accordo!» In qualche modo riesco a parlare con un tono allegro.

«Ti ho messo un po' di soldi sul conto. Comperati qualcosa di carino. E ti ho mandato dei cioccolatini tramite Lorraine» aggiunge, orgoglioso. «Li ho scelti io di persona.»

Guardo il cesto che Lorraine mi sta porgendo. Non sono cioccolatini. Sono saponette.

«Sono deliziosi, Daniel» riesco a dire. «Ti ringrazio molto.»

«Tanti auguri a te...»

Alle mie spalle si sente un canto improvviso. Mi volto e vedo venire verso di me un cameriere con un bicchiere da cocktail. Dentro c'è una candelina accesa e sul vassoio di metallo c'è scritto col caramello BUON COMPLEANNO SAMANTHA, accanto a un menu in miniatura firmato dallo chef. Seguono altri tre camerieri, che cantano in coro.

Dopo un attimo Lorraine si unisce a loro, un po' imbarazzata. «Tanti auguri a te…»

Il cameriere posa il vassoio davanti a me, ma io ho le mani occupate dai telefoni.

«Questo lo prendo io» dice Lorraine, liberandomi del cellulare di Daniel. Lo porta all'orecchio, poi mi rivolge un sorriso raggiante. «Sta cantando!» esclama, indicando l'apparecchio.

«Samantha?» dice la mamma. «Sei ancora lì?»

«Sì… stanno cantando "Tanti auguri a te…"»

Poso il telefono sul tavolo. Dopo un attimo di riflessione, Lorraine appoggia l'altro apparecchio sul lato opposto rispetto a me.

Questa è la mia festa di compleanno.

Due cellulari.

Vedo i clienti che si voltano a guardare, e i loro sorrisi che si spengono quando si accorgono che sono sola. Leggo la pietà sui volti dei camerieri. Mi sforzo di farmi coraggio, ma ho le guance in fiamme per l'imbarazzo.

Improvvisamente si materializza il cameriere che aveva preso le ordinazioni. Porta un vassoio con tre cocktail e guarda perplesso il tavolo vuoto.

«Per chi è il martini?»

«È… doveva essere per mio fratello.»

«Sarebbe il Nokia» dice Lorraine, pronta, indicando il cellulare.

Solo un attimo di esitazione e poi, con aria impassibile e professionale, il cameriere posa il bicchiere davanti al telefono, su un tovagliolino.

Mi verrebbe da ridere, se non fosse per quel bruciore agli occhi, e poi non sono certa di riuscirci. Posa gli altri cocktail sul tavolo, mi fa un cenno col capo, quindi si allontana. Segue un momento di imbarazzo.

«Allora…» Lorraine prende il cellulare di Daniel e lo lascia cadere nella borsa. «Buon compleanno… e le auguro una splendida serata!»

Mentre si allontana ticchettando io afferro l'altro telefono per salutare la mamma, ma lei ha già riattaccato. I camerieri canterini si sono dileguati. Resto sola col mio cesto di saponette.

«Desidera ordinare?» Il maître è ricomparso al mio fianco. «Posso suggerire un risotto» dice, con tono gentile. «Una bella insalata e un bicchiere di vino?»

«A dire il vero…» Mi sforzo di sorridere. «Vorrei il conto, grazie.»

Non ha importanza.

La verità è che non ce l'avremmo mai fatta a essere presenti tutti e tre. Era un'illusione. Non avremmo neppure dovuto provarci. Siamo superimpegnati col lavoro. La mia famiglia è così.

Mentre aspetto fuori dal ristorante, un taxi mi si ferma proprio davanti e io mi affretto ad alzare la mano. La portiera posteriore si apre e ne emerge una logora ciabattina di gomma ornata di perline, seguita da un paio di jeans stracciati, un caffetano ricamato e una familiare capigliatura bionda tutta arruffata…

«Lei resti qui» sta dicendo al tassista. «Non ci metterò più di cinque minuti…»

«Freya?» dico, incredula. Lei si volta e spalanca gli occhi.

«Samantha! Cosa ci fai fuori sul marciapiede?»

«Cosa ci fai tu qui?» ribatto. «Credevo stessi partendo per l'India.»

«Infatti. Ho appuntamento con Lord all'aeroporto fra…» consulta l'orologio «dieci minuti.»

Assume un'aria colpevole e io non posso fare a meno di ridere. Conosco Freya da quando avevamo sette anni e iniziavamo il nostro primo anno di collegio. La prima notte mi raccontò che i suoi erano artisti circensi e che lei sapeva cavalcare un elefante e camminare sulla corda. Per tutto il trimestre le credetti e ascoltai i suoi racconti sulla pazza vita del circo. Finché i suoi non vennero a prenderla e si scoprì che erano due fiscalisti della Staines. Ma lei rimase imperturbabile, sostenendo che prima facevano gli artisti da circo.

Ha scintillanti occhi azzurri, la pelle coperta di lentiggini, ed è perennemente abbronzata per i continui viaggi. Al momento le si sta leggermente spellando la punta del naso, e ha un orecchino nuovo, proprio sulla punta dell'orecchio. Ha i denti più bianchi e più storti che io abbia mai visto, e quando ride le si solleva l'angolo del labbro superiore.

«Sono qui per imbucarmi alla tua cena di compleanno.» Volta lo sguardo verso il ristorante, insospettita. «Veramente pensavo di essere in ritardo. Cos'è successo?»

«Be'...» Ho un attimo di esitazione. «Il fatto è che la mamma e Daniel...»

«Sono andati via prima?» Mi scruta e il sospetto si trasforma in orrore. «Non si sono presentati? Che bastardi! Per una volta non potevano metterti prima dei loro fottuti...» Si interrompe, ansimante. «Scusa. Lo so, sono la tua famiglia. Al di là di tutto.»

Freya e mia madre non vanno esattamente d'accordo.

«Non ha importanza» dico, stringendomi nelle spalle. «Davvero. Ho un sacco di lavoro da sbrigare.»

«Lavoro?» Mi fissa allibita. «Adesso? Stai dicendo sul serio? Ma non ti fermi mai?»

«Abbiamo molto da fare in questo periodo» ribatto, sulla difensiva. «È solo un momento...»

«È sempre solo un momento! Tutte le volte c'è un'emergenza! Ogni anno rinunci a qualcosa di divertente...»

«Non è vero.»

«Ogni anno mi dici che cambierà. Ma non cambia mai!» Il suo sguardo si accende di preoccupazione. «Samantha... cos'è successo alla tua vita?»

La fisso per qualche istante, con le macchine che passano rombando sulla strada alle mie spalle. Non so cosa rispondere. A essere sincera, non ricordo neppure com'era, la mia vita.

«Voglio diventare socio della Carter Spink» dico, alla fine. «È ciò che desidero. Bisogna fare dei sacrifici.»

«E cosa succede quando diventi socio?» insiste. «È tutto più facile?»

Mi stringo nelle spalle, evasiva. La verità è che non ci ho pensato. È come un sogno. Come una palla scintillante nel cielo.

«Hai ventinove anni, per Dio!» Freya agita la mano ossuta ornata da anelli d'argento. «Dovresti dar retta all'istinto ogni tanto. Dovresti vedere il mondo!» Mi afferra per il braccio. «Samantha, vieni in India con me. Adesso!»

«Cosa?» Scoppio in una risata incredula. «Non posso venire in India!»

«Prenditi un mese di pausa. Perché no? Non ti licenzieranno. Vieni con me all'aeroporto, troveremo un biglietto...»

«Freya, tu sei pazza. Davvero.» Le do una stretta al braccio. «Io ti voglio bene, ma tu sei pazza.»

Lentamente, Freya allenta la presa sul mio braccio.

«Lo stesso vale per me» dice. «Sei pazza, ma ti voglio bene.»

Il suo cellulare inizia a squillare, ma lei lo ignora. Si mette a frugare nella borsa ricamata. Alla fine tira fuori una minuscola boccetta da profumo in argento riccamente lavorata, avvolta alla meglio in un pezzo di seta color porpora.

«Tieni» dice, porgendomela.

La rigiro fra le dita. «Freya, è fantastica.»

«Sapevo che ti sarebbe piaciuta.» Prende il cellulare dalla tasca. «Ciao!» risponde, spazientita. «Senti, Lord, sto arrivando. Okay?»

Il nome completo del marito di Freya è lord Andrew Edgerly. Il soprannome è nato come uno scherzo, e poi gli è rimasto. Si sono conosciuti cinque anni fa in un kibbutz e si sono sposati a Las Vegas. Tecnicamente, questo fa di lei lady Edgerly, ma nessuno riesce ad accettare l'idea. Meno di tutti gli Edgerly.

«Grazie per essere venuta. E grazie per il regalo.» La stringo in un abbraccio. «Divertitevi in India.»

«Faremo del nostro meglio.» Freya sta risalendo sul taxi. «E se decidi di venire, fammelo sapere. Inventati un'emergenza familiare... qualunque scusa. Dai il mio numero, ti coprirò. Qualunque storia decidi di raccontare.»

«Vai» dico, ridendo, e le do una piccola spinta. «Vai in India.»

La portiera si richiude con un tonfo e lei mette la testa fuori dal finestrino.

«Sam... buona fortuna per domani.» Mi afferra la mano e mi guarda negli occhi, improvvisamente seria. «Se è questo che desideri davvero, spero che tu lo ottenga.»

«È quello che desidero più di ogni altra cosa.» Guardando la mia più vecchia amica, tutta la mia calcolata disinvoltura svanisce. «Freya... non so dirti quanto lo desideri.»

«Lo avrai. Ne sono sicura.» Mi dà un bacio sulla mano, poi mi saluta con un cenno. «E adesso non tornare in ufficio! Giuramelo!» mi urla, mentre il taxi si allontana rombando nel traffico.

«D'accordo! Te lo giuro!» urlo di rimando. Aspetto che sia scomparsa, poi alzo la mano per fermare un taxi.

«Alla Carter Spink, per favore» dico, quando questo si ferma per farmi salire.

Tenevo le dita incrociate. Naturale che torno in ufficio.

Arrivo a casa alle undici, esausta, svuotata. Ho esaminato solo metà del fascicolo di Ketterman. Maledetto Ketterman, sto pensando, mentre apro il portone del palazzo anni Trenta dove vivo. Maledetto Ketterman. Maledetto...

«Buonasera, Samantha.»

Faccio un salto alto un metro. È Ketterman. Proprio lì, davanti agli ascensori, con una valigetta rigonfia stretta nella mano. Per un istante rimango paralizzata dall'orrore. Cosa ci fa qui?

Sono impazzita e comincio ad avere le allucinazioni?

«Qualcuno mi aveva detto che lei abita qui.» I suoi occhi mandano uno scintillio dietro gli occhiali. «Ho comperato l'appartamento 32, come pied-à-terre. Saremo vicini di casa durante la settimana.»

No. Vi prego, ditemi che non è vero. Abita qui?

«Ehm... benvenuto!» esclamo, sforzandomi di sembrare convincente. Le porte dell'ascensore si aprono e noi entriamo.

Il numero 32. Ciò significa che sta appena due piani sopra di me.

Mi sento come se il mio preside fosse venuto ad abitare in casa mia. Come farò a rilassarmi? Perché doveva scegliere proprio questo palazzo?

Mentre saliamo in silenzio mi sento sempre più a disagio. Dovrei dire qualcosa? Fare qualche osservazione senza importanza, da buoni vicini?

«Ho lavorato al fascicolo che mi ha dato» dico alla fine.

«Bene» risponde lui, brusco, annuendo.

Basta chiacchiere. Dovrei passare direttamente alle cose serie. Diventerò socio domani?

«Be'... buonanotte» sussurro, imbarazzata, uscendo dall'ascensore.

«Buonanotte, Samantha.»

Le porte si chiudono e io lancio un urlo silenzioso. Non

posso vivere nello stesso palazzo con Ketterman. Dovrò cambiare casa.

Sto per infilare la chiave nella toppa quando la porta di fronte alla mia si socchiude.

«Samantha?»

Mi sento mancare. Come se non ne avessi avuto già abbastanza per stasera. È la signora Farley, la mia vicina. Ha capelli grigio argento, tre piccoli cani e un insaziabile interesse per la mia vita privata. Ma è molto gentile e ritira i pacchi indirizzati a me, quindi le permetto di curiosare e impicciarsi quanto vuole.

«È arrivato un altro pacco per lei, cara» dice. «Dalla lavanderia. Glielo vado a prendere.»

«Grazie» rispondo, aprendo la mia porta. Sullo stuoino c'è una piccola pila di volantini pubblicitari e io li scosto col piede, unendoli al mucchio già consistente che si sta formando su un lato del corridoio. Ho intenzione di metterli nel sacco del riciclo appena avrò un attimo di tempo. Ce l'ho sulla lista delle cose da fare.

«È arrivata tardi anche stasera.» La signora Farley ricompare al mio fianco, reggendo una pila di camicie avvolte nel cellophane. «Voi ragazze d'oggi siete così impegnate!» prosegue, facendo schioccare la lingua. «Questa settimana non è rientrata neppure una volta prima delle undici!»

Ecco cosa intendevo per insaziabile interesse. Probabilmente annota tutto su un libriccino.

«Grazie mille.» Faccio per prendere le camicie ma, con mio orrore, la signora Farley mi passa accanto ed entra in casa mia, esclamando: «Le porto io!».

«Ehm... scusi il disordine» dico, quando la vedo spostarsi di lato per superare la pila di quadri accostata alla parete. «Non trovo mai il tempo di appenderli... e di togliere di mezzo questi scatoloni...»

La dirotto velocemente in cucina, lontana dalla montagna di menu da asporto sul tavolo nell'ingresso. E subito mi pento di averlo fatto. Sul bancone sono ammassate vecchie scatolette e cartoni, insieme a un biglietto della donna di servizio, scritto in stampatello:

CARA SAMANTHA

1. TUTTA LA ROBA DA MANGIARE È SCADUTA, DEVO BUTTARLA?

2. HA DEI DETERSIVI, TIPO CANDEGGINA O COSE SIMILI? NON SONO RIUSCITA A TROVARLI.

3. PER CASO FA COLLEZIONE DI CONTENITORI DI CIBO CINESE? NEL DUBBIO NON LI HO BUTTATI.

JOANNE

Vedo che la signora Farley sta leggendo il biglietto. Mi pare di sentire i commenti di disapprovazione nella sua mente. Il mese scorso mi ha fatto una predica sulla necessità di procurarmi un robot da cucina, perché con quello è sufficiente mettere dentro il pollo e le verdure al mattino... e per affettare una carota non ci vogliono neppure cinque minuti, giusto?

Non saprei, io avevo pessimi voti in economia domestica.

«Allora, grazie.» Mi affretto a toglierle le camicie dalle mani e le mollo sul piano cottura, poi l'accompagno alla porta, consapevole del suo sguardo inquisitore. «È stata molto gentile.»

«Nessun disturbo» risponde, e mi punta addosso quei suoi occhi piccoli e luccicanti. «Non per impicciarmi degli affari suoi, mia cara, ma potrebbe benissimo lavarsi le camicie di cotone da sola, a casa, e risparmiare un sacco di soldi.»

La guardo, senza sapere cosa rispondere. Sì, potrei, se poi non dovessi anche stenderle. E stirarle.

«E ho notato che a una manca un bottone» aggiunge. «Quella a righine bianche e rosa.»

«Oh» faccio io. «Non c'è problema. La rimanderò indietro. Tanto non si paga.»

«Ma un bottone può attaccarlo anche lei, cara!» esclama la signora Farley, con espressione scioccata. «Ci vuole un minuto. Avrà pure qualche bottone nella scatola del cucito, no?»

Nella cosa?

«Io non ho una scatola del cucito» replico, con quanta gentilezza mi è possibile. «Io non cucio.»

«Ma un bottone saprà attaccarlo, no?» esclama.

«No» rispondo, leggermente irritata dalla sua espressione. «Ma non è un problema. La rimanderò in lavanderia.»

La signora Farley pare sgomenta.

«Non sa attaccare un bottone? Sua madre non gliel'ha mai insegnato?»

Trattengo una risata all'idea di mia madre che attacca un bottone.

«Ehm... no.»

«Ai miei tempi» dice la signora Farley scuotendo la testa «tutte le ragazze ben educate sapevano attaccare un bottone, rammendare un calzino e rivoltare un colletto.»

Nessuna di queste cose mi dice niente. *Rivoltare un colletto*. Incomprensibile.

«Be', ai miei tempi no» rispondo con garbo. «Noi studiavamo per gli esami e ci preparavamo a una carriera lavorativa. Ci hanno insegnato a farci delle opinioni. A usare il cervello» non posso fare a meno di aggiungere.

La signora Farley mi osserva dall'alto in basso per qualche istante.

«È un peccato» dice alla fine, dandomi una pacca affettuosa sul braccio.

Mi sforzo di restare calma, ma la tensione della giornata mi sta montando dentro. Ho lavorato come una pazza, ho avuto un compleanno da schifo, sono stanca morta, affamata... e questa qua mi viene a dire di attaccare un bottone?

«Non è un peccato» ribatto, secca.

«D'accordo, cara» dice la signora Farley, con tono conciliante e attraversa il corridoio, diretta verso il suo appartamento.

Per qualche motivo, la cosa mi irrita ancora di più.

«Perché sarebbe un peccato?» insisto, uscendo dal mio appartamento. «D'accordo, non sono capace di attaccare un bottone, ma sono capace di modificare un contratto di finanziamento societario in modo da far risparmiare al mio cliente trenta milioni di sterline. Ecco cosa so fare.»

La signora Farley mi osserva dalla soglia del suo appartamento. La sua espressione è ancora più compassionevole di prima.

«È un peccato» ripete, come se non mi avesse neppure sentito. «Buonanotte, cara.» Chiude la porta e io lancio un urlo esasperato.

«Ha mai sentito parlare del femminismo?» sbraito dalla soglia.

Ma non ricevo risposta.

Arrabbiata, rientro nel mio appartamento, chiudo la porta e

afferro il telefono. Premo il tasto su cui è memorizzato il numero della pizzeria più vicina e ordino il solito: una capricciosa e una porzione di patatine fritte. Mi verso un bicchiere di vino dal cartone che tengo in frigo, poi vado in soggiorno e accendo il televisore.

Una scatola del cucito. Cos'altro dovrei avere, secondo lei? Un paio di ferri da maglia? Un arcolaio?

Sprofondo sul divano col telecomando in mano e comincio a fare zapping fra i canali, guardando distrattamente le immagini. Un notiziario, un film francese, un documentario sugli animali…

Un momento. Sospendo lo zapping, lascio cadere il telecomando sul divano e mi abbandono sui cuscini.

*Una famiglia americana.*

Il massimo del relax. Proprio ciò di cui avevo bisogno.

È la scena finale, conclusiva. La famiglia è radunata intorno al tavolo. La nonna sta rendendo grazie al Signore prima del pasto.

Bevo un sorso di vino e comincio a rilassarmi. Ho sempre segretamente amato la famiglia Walton, da quando ero bambina. Fin da quando me ne stavo sola al buio mentre tutti gli altri erano fuori e fingevo di vivere anch'io sulla montagna dei Walton.

E ora c'è l'ultimissima scena, quella che aspetto sempre: la grande casa avvolta nell'oscurità. Le luci che scintillano, i grilli che friniscono. La voce di John Boy fuori campo. Una grande casa piena di persone. Mi stringo le ginocchia fra le braccia e guardo malinconica lo schermo, mentre la familiare colonna sonora si avvia alla conclusione.

«Buonanotte, Elizabeth!»

«Buonanotte, nonna» rispondo a voce alta. Tanto, non c'è nessuno che mi sente.

«Buonanotte, Mary Ellen!»

«Buonanotte, John Boy» dico, all'unisono con Mary Ellen.

«Buonanotte.»

«'Notte.»

«'Notte.»

# 4

Mi sveglio col cuore in gola, i piedi giù dal letto, alla ricerca frenetica di una penna, e intanto ripeto: «Come? Come?».

Che è poi come mi sveglio praticamente sempre. Credo sia una caratteristica di famiglia. Abbiamo tutti problemi di sonno. Il Natale scorso, a casa della mamma, sono entrata in cucina verso le tre del mattino per prendere un bicchiere d'acqua e ho trovato lei in vestaglia che leggeva gli atti di un processo e Daniel che buttava giù uno Xanax mentre controllava l'andamento dello Hang Seng in tivù.

Vado in bagno con passo incerto e mi guardo nello specchio. Ecco, ci siamo. Tutto quel lavoro, tutto quello studiare, le nottate... tutto per oggi.

Socio. O non socio.

Oh, Dio. Piantala. Non ci pensare. Mi dirigo verso la cucina e apro il frigo. No! Ho finito il latte.

E il caffè.

Devo assolutamente trovarmi un negozio che consegni la spesa a domicilio. E un lattaio. Afferro una biro e scrivo in fondo alla lista delle cose da fare: "47. Consegna spesa/lattaio?".

La lista delle cose di cui voglio occuparmi è scritta su un pezzo di carta attaccato al muro ed è un utile promemoria per le cose che intendo fare. A dire il vero è un po' ingiallita, e l'inchiostro delle prime voci è sbiadito al punto da essere quasi illeggibile. Ma è un buon metodo per organizzarsi.

Mi viene in mente che dovrei cancellare alcune delle prime annotazioni. Insomma, l'elenco originario risale a quando mi sono trasferita in questo appartamento, tre anni fa. Ormai devo pur averle fatte alcune di queste cose. Prendo una penna e osservo le prime, sbiadite annotazioni.

1. Trovare lattaio.
2. Consegna spesa a domicilio.
3. Come accendere forno?

Ah, già.

Be', devo assolutamente organizzarmi. Questo weekend. E devo assolutamente affrontare il problema del forno. Leggerò il manuale di istruzioni.

Scorro velocemente l'elenco fino alle annotazioni più recenti, quelle che risalgono più o meno a due anni fa.

16. Scegliere lattaio.
17. Invitare amici?
18. Trovarsi un hobby??

Il fatto è che io voglio invitare degli amici. E anche trovarmi un hobby. Quando avrò un po' meno da fare.

Passo alle ultime annotazioni, vecchie di un anno, dove l'inchiostro è ancora blu.

41. Andare in vacanza?
42. Dare una cena?
43. LATTAIO??

Guardo l'elenco lievemente irritata. Com'è possibile che io non abbia fatto niente di quello che c'è scritto? Furiosa, poso la penna e accendo il bollitore, trattenendomi dallo strappare il foglio in mille pezzi.

L'acqua bolle e mi preparo una strana tisana che mi ha regalato tempo fa un cliente; quindi faccio per prendere una mela dalla fruttiera, ma scopro che la frutta è tutta ammuffita. Rabbrividisco per lo schifo e la getto nella spazzatura. Sgranocchio un po' di cereali direttamente dalla scatola.

La verità è che non me ne importa niente dell'elenco. C'è una cosa sola di cui mi importa.

Quando arrivo in ufficio sono fermamente decisa a non lasciar intendere che questo per me è un giorno speciale. Mi terrò defilata e mi concentrerò sul lavoro.

Mentre salgo in ascensore, però, tre persone mi mormorano: «Buona fortuna». Poi, in corridoio, un tizio dell'ufficio tributario che conosco appena mi posa una mano sulla spalla.

«Buona fortuna, Samantha.»

Come fa a conoscere il mio nome?

Mi dirigo velocemente nel mio ufficio e chiudo la porta, sforzandomi di ignorare le persone che parlano in corridoio e mi lanciano occhiate attraverso il divisorio di vetro.

Non avrei dovuto venire al lavoro, oggi. Avrei dovuto fingere un malore quasi mortale.

Comunque non c'è problema. Lavorerò come se fosse un giorno qualsiasi. Apro il fascicolo di Ketterman, vado al punto in cui mi ero interrotta e comincio a leggere il documento, che riguarda un trasferimento di azioni su base quinquennale.

«Samantha?»

Sollevo lo sguardo. Guy è sulla soglia, con due tazze di caffè in mano. Ne posa una sulla mia scrivania.

«Ciao, come va?»

«Bene» dico, voltando una pagina con fare professionale. «Va bene. Normale. Anzi, non capisco cosa siano tutte queste attenzioni.»

L'espressione divertita di Guy mi irrita un poco. Giro un'altra pagina a dimostrazione di quanto ho appena detto e faccio cadere tutto il fascicolo.

Grazie al cielo hanno inventato le graffette!

Paonazza, recupero il fascicolo da terra, rimetto tutte le carte al loro posto e bevo un sorso di caffè.

Guy annuisce con espressione seria. «Be', è un bene che tu non sia nervosa, né agitata.»

«Già» dico, rifiutandomi di reagire. «Proprio così.»

«Ci vediamo dopo.» Alza la sua tazza di caffè come se stesse facendo un brindisi, e poi esce. Guardo l'orologio.

Sono solo le otto e cinquantatré. Non sono sicura di sopravvivere all'attesa.

In qualche modo riesco a superare la mattinata. Finisco di esaminare il fascicolo di Ketterman e comincio a scrivere il mio rapporto. Sono a metà del terzo paragrafo quando Guy ricompare sulla soglia del mio ufficio.

«Ciao» dico, senza alzare lo sguardo. «Sto bene. E non ho ancora saputo nulla.»

Guy non risponde.

Alla fine alzo la testa. Se ne sta davanti alla mia scrivania e mi guarda con l'espressione più strana che io abbia mai visto. È un misto di affetto, orgoglio ed eccitazione, il tutto nascosto dietro il volto impassibile del perfetto giocatore di poker.

«Non dovrei farlo ma…» mormora, sporgendosi verso di me «ce l'hai fatta, Samantha. Sei diventata socio. Riceverai la comunicazione ufficiale fra un'ora.»

Avverto una calda fitta di gioia al petto. Per un attimo non riesco neppure a respirare.

Ce l'ho fatta. Ce l'ho fatta!

«Io non ti ho detto nulla, d'accordo?» Il suo volto si increspa in un sorriso. «Brava.»

«Grazie» riesco a rispondere.

«Ci vediamo dopo. Ti farò le congratulazioni come si conviene.» Si volta ed esce dall'ufficio. Resto sola a fissare il computer.

Sono diventata socio.

Oh, mio Dio. Oh, mio Dio. OH, MIO DIO!

Tiro fuori uno specchietto da borsetta e osservo il mio viso euforico. Ho le guance di un rosa acceso. Provo un desiderio irrefrenabile di balzare in piedi e urlare: "Sì!!". Ho voglia di mettermi a ballare e gridare. Come faccio a resistere un'altra ora? Come posso restarmene qui seduta e calma? Non riesco a concentrarmi sul rapporto per Ketterman.

Mi alzo e vado allo schedario, giusto per fare qualcosa. Apro un paio di cassetti a caso e li richiudo. Poi, mentre mi giro, vedo la mia scrivania ingombra di carte e fascicoli, con una pila di libri in bilico sul terminale del computer.

Ketterman ha ragione. Ecco il modo perfetto per impiegare un'ora. 12.06-13.06: ottimizzazione materiale cartaceo. Abbiamo persino un codice per questo sul foglio di presenza.

Avevo dimenticato quanto io detesti riordinare.

Mentre frugo tra la confusione della mia scrivania esce fuori di tutto. Lettere dello studio, contratti da archiviare, vecchi inviti, appunti… un opuscolo di Pilates… un CD che ho acquistato tre mesi fa e che credevo di aver perso, il biglietto di Arnold per lo scorso Natale, che lo ritrae in costume da renna… Sorrido e lo metto nel mucchio delle "Cose a cui trovare un posto".

Ci sono anche delle targhe, i pezzi di perspex incisi e montati che riceviamo quando concludiamo un grosso contratto. E… oh, Dio, mezza barretta di Snickers che evidentemente per qualche motivo non sono riuscita a finire. La getto nel cestino e con un sospiro mi dedico a un'altra pila di carte.

Non dovrebbero darci delle scrivanie così grandi. Non riesco a credere che ci sia tutta questa roba qui sopra.

*Socio!* La parola mi attraversa la mente come un fuoco d'artificio sfavillante. SOCIO!

Smettila, mi rimprovero. Concentrati su ciò che stai facendo. Mentre tiro fuori un vecchio numero del "Lawyer" chiedendomi perché mai l'abbia conservato, cadono a terra alcuni documenti tenuti insieme da una graffetta. Li raccolgo e scorro la prima pagina, pronta a passare subito a qualcos'altro. È un promemoria di Arnold.

Oggetto: Third Union Bank
Ti trasmetto in allegato l'obbligazione di pagamento per la Glazerbrooks Ltd. Ti prego di provvedere alla registrazione presso l'Ufficio del registro delle imprese.

Lo guardo senza grande interesse. La Third Union Bank è un cliente di Arnold, e io ci ho avuto a che fare soltanto una volta. L'oggetto è un prestito di cinquanta milioni di sterline alla Glazerbrooks e io non devo fare altro che registrarlo entro ventun giorni all'ufficio del registro. È una delle tante incombenze che i soci mi lasciano sulla scrivania. Be', d'ora in avanti non succederà più, penso con determinazione. Anzi, credo che lo passerò a qualcun altro, adesso. Automaticamente guardo la data.

Poi la guardo di nuovo. È datato 26 maggio.

Cinque settimane fa? Non può essere.

Perplessa, sfoglio velocemente le pagine per vedere se si tratta di un errore di battitura. Deve trattarsi di un errore di battitura… ma la data è la stessa dappertutto: 26 maggio.

26 maggio?

Resto a fissare il documento, paralizzata. È rimasto sulla mia scrivania per cinque settimane?

No... no. Non è possibile. Vorrebbe dire che...

Vorrebbe dire che ho lasciato passare la data di scadenza.

Deglutisco. Devo aver letto male. Non posso aver commesso un errore così banale. Io registro *sempre* le transazioni prima della scadenza.

Chiudo gli occhi, cercando di calmarmi. Devo aver preso un abbaglio. È tutta colpa dell'eccitazione per essere diventata socio. Deve avermi annebbiato il cervello. Okay. Controlliamo di nuovo, con attenzione.

Apro gli occhi e guardo il promemoria... ma dice esattamente la stessa cosa di prima. Ti prego di provvedere alla registrazione. Data 26 maggio, nero su bianco. Il che significa che ho esposto il nostro cliente a un prestito non garantito. Il che significa che ho commesso l'errore più elementare che un legale possa fare.

Il mio entusiasmo è svanito. Provo un senso di gelo alla spina dorsale. Sto cercando disperatamente di ricordare se Arnold mi ha detto qualcosa a proposito dell'accordo. No, non ricordo neppure che me ne abbia parlato. Ma perché avrebbe dovuto? È un semplice prestito. Una cosa che solitamente facciamo a occhi chiusi. Avrà dato per scontato che io abbia eseguito i suoi ordini. Si sarà fidato di me.

Oh, Gesù.

Sfoglio di nuovo le pagine, questa volta più in fretta, alla ricerca di una scappatoia, di una clausola che mi faccia esclamare: "Ma certo!". Ma non c'è. Stringo il documento fra le mani, stordita. Come può essere successo? Ho già visto questo promemoria? L'ho messo da parte, pensando di occuparmene in un secondo tempo? Non ricordo. Non riesco proprio a ricordare.

E adesso cosa faccio? Un'ondata di panico mi assale mentre valuto le conseguenze. La Third Union Bank ha concesso un prestito di cinquanta milioni di sterline alla Glazerbrooks. E non essendo stato registrato, questo prestito – un prestito da cinquanta milioni di sterline – non è garantito. Se la Glazerbrooks fallisse domani, la Third Union Bank finirebbe in fondo alla lista dei creditori... e probabilmente resterebbe con un pugno di mosche.

«Samantha!» dice Maggie dalla porta, facendomi trasalire.

Istintivamente metto una mano sul promemoria, anche se non lo sta guardando, anche se non ne capirebbe comunque l'importanza.

«Ho appena saputo!» esclama con un sussurro perfettamente udibile. «Guy se l'è lasciato scappare! Congratulazioni!»

«Ehm... grazie!» Mi costringo a sorridere.

«Sto andando a prendere una tazza di tè. Ne vuoi una?»

«Oh, sì! Grazie.»

Maggie scompare e io nascondo il viso fra le mani. Sto cercando di mantenere la calma, ma dentro di me sta montando il panico. Devo affrontare la cosa. Ho commesso un errore.

Ho commesso un errore.

Cosa faccio? Il mio corpo è teso per la paura, non riesco a pensare in maniera coerente...

E poi, all'improvviso, mi tornano in mente le parole che Guy ha detto ieri, e provo un'ondata di sollievo quasi dolorosa. "Un errore non è un errore a meno che non vi si possa porre rimedio."

Sì. Il punto è che posso porvi rimedio. Posso ancora registrare il prestito.

Sarà atroce. Dovrò informare la banca di ciò che ho fatto, e la Glazerbrooks, Arnold e Ketterman. Dovrò preparare una nuova documentazione. E, cosa peggiore, vivere sapendo che tutti sono a conoscenza dell'errore che ho commesso, un errore stupido e avventato, che solo una tirocinante potrebbe fare.

Potrebbe significare la fine del mio status di socio. Il pensiero mi si affaccia alla mente e per un istante mi sento morire.

Ma non c'è altra scelta. Devo rimediare.

Mi collego velocemente al sito web dell'Ufficio del registro delle imprese e faccio una ricerca sulla Glazerbrooks. Se nel frattempo non è stato registrato un altro prestito, non sarà cambiato nulla...

Fisso lo schermo, incredula.

No.

Non può essere.

Un prestito di cinquanta milioni di sterline è stato registrato la scorsa settimana da una società che si chiama BLLC Holdings. Il nostro cliente è l'ultimo dei creditori.

Il mio cervello va in tilt. Non va bene. Non va bene. Devo parlare con qualcuno, in fretta. Devo fare subito qualcosa, prima che vengano registrate altre transazioni. Devo... devo dirlo ad Arnold.

Ma la sola idea mi paralizza.

Non posso farlo. Non posso andare da lui e annunciargli che ho commesso l'errore più banale del mondo mettendo a rischio cinquanta milioni di sterline del nostro cliente. Quello che farò è... provare a risolvere questo casino prima di parlarne con qualcuno. Cercherò di limitare i danni. Sì. Chiamerò prima la banca. Prima li informo, meglio è.

«Samantha?»

«Eh?» Praticamente faccio un salto sulla sedia.

«Come sei nervosa, oggi!» osserva Maggie con una risata e viene verso di me con una tazza di tè. «Sei al settimo cielo?» domanda, facendomi l'occhiolino.

Per un attimo non capisco di cosa stia parlando. Il mio universo si è ridotto a me e al mio errore, e a ciò che posso fare per rimediare.

«Ah! Certo! Sì!» Mi sforzo di sorridere, e senza farmi vedere mi asciugo il palmo della mano con un fazzoletto di carta.

«Scommetto che non ti sei ancora ripresa dallo shock!» Si appoggia allo schedario. «Ho una bottiglia di champagne in frigo che aspetta...»

«Ehm... fantastico! Adesso però, Maggie, avrei delle cose...»

«Oh» fa lei, risentita. «Okay, allora ti lascio.»

Dal modo in cui esce capisco che è indignata. Probabilmente sta pensando che sono una grandissima stronza. Ma ogni minuto che passa è un minuto di rischio in più. Devo chiamare la banca. Immediatamente.

Sfoglio il contratto allegato al promemoria e trovo il nome e il numero di telefono del contatto alla Third Union. Charles Conway.

È lui l'uomo che devo chiamare. È l'uomo a cui devo rovinare la giornata e confessare di aver sbagliato. Con mani trementi sollevo il ricevitore. Mi sento come se mi stessi facendo forza per tuffarmi in un orrendo pantano infestato da sanguisughe.

Per qualche istante resto immobile a fissare la tastiera. Alla fine allungo la mano e compongo il numero. Mentre squilla, il mio cuore prende a battere più forte.

«Charles Conway.»

«Salve» dico, cercando di mantenere un tono di voce fermo. «Sono Samantha Sweeting della Carter Spink. Non credo che ci siamo mai incontrati di persona.»

«Salve, Samantha.» Sembra un tipo abbastanza cordiale. «In cosa posso esserle utile?»

«La chiamo a proposito... di una questione tecnica. Si tratta...» Non riesco quasi a pronunciare il nome. «Si tratta della Glazerbrooks.»

«Oh, allora ha saputo» dice lui. «Le notizie viaggiano in fretta.»

La stanza sembra rimpicciolirsi. Stringo il ricevitore con più forza.

«Sentito... cosa?» La mia voce risulta più acuta di quanto vorrei. «Io non ho sentito nulla.»

«Oh! Credevo mi stesse chiamando per quello.» Fa una pausa, e lo sento ordinare a qualcuno di cercare qualcosa su Google. «Sì, hanno chiamato oggi gli amministratori giudiziari. Evidentemente il loro ultimo, disperato tentativo per salvarsi non ha funzionato...»

Sta ancora parlando, ma io non riesco a sentire che cosa dice. Ho la testa vuota. Macchie nere mi danzano davanti agli occhi.

La Glazerbrooks sta fallendo. Non ci sarà una nuova documentazione. Mai più.

Non potrò registrare la transazione.

Non posso rimediare.

Ho fatto perdere cinquanta milioni di sterline alla Third Union Bank.

Mi sembra di avere le allucinazioni. Ho voglia di mettermi a balbettare per il terrore. Ho voglia di sbattere giù il ricevitore e cominciare a correre.

La voce di Charles Conway si insinua nella mia coscienza.

«In effetti, è un bene che lei abbia chiamato.» Lo sento battere su una tastiera, assolutamente rilassato. «Sarà meglio che ricontrolliate le garanzie di quel prestito.»

Per qualche istante non riesco neppure a parlare.

«Sì» dico alla fine, con voce roca. Poso il ricevitore, tremante. Sto per vomitare.

Ho combinato un casino.

Ho combinato un casino così grosso che non...

Non posso neppure...

Senza sapere quello che faccio mi alzo dalla sedia. Devo uscire. Devo andarmene da qui.

## 5

Attraverso la reception come un automa. Esco nella strada soleggiata e piena di gente per l'ora di pranzo, e mi metto a camminare, un piede dopo l'altro, una persona fra le tante uscite dagli uffici.

Solo che io sono diversa da loro. Io ho appena fatto perdere cinquanta milioni di sterline al mio cliente.

Cinquanta milioni. È come un rullo di tamburo dentro la testa.

Non capisco come sia potuto accadere. Proprio non capisco. La mia mente continua a girare in tondo. Ossessiva. Come ho potuto non notarlo, com'è potuto sfuggirmi…

Io non ho mai visto prima quel documento. Neppure da lontano. Dev'essere stato messo sulla mia scrivania e subito dopo coperto con qualcosa. Un fascicolo, una pila di contratti, una tazza di caffè.

Un errore. Uno sbaglio. L'unico sbaglio che io abbia mai fatto. Vorrei svegliarmi e scoprire che si è trattato solo di un incubo, un film che è accaduto a qualcun altro. Una storia che sto ascoltando in un pub, ringraziando la mia buona sorte che non sia capitato a me.

Invece è capitato a me. A me. La mia carriera è finita. L'ultimo che ha commesso un errore del genere alla Carter Spink è stato Ted Stephens, che ha fatto perdere dieci milioni di sterline a un cliente, nel 1983. È stato licenziato in tronco.

Io ne ho fatti perdere cinque volte tanto.

Respiro con affanno, mi gira la testa. Mi sento soffocare. Credo sia un attacco di panico. Mi siedo su una panchina e aspetto che passi.

Non passa. Anzi, peggiora.

Scatto in piedi terrorizzata quando il mio cellulare si mette a vibrare all'improvviso nella tasca. Lo prendo e guardo il numero sul display. È Guy.

Non posso parlare con lui. Non posso parlare con nessuno. Non adesso.

Un attimo dopo, il telefono mi avvisa che è stato lasciato un messaggio. Mi porto il telefono all'orecchio e premo il tasto di ascolto.

«Samantha!» La voce di Guy è allegra. «Dove sei? Ti stiamo aspettando con lo champagne per annunciare la tua nomina a socio!»

La nomina a socio. Mi viene voglia di piangere. Ma non ci riesco. È troppo grossa persino per questo. Infilo il telefono nella tasca e mi alzo in piedi. Comincio a camminare, sempre più veloce, zigzagando fra le persone, ignorando le loro occhiate perplesse. Mi scoppia la testa e non ho idea di dove sto andando. Ma non posso fermarmi.

Cammino per quelle che mi paiono ore, la mente confusa, i piedi che si muovono alla cieca. Il sole picchia forte, i marciapiedi sono polverosi e dopo un po' la testa inizia a pulsarmi. A un certo punto il cellulare riprende a vibrare, ma io lo ignoro.

Alla fine, quando cominciano a farmi male le gambe, rallento e mi fermo. Mi sento la bocca asciutta: sono completamente disidratata. Ho bisogno d'acqua. Alzo lo sguardo, cercando di capire dove mi trovo. Devo essere arrivata alla stazione di Paddington.

Disorientata, mi dirigo verso l'ingresso ed entro. Il posto è rumoroso e affollato di viaggiatori. Le luci al neon, l'aria condizionata, il chiasso degli annunci mi fanno trasalire. Mentre vado verso il chiosco che vende bottigliette d'acqua, il cellulare vibra di nuovo. Lo tiro fuori e guardo il display. Ci sono quindici chiamate non risposte e un altro messaggio di Guy. È di circa venti minuti fa.

Esito, col cuore che batte all'impazzata per l'agitazione, poi premo 1 per ascoltarlo.

"Cristo, Samantha! Cos'è successo?"

Non è più allegro, sembra agitato. Avverto un brivido di terrore in tutto il corpo.

"Sappiamo" sta dicendo. "Okay? Sappiamo della Third Union Bank. Charles Conway ci ha chiamati. Poi Ketterman ha trovato i documenti sulla tua scrivania. Devi tornare subito in ufficio. Richiamami."

Lui riattacca, ma io non mi muovo. Sono paralizzata dalla paura.

Loro lo sanno. Lo sanno tutti.

Ho di nuovo le macchie nere davanti agli occhi. La nausea mi sta crescendo dentro. Tutti alla Carter Spink sanno che ho combinato un casino. Chissà quante telefonate. E le e-mail con la notizia fra l'inorridito e il divertito. "Hai sentito…"

Mentre me ne sto lì, impalata, qualcosa attira la mia attenzione. Con la coda dell'occhio vedo un volto familiare tra la folla. Giro la testa e guardo meglio, cercando di focalizzarlo… poi avverto una nuova fitta di orrore.

È Greg Parker, uno dei soci anziani. Sta avanzando a grandi passi lungo il corridoio centrale, con il suo abito costoso e il cellulare in mano. Ha la fronte aggrottata e sembra molto preoccupato.

«E allora dov'è?» La sua voce si diffonde nel corridoio.

Il panico mi colpisce come un fulmine. Devo togliermi dal suo campo visivo. Devo nascondermi. Adesso. Mi sposto dietro una grassona con un impermeabile beige e cerco di abbassarmi in modo che mi copra. Ma lei continua a muoversi e io sono costretta a spostarmi con lei.

«Vuole qualcosa? Sta chiedendo la carità?» domanda lei, voltandosi di scatto e guardandomi con aria sospettosa.

«No!» rispondo, scioccata. «Io… ehm…»

Non posso dirle: "Mi stavo nascondendo dietro di lei".

«Be', allora mi lasci in pace!»

Mi guarda torvo e si allontana in direzione di un bar. Il cuore mi batte all'impazzata. Sono in piena vista nel mezzo del corridoio. Greg Parker si è fermato. È a una cinquantina di metri da me, e sta ancora parlando al telefono.

Se mi muovo, mi vede. Se resto ferma… mi vede.

Improvvisamente si sente un forte ticchettio provenire dall'alto: è il cartellone delle partenze che si aggiorna. Un gruppo di persone in attesa raccoglie bagagli e giornali e si avvia verso il binario 9.

Senza pensarci due volte mi unisco alla folla, tenendomi nascosta fra quelli che passano attraverso le barriere aperte. Salgo sul treno insieme a tutti gli altri, proseguendo veloce verso la fine della carrozza.

Il treno esce dalla stazione e io mi abbandono sul sedile, di fronte a una famiglia che indossa magliette dello zoo di Londra. Mi sorridono e in qualche modo riesco a contraccambiare. Mi sembra di vivere in una dimensione irreale.

Un uomo avvizzito entra nella carrozza spingendo un carrello, e mi guarda sorridendo. «Sandwich caldi e freddi, tè, caffè, bibite, bevande alcoliche?»

«Qualcosa di alcolico, per favore» dico, cercando di non sembrare troppo disperata. «Doppio. Di quello che ha.»

Nessuno viene a controllare i biglietti. Nessuno mi disturba. Il treno pare un espresso. I sobborghi lasciano posto ai campi e il treno procede veloce. Ho bevuto tre bottigliette di gin mescolate con succo d'arancia, succo di pomodoro e una bevanda allo yogurt al gusto di cioccolata. Il blocco di gelido terrore allo stomaco si è sciolto. Mi sento stranamente distaccata da tutto.

Ho commesso l'errore più grande della mia carriera. Quasi certamente ho perso il posto. Non diventerò mai socio.

Un solo, stupido errore.

La famiglia davanti a me ha aperto dei pacchetti di patatine e me ne ha offerta qualcuna, poi mi ha invitato a giocare a Scarabeo. La madre mi ha persino chiesto se viaggiavo per lavoro o per piacere.

Non sono riuscita a risponderle.

La mia frequenza cardiaca è gradualmente diminuita, ma mi è venuto un terribile mal di testa. Me ne sto con una mano sopra un occhio, cercando di proteggermi dalla luce.

«Signore e signori…» La voce del conduttore ci giunge gracchiante attraverso gli altoparlanti. «Purtroppo… lavori sulla linea… trasporti sostitutivi…»

Non riesco a capire cosa sta dicendo. Non so neppure dove siamo diretti. Aspetterò la prossima fermata, scenderò dal treno e poi vedremo.

«Uvetta non si scrive così» sta dicendo la madre a uno dei bambini, quando improvvisamente il treno comincia a rallentare. Alzo lo sguardo e vedo che ci stiamo fermando in una stazione. Lower Ebury. Tutti stanno prendendo i bagagli per scendere.

Mi alzo anch'io, come un automa. Seguo la famiglia giù dal treno e fuori dalla stazione, guardandomi intorno. Mi trovo davanti a una minuscola, graziosa stazione di campagna, e sull'altro lato della strada c'è un pub che si chiama The Bell. In entrambe le direzioni la strada compie una curva, e in lontananza si intravedono i campi. Fermo da una parte c'è un autobus, e tutti i passeggeri scesi dal treno si mettono in coda per salirvi.

La madre si è voltata verso di me e mi sta facendo dei cenni. «Deve venire da questa parte, se vuole prendere l'autobus per Gloucester. La stazione principale.»

Al pensiero di salire su un autobus mi viene da vomitare. Non voglio prendere un autobus per nessuna destinazione. Voglio soltanto un analgesico. Ho la testa che mi si spacca in due.

«Ehm... no, grazie. Io mi fermo qui, grazie.» Sorrido, cercando di apparire convincente e, prima che lei possa dire altro, mi avvio lungo la strada nella direzione opposta all'autobus.

Non ho idea di dove mi trovo. La più pallida idea.

Dentro la mia tasca il cellulare si mette a vibrare. Lo prendo. È Guy. Di nuovo. Dev'essere la trentesima telefonata. E ogni volta ha lasciato un messaggio chiedendomi di richiamarlo, chiedendomi se ho ricevuto le sue e-mail.

Non ho ricevuto nessuna delle sue e-mail. Ero così sconvolta che ho lasciato il palmare sulla scrivania. Ho con me soltanto il telefonino. Vibra di nuovo e lo fisso per qualche istante. Poi, con lo stomaco stretto per l'agitazione, lo avvicino all'orecchio e premo il tasto di risposta.

«Pronto.» Il mio tono è stridulo. «Sono... sono io.»

«Samantha?» La sua voce incredula è assordante. «Sei tu? Dove sei?»

«Non lo so. Dovevo andarmene. Io... ero sotto shock.»

«Samantha, non so se hai ricevuto i miei messaggi, ma...» ha un attimo di esitazione «lo sanno tutti.»

«Lo so.» Mi appoggio a un vecchio muro mezzo diroccato e chiudo gli occhi, cercando di arginare il dolore. «Lo so.»

«Com'è successo?» Sembra scioccato quanto me. «Come diavolo hai potuto fare un errore così banale? Voglio dire... Cristo, Samantha...»

«Non lo so» dico, intontita. «Io... io non l'ho mai visto. È stato un errore.»

«Tu non fai mai errori!»

«Be', invece l'ho fatto!» Sento arrivare le lacrime e sbatto le palpebre per allontanarle. «Cosa... cosa sta succedendo?»

«Niente di buono» risponde con un sospiro. «Ketterman cerca di limitare i danni. Sta parlando con i legali della Glazerbrooks e con la banca... e con l'assicurazione, ovviamente.»

L'assicurazione. L'assicurazione che copre i danni causati dallo studio. All'improvviso mi invade una speranza quasi esilarante. Se l'assicurazione paga senza fare storie, forse le cose non sono poi così brutte come pensavo...

Ma nell'attimo in cui mi abbandono all'ottimismo, so di essere come quei viaggiatori disperati che vedono miraggi attraverso la foschia. Le assicurazioni non rimborsano mai l'intero ammontare. Talvolta non rimborsano proprio niente. Talvolta pagano, ma poi ti aumentano il premio a livelli inaccettabili.

«Cos'ha detto l'assicurazione?» domando con un groppo in gola.

«Per adesso non ha detto ancora niente.»

«Bene.» Mi passo una mano sul volto sudato, cercando il coraggio di fare la domanda seguente. «E... di me... cosa si dice?»

Guy non risponde.

Quando comprendo il significato del suo silenzio, mi sento vacillare come se stessi per svenire. Ecco la risposta. Apro gli occhi e vedo due ragazzini in bicicletta che mi osservano.

«È finita, non è vero?» Cerco di sembrare calma, ma la mia voce trema senza controllo. «La mia carriera è finita.»

«Io... io questo non lo so. Senti, Samantha. Ti sei fatta prendere dal panico. È normale. Ma non puoi nasconderti. Devi tornare...»

«Non posso.» Il tono mi si alza per l'angoscia. «Non me la sento di affrontare nessuno.»

«Samantha, ragiona!»

«Non posso farlo! Non posso! Dammi tempo...»

«Saman...» Interrompo la comunicazione.

Mi sento svenire. Mi scoppia la testa. Ho bisogno di un po' d'acqua. Ma il pub mi sembra chiuso e non vedo negozi.

Proseguo barcollando lungo la strada finché arrivo a due alte colonne scolpite, decorate da leoni. C'è una casa. Suonerò il campanello e chiederò un analgesico e un bicchiere d'acqua. E mi informerò se c'è un albergo nelle vicinanze.

Mi dirigo verso il pesante portone di quercia facendo rumore sulla ghiaia a ogni passo. È una casa imponente in pietra color miele, con un ripido tetto a due falde, alti camini e due Porsche nel vialetto. Allungo la mano e tiro la cordicella del campanello.

Silenzio. Resto lì per un po', ma la casa sembra priva di vita. Sto per rinunciare e tornare sui miei passi quando, all'improvviso, la porta si spalanca.

Davanti a me c'è un donna coi capelli biondi che arrivano alle spalle e vistosi orecchini pendenti. Ha un trucco pesante, indossa pantaloni di seta di una strana sfumatura color pesca; ha una sigaretta in una mano e un cocktail nell'altra.

«Salve.» Tira una boccata dalla sigaretta e mi osserva con circospezione. «Ti manda l'agenzia?»

## 6

Non so proprio di cosa stia parlando. Mi fa così male la testa che riesco a malapena a vederla, figuriamoci se capisco cosa sta dicendo.

«Ti senti bene?» domanda, scrutandomi con aria critica. «Hai un aspetto orrendo.»

«Ho un forte mal di testa» rispondo. «Potrei avere un bicchiere d'acqua?»

«Ma certo! Entra.» Mi sventola la sigaretta sulla faccia invitandomi in un atrio enorme, impressionante, col soffitto a volta. «Intanto vorrai vedere la casa. Eddie?» La sua voce si leva fino a diventare uno strillo. «Eddie, ne è arrivata un'altra! Io sono Trish Geiger» aggiunge, rivolta a me. «Puoi chiamarmi signora Geiger. Da questa parte…»

Mi fa strada in una sontuosa cucina in legno d'acero e apre alcuni cassetti, apparentemente a caso, prima di esclamare «Ah!» e tirare fuori una scatola di plastica. Dentro ci sono almeno cinquanta flaconi e scatolette di pastiglie assortite. La donna comincia a frugare con le lunghe unghie smaltate.

«Ho dell'aspirina… paracetamolo… ibuprofene… un calmante *molto* blando…» Mi mostra una pillola rosso scuro. «Questa viene dall'America» dice, illuminandosi. «Da noi è illegale.»

«Ehm… fantastico. Lei ha un sacco di analgesici.»

«Oh, in questa casa andiamo pazzi per le pillole» dice, rivolgendomi uno sguardo improvvisamente intenso. «Le adoriamo. Eddie!» Mi porge tre compresse verdi e, dopo parecchi tentativi, riesce a trovare l'armadietto dei bicchieri. «Ecco fatto. Queste ammazzeranno qualsiasi mal di testa.» Mi versa dell'acqua fredda dal dispenser del frigorifero. «Bevila tutta.»

«Grazie» dico, ingoiando le compresse con una smorfia. «Non so come ringraziarla. Mi fa così male la testa che non riesco neppure a ragionare.»

«Il tuo inglese è ottimo» esclama, scrutandomi attentamente. «Davvero ottimo!»

«Oh…» faccio io, perplessa. «Già. Be', sono inglese. Probabilmente sarà per questo.»

«Sei *inglese*?» Trish Geiger sembra elettrizzata dalla notizia. «Bene! Vieni a sederti. Le pillole faranno effetto in un minuto. E se non fanno effetto, te ne daremo delle altre.»

Mi trascina fuori dalla cucina, di nuovo verso l'atrio. «Questo è il salotto» dice, fermandosi davanti a una porta. Indica la stanza, spaziosa ed elegante, con un gesto e così facendo sparge cenere dappertutto. «Come puoi vedere, c'è molto da pulire, spolverare, argenteria da lucidare…» Mi guarda, in attesa di un commento.

«Già» rispondo, annuendo. Non ho idea del perché questa donna mi parli di faccende domestiche, ma pare che si aspetti una risposta.

«Quello è un bellissimo tavolo» dico alla fine, indicando uno scintillante tavolino in mogano.

«Dev'essere lucidato.» Stringe gli occhi. «Regolarmente. Io queste cose le noto.»

«Certo.» Annuisco, confusa.

«Ci metteremo qui…» Mi fa strada attraverso un'altra sala grande e superbamente ammobiliata, e da lì in una veranda luminosa, chiusa da vetri e arredata con eleganti chaise longue in tek, piante rigogliose e vassoi ben forniti di liquori.

«Eddie! Vieni qui!» Dà un colpo sul vetro. Alzo lo sguardo e vedo un uomo in pantaloni da golf venire verso di noi sul prato curatissimo. È prossimo alla cinquantina, abbronzato e ha l'aria di essere ricco.

Anche Trish dev'essere vicina ai cinquanta, penso, lanciando un'occhiata alle zampe di gallina mentre lei si volta. Anche se qualcosa mi dice che ufficialmente va per i trentanove e non un giorno di più.

«Che bel giardino» osservo.

«Oh, sì.» Il suo sguardo si posa sul prato senza molto interesse. «Il nostro giardiniere è molto bravo. È un vulcano di idee. Ora siediti.» Fa un gesto agitando le mani e, un po' in imbarazzo, mi siedo su una chaise longue. Trish si lascia cadere su una poltroncina di fronte a me e scola il contenuto del bicchiere.

«Sai fare un buon Bloody Mary?» domanda a bruciapelo.

La fisso, sconcertata.

«Non importa.» Tira una boccata dalla sigaretta. «Posso sempre insegnarti io.»

Può fare cosa?

«Come va la testa?» domanda, prima che io abbia il tempo di rispondere alla domanda precedente. «Meglio? Ah, ecco Eddie!»

«Saluti a tutti!» La porta si apre e il signor Geiger entra nella veranda. Da vicino non è poi così straordinario come mi era parso vedendolo camminare sul prato. Ha gli occhi leggermente iniettati di sangue e un principio di pancetta.

«Eddie Geiger» dice, porgendo la mano, cordiale. «Il padrone di casa.»

«Eddie, questa è...» Trish mi guarda, sorpresa. «Come ti chiami?»

«Samantha» rispondo. «Mi dispiace immensamente darvi tanto disturbo, ma avevo un terribile mal di testa...»

«Ho dato a Samantha un paio di quelle pillole verdi che ci ha prescritto il medico» si intromette Trish.

«Ottimo.» Eddie apre una bottiglia di scotch e se ne versa un bicchiere. «Dovresti provare quelle rosse. Letali!»

«Ah... bene.»

«Non in senso letterale, ovviamente!» Scoppia in una risata secca, improvvisa. «Non stiamo cercando di avvelenarti!»

«Eddie!» Trish gli dà una pacca facendo tintinnare i braccialetti. «Non spaventare questa povera ragazza!»

Si voltano entrambi a guardarmi. Per qualche motivo ho la sensazione che si aspettino una risposta da me.

«Vi sono davvero molto grata.» Riesco a fare un mezzo sorriso. «Siete stati molto gentili a concedermi un po' del vostro tempo.»

«Il suo inglese è ottimo, vero?» osserva Eddie, inarcando le sopracciglia in direzione di Trish.

«È inglese» ribatte lei, con aria trionfante, come se avesse appena estratto un coniglio dal cilindro.

C'è qualcosa che proprio non capisco. Ho l'aria della straniera?

«Facciamo un giro della casa?» dice Eddie, voltandosi verso Trish.

Mi sento mancare. La gente che fa fare il giro della casa dovrebbe essere abolita. Il pensiero di trascinarmi da una stanza all'altra, sforzandomi di trovare ogni volta qualcosa di diverso da dire, è insopportabile. Io voglio soltanto starmene seduta qui in attesa che gli analgesici facciano effetto.

«Non è necessario, davvero» faccio io. «Sono sicura che è bellissima...»

«Ma certo che è necessario!» Trish spegne la sigaretta. «Su, vieni, portati il bicchiere...»

Mentre mi alzo ho un capogiro e sono costretta ad aggrapparmi a una pianta di yucca per tenermi in equilibrio. Il dolore sta diminuendo, ma ho la testa vuota e mi sento stranamente come staccata dalla realtà. Sembra tutto un sogno.

Questa donna di sicuro non ha una vita. Sembra che il suo unico interesse siano le faccende domestiche. Mentre passiamo di stanza in stanza, una più sfarzosa dell'altra, non fa che indicarmi i pezzi che necessitano di particolari cure, e mi mostra dove tiene l'aspirapolvere. Adesso mi sta addirittura parlando della lavatrice.

«Sembra molto... efficiente» osservo, dal momento che pare che lei si aspetti un complimento.

«Noi cambiamo la biancheria ogni settimana. Lavata e ben stirata, ovviamente» aggiunge, lanciandomi un'occhiata pungente.

«Certo.» Annuisco, cercando di nascondere il mio sconcerto. «Ottima idea.»

«E adesso, di sopra!» annuncia, uscendo con incedere maestoso dalla cucina.

Oh, Dio. Non è ancora finita?

«Vieni da Londra, Samantha?» domanda Eddie Geiger mentre saliamo le scale.

«Esatto.»

«E hai un lavoro a tempo pieno?»

Lui vuole solo essere gentile, ma per qualche istante non riesco a rispondere. Ho un lavoro?

«Ce l'avevo» rispondo, alla fine. «A essere sincera, non so quale sia la mia situazione al momento.»

«Che orari facevi?» Trish si volta di scatto, improvvisamente interessata alla conversazione.

«Non avevo orari» rispondo, stringendomi nelle spalle. «Sono abituata a lavorare tutto il giorno, e anche la sera. A volte anche tutta la notte.»

I Geiger paiono sbalorditi a questa rivelazione. La gente non ha idea di cosa sia la vita di un avvocato.

«Lavoravi anche tutta la notte?» Trish sembra stupefatta. «Da sola?»

«Io e gli altri dello staff. Chiunque servisse.»

«Dunque, tu vieni da... una grande impresa?»

«Una delle più grandi di Londra» confermo, annuendo.

Trish ed Eddie continuano a scambiarsi delle occhiate. Sono proprio strani.

«Be', ti farà piacere sapere che noi siamo decisamente più... rilassati!» Trish fa una risatina. «Questa è la camera da letto padronale, la camera degli ospiti...»

Mentre procediamo lungo il corridoio, lei continua ad aprire e chiudere porte, a indicarmi letti a baldacchino e pesanti tende fatte a mano, finché la testa comincia a vorticarmi. Non so cosa c'era in quelle pillole, ma mi sento sempre più strana ogni momento che passa.

«La stanza da letto verde... come saprai, non abbiamo né figli né animali... Tu fumi?» domanda Trish all'improvviso, tirando una boccata dalla sigaretta.

«Ehm... no. Grazie.»

«Comunque a noi non dà fastidio.»

Scendiamo una breve rampa di scale e io mi appoggio alla parete per tenermi in equilibrio, ma questa sembra allontanarsi in un intrico di fiori di tappezzeria.

«Ti senti bene?» Eddie mi afferra prima che crolli a terra.

«Credo che quegli analgesici siano un po' forti» mormoro.

«In effetti sono tosti...» Trish mi osserva stringendo gli occhi. «Non è che per caso hai bevuto dell'alcol, oggi?»

«Ehm, be', sì.»

«Ah» fa lei con una smorfia. «Be', non c'è problema, purché tu non cominci ad avere le allucinazioni. In quel caso dovremmo chiamare un dottore. E… eccoci qui!» prosegue, aprendo l'ultima porta con uno svolazzo. «Gli alloggi del personale.»

Tutte le stanze della casa sono enormi. Questa è grande più o meno quanto il mio appartamento, con pareti chiare e finestre con colonnine di pietra che danno sul giardino. Ha il letto più semplice che io abbia visto finora, grande e quadrato, con lenzuola bianche perfettamente stirate.

Lotto contro il desiderio improvviso e quasi irresistibile di sdraiarmi, appoggiare la testa e sprofondare nell'oblio.

«Bella» dico, garbata. «È… una splendida stanza.»

«Bene!» esclama Eddie, battendo le mani. «Allora, Samantha. Direi che il posto è tuo!»

Lo guardo attraverso l'annebbiamento che ho nel cervello.

Il posto?

Quale posto?

«Eddie!» scatta Trish. «Non puoi offrirle il posto così, su due piedi! Non abbiamo ancora finito il colloquio!»

*Il colloquio?*

«Non le abbiamo neppure parlato del lavoro!» Trish se la sta ancora prendendo con Eddie. «Non abbiamo esaminato i dettagli!»

«Bene, allora esaminiamo questi dettagli!» ribatte lui.

Trish lo fulmina con un'occhiata e si schiarisce la voce.

«Dunque, Samantha» attacca, con tono formale. «I tuoi compiti come governante a tempo pieno comprenderanno…»

«Prego?» faccio io, fissandola.

Trish fa schioccare la lingua, esasperata. «I tuoi compiti come governante a tempo pieno» ripete, più lentamente «comprenderanno pulizie, bucato e preparazione dei pasti. Dovrai indossare un'uniforme ed essere sempre cortese e rispettosa…»

I miei compiti…

Questa gente pensa che io sia qui per un posto di *governante?*

Per un attimo sono troppo confusa per rispondere.

«… vitto e alloggio completo» sta dicendo Trish «e quattro settimane di ferie all'anno.»

«E la retribuzione?» chiede Eddie, interessato. «Le diamo un po' più dell'ultima?»

Per un attimo ho l'impressione che Trish lo voglia uccidere seduta stante.

«Scusaci, Samantha!» Prima che io possa aprire bocca, trascina Eddie fuori dalla stanza e chiude la porta con un tonfo. Fra i due scoppia una lite furibonda.

Mi guardo intorno, cercando la forza di reagire.

Sono convinti che io sia una governante. Una governante! È ridicolo. Devo assolutamente spiegare il malinteso.

Un altro capogiro mi assale e mi siedo sul letto. Poi, prima di riuscire a impedirmelo, mi sdraio sul fresco copriletto bianco e chiudo gli occhi. È come sprofondare in una nuvola.

Non voglio alzarmi. Non voglio più alzarmi da questo letto. È un paradiso.

È stata una lunga giornata. Lunga, stancante e penosa. Una giornata da incubo. Voglio solo che finisca.

«Samantha, scusaci.» Apro gli occhi e mi alzo in tempo per vedere Trish che rientra nella stanza, seguita da Eddie, tutto rosso in volto. «Prima di proseguire, hai qualche domanda riguardo al lavoro?»

La guardo con la testa che mi gira come una trottola.

Questo è il momento in cui devo spiegare che è tutto un grosso equivoco. Che non sono una governante, ma un avvocato.

Ma dalla mia bocca non esce una sola parola.

Non voglio andarmene da qui. Voglio sdraiarmi su questo letto e scomparire.

Potrei restare per una notte, penso. Solo una notte. Potrei chiarire l'equivoco domani.

«Ehm... potrei cominciare stasera?» sento uscire dalle mie labbra.

«Non vedo perché no...» attacca Eddie.

«Non siamo precipitosi» lo interrompe secca Trish. «Abbiamo avuto un sacco di candidate promettenti per questo posto, Samantha. Alcune decisamente brillanti. Una era addirittura Cordon Bleu!»

Tira una boccata dalla sigaretta lanciandomi un'occhiata penetrante. E dentro mi scatta qualcosa, come per un riflesso condizionato. Non posso farci niente. È più forte di me, persino più forte del desiderio di crollare su quel letto bianco e morbido.

Sta dicendo...

Sta forse insinuando che potrei non avere questo posto?

Guardo Trish in silenzio per qualche istante. Dentro di me, dal profondo del mio stato confusionale, sento tornare una scintilla della vecchia Samantha. Sento la mia innata ambizione levare la testa e rimboccarsi le maniche. Io posso fare meglio di una ragazzetta qualunque diplomata in cucina francese.

Non ho mai fallito un colloquio in vita mia.

Non comincerò certo adesso.

«Allora...» Trish consulta il suo elenco. «Hai esperienza con ogni tipo di lavaggio?»

«Ho vinto un premio per il bucato a scuola» rispondo con un cenno modesto del capo. «È da quello che è iniziata la mia carriera, in realtà.»

«Buon Dio!» Trish sembra colta alla sprovvista. «E sei esperta di cucina francese?»

«Ho fatto pratica da Michel de la Roux de la Blanc.» Mi fermo per una pausa a effetto. «Il suo nome è di per sé una garanzia.»

«Assolutamente» conviene Trish, lanciando un'occhiata incerta verso Eddie.

Siamo di nuovo seduti nella veranda. Trish mi sta sottoponendo a un fuoco di fila di domande che sembrano tratte dal manualetto *Come assumere una governante*. E io sto rispondendo a una dopo l'altra con grande sicurezza.

Dentro la mia testa, una vocina continua a ripetermi: "Cosa stai facendo, Samantha? Cosa diavolo stai facendo?".

Ma io non la ascolto. Non la voglio ascoltare. In qualche modo sono riuscita a erigere un muro per tenere fuori la vita reale, il mio errore, la mia carriera distrutta, questa giornata da incubo... il mondo intero, tranne questo colloquio. Mi gira la testa e ho paura di crollare da un momento all'altro, ma dentro mi sento terribilmente determinata. *Io otterrò questo posto.*

«Potresti illustrarci un menu tipo?» domanda Trish accendendosi l'ennesima sigaretta. «Diciamo, per una cena.»

Cibo... cibo di grande effetto.

Improvvisamente mi torna in mente il menu di Maxim's di ieri sera. Il piccolo menu ricordo.

«Un attimo che consulto i miei... appunti.» Apro la cerniera della borsa e, senza farmi vedere, scorro il menu di Maxim's. «Per una cena formale, servirei... ehm... foie gras con glassa d'albicocca... agnello con purea di ceci... seguito da un soufflé al cioccolato al profumo di menta accompagnato da due sorbetti fatti in casa.»

Beccati questo, diplomata Cordon Bleu del cavolo!

«Bene!» Trish pare sbalordita. «Devo dire che è davvero... impressionante.»

«Splendido!» Sembra che Eddie abbia l'acquolina in bocca. «Foie gras con glassa d'albicocca! Potresti prepararcene un po' adesso?»

Trish gli lancia un'occhiata di rimprovero. «Suppongo tu abbia delle referenze, vero Samantha?»

Referenze?

«Noi abbiamo bisogno di referenze...» Trish mostra già un'espressione preoccupata.

«Potete chiedere a... lady Freya Edgerly» dico, colpita da un'improvvisa folgorazione.

«*Lady* Edgerly?» Trish inarca le sopracciglia e un rossore diffuso le sale lentamente dal collo.

«Conosco lord e lady Edgerly da molti anni.» Faccio un cenno con il capo. «Sono sicura che lady Edgerly garantirà per me.»

Trish ed Eddie mi guardano a bocca aperta. Forse dovrei aggiungere qualche dettaglio di colore.

«Una famiglia squisita» proseguo. «Anche se era piuttosto impegnativo tenere pulita Manor House. E lucidare... le tiare di lady Edgerly.»

Merda. Devo avere un po' esagerato con le tiare.

Ma, con mio grande stupore, nessuno dei due pare insospettirsi.

«E cucinavi per loro, giusto?» si informa Eddie. «Colazione e via dicendo?»

«Naturalmente. Lord Edgerly gradiva molto il mio piatto forte, le uova alla Benedict.» Bevo un sorso d'acqua.

Vedo che Trish sta facendo quelle che lei chiaramente pensa siano segnalazioni criptiche a Eddie, il quale continua ad annuire cercando di non farsene accorgere. È come se avessero tatuato sulla fronte ASSUMIAMOLA!

«Un'ultima cosa.» Trish tira una lunga boccata dalla sigaretta. «Risponderai al telefono quando il signor Geiger e io siamo fuori. La nostra immagine pubblica è molto importante. Vorrei che mi dessi una dimostrazione di cosa dirai.» Accenna col capo a un telefono posato sul tavolo vicino.

Non è possibile. Non fanno sul serio. E invece sì.

«Dovresti dire: "Buongiorno, qui casa Geiger. Desidera?"» suggerisce Eddie.

Mi alzo in piedi, ubbidiente. Ignorando per quanto possibile i giramenti di testa, vado al telefono e sollevo il ricevitore.

«Buongiorno» dico col tono più suadente e professionale. «Qui casa Geiger. Desidera?»

Eddie e Trish hanno l'aria di chi ha appena vinto un terno al lotto.

Credo di essermi aggiudicata il posto.

## 7

La mattina seguente mi sveglio sotto un soffitto liscio e bianco a me estraneo. Resto a fissarlo per qualche istante, disorientata, poi sollevo appena la testa. Quando mi muovo, le lenzuola producono uno strano fruscio. Cosa sta succedendo? Le mie lenzuola non fanno questo rumore.

Ma certo. Sono le lenzuola dei Geiger.

Mi abbandono comodamente sui guanciali e resto lì finché un altro pensiero mi assale.

Chi sono i Geiger?

Faccio una smorfia cercando di ricordare. Mi sento come se stessi soffrendo per i postumi di una sbornia e al tempo stesso fossi ancora ubriaca. Frammenti della giornata di ieri emergono dalla mia mente in mezzo a una densa nebbia. Non riesco a capire dove finisce il sogno e dove inizia la realtà. Sono arrivata col treno, sì… avevo mal di testa… la stazione di Paddington… sono scappata dall'ufficio.

Oh, Dio. No, ti prego, no.

L'incubo si riappropria del mio cervello con un sibilo angosciante. Mi sento come se qualcuno mi avesse mollato un pugno nello stomaco. Il promemoria. La Third Union Bank. Cinquanta milioni di sterline. Poi ho chiesto a Guy se avevo ancora un lavoro…

Il suo silenzio.

Resto immobile per un po', lasciando sedimentare il tutto. La mia carriera è rovinata. Non ho più alcuna possibilità di diventare socio. Probabilmente non ho più un lavoro. La mia vita di prima è finita.

Alla fine scosto le coperte e scendo dal letto, debole e rintronata. Ieri non ho toccato cibo, mi rendo conto all'improvviso; a parte la manciata di cereali per colazione.

Ieri a quest'ora ero nella mia cucina e mi stavo preparando per andare al lavoro, beatamente inconsapevole di quanto stava per accadere. In un altro mondo – in un universo parallelo a questo – oggi mi sveglierei socio della Carter Spink. Sarei sommersa da messaggi di congratulazioni. La mia vita sarebbe completa.

Stringo gli occhi, cercando di sfuggire ai pensieri che cominciano ad affollarmi la mente. Pensieri sgradevoli, pieni di rammarico. Se avessi visto prima quel promemoria... se avessi avuto una scrivania più ordinata... se Arnold non avesse affidato a me quella particolare incombenza...

Ma è inutile. Ignorando il pulsare alla testa, vado alla finestra. Quel che è stato è stato. Ora posso solo affrontare la realtà. Mentre osservo il giardino, mi sembra tutto così insensato. Fino a questo momento la mia vita era pianificata ora per ora. Esami, stage, carriera... pensavo di sapere esattamente dove fossi diretta.

E adesso mi trovo in questa stanza in mezzo alla campagna. La mia carriera distrutta.

E poi... c'è qualcos'altro. C'è qualcosa che mi tormenta. Nel mio cervello offuscato manca un'ultima tessera del puzzle. Mi verrà in mente fra un attimo.

Appoggio la fronte contro la superficie fresca del vetro e osservo un uomo all'orizzonte che porta a passeggio il cane. Forse è ancora possibile rimediare. Forse la situazione non è così disperata come pensavo. Guy ha detto espressamente che avevo perso il lavoro? Devo chiamarlo e scoprire come stanno davvero le cose. Faccio un respiro profondo e mi passo le mani fra i capelli arruffati. Dio, ieri ho proprio perso la testa. Quando penso a come mi sono comportata, fuggendo dall'ufficio, saltando su un treno... dovevo proprio essere su un altro pianeta. Se i Geiger non fossero stati così comprensivi...

Il corso dei miei pensieri si arresta bruscamente.

I Geiger.

Qualcosa a proposito dei Geiger. Qualcosa che non riesco a ricordare... ma che mi fa suonare un campanello d'allarme...

Mi volto e mi cade lo sguardo su un abito azzurro appeso all'anta dell'armadio. Una specie di uniforme, con un bordino. Cosa ci fa qui una...

Il campanello d'allarme prende a suonare più forte. È un rumore assordante. E poi mi torna in mente tutto, come una specie di orribile incubo alcolico.

Ho accettato un lavoro come *governante*?

Per qualche istante non riesco a muovermi. Oh, Gesù! Cos'ho fatto? Cosa cavolo ho fatto?

Mentre afferro la situazione in tutta la sua gravità, il cuore prende a battermi forte. Mi trovo in casa di estranei fingendo di essere ciò che non sono. Ho dormito nel loro letto. Indosso una vecchia maglietta di Trish. Mi hanno persino dato uno spazzolino da denti, dopo che io mi ero inventata una storia a proposito di una valigia smarrita sul treno. L'ultima cosa che ricordo prima di essere crollata è la voce di Trish che parlava gongolante al telefono. "È inglese!" diceva. "Sì, parla inglese perfettamente! Una ragazza fantastica. E ha fatto pratica di cucina Cordon Bleu!"

Dovrò confessare che erano tutte bugie.

Sento bussare alla porta della camera e faccio un salto, spaventata.

«Samantha?» La voce di Trish mi giunge attraverso la porta. «Posso entrare?»

«Oh! Ehm... sì!»

La porta si apre e lei compare in tuta da ginnastica rosa pallido con un logo di brillantini. È truccata alla perfezione e ha un profumo molto forte che toglie il respiro.

«Ti ho preparato un po' di tè» dice, porgendomi la tazza con un sorriso formale. «Il signor Geiger e io desideriamo che tu ti senta la benvenuta in questa casa.»

«Oh!» Deglutisco, nervosa. «Grazie.»

Signora Geiger, c'è una cosa che devo dirle. Io non sono una governante.

Per qualche motivo le parole non vogliono saperne di uscire dalla bocca.

Trish sta stringendo gli occhi come se fosse già pentita di questa sua gentilezza.

«Non pensare che sia così tutte le mattine! Ma visto che ieri sera non ti sentivi bene...» Batte un dito sull'orologio. «Ora sarà meglio che tu ti vesta. Ti aspettiamo giù fra dieci minuti. Di regola facciamo una colazione leggera. Pane tostato, caffè, cose del genere. Poi discuteremo degli altri pasti della giornata.»

«Ehm... d'accordo» dico, senza entusiasmo.

Chiude la porta e io poso la tazza di tè. Oh, merda. E ora cosa faccio? Cosa faccio?

Okay. Calmati. Stabilisci delle priorità. Devo chiamare l'ufficio. Capire con esattezza quanto è grave la situazione. Con una fitta di apprensione estraggo il cellulare dalla borsa.

Il display è spento. Dev'essersi scaricata la batteria.

Resto a guardarlo, frustrata. Ieri dovevo essere così fuori di testa che mi sono dimenticata di caricarlo. Frugo nella borsa alla ricerca del caricabatteria, lo inserisco nella presa e collego il telefonino. Comincia immediatamente a caricarsi.

Attendo che compaia il segnale di campo... ma niente. Non c'è campo.

Provo una fitta di panico. Come faccio a chiamare l'ufficio? Come faccio a fare qualunque cosa? Io non posso vivere senza cellulare.

All'improvviso ricordo di aver visto un telefono sul pianerottolo. Stava sopra un tavolino nel vano di una piccola finestra a bovindo. Potrei usare quello. Apro la porta della camera e guardo su e giù lungo il corridoio. Non c'è nessuno in giro. Con circospezione vado all'apparecchio e sollevo il ricevitore. Il segnale di libero mi risuona nell'orecchio. Inspiro a fondo e poi compongo il numero diretto di Arnold. Non sono ancora le nove, ma lui sarà già arrivato.

«Ufficio di Arnold Saville» dice la voce allegra di Lara, la sua segretaria.

«Lara» dico, nervosa «sono Samantha. Samantha Sweeting.»

«*Samantha?*» Lara pare stupita e io mi sento morire. «Oh, mio Dio! Cos'è successo? Dove sei? Sono tutti...» Poi si interrompe.

«Sono... sono fuori Londra. Posso parlare con Arnold?»

«Certo. È proprio qui...» La voce di Lara svanisce, sostituita da una vivace musica di Vivaldi, poi la comunicazione ritorna.

«Samantha.» La voce cordiale e sicura di Arnold tuona lungo la linea. «Mia cara ragazza. Ti sei cacciata in un brutto guaio, eh?»

Solo Arnold potrebbe definire "brutto guaio" l'aver fatto perdere cinquanta milioni di sterline a un cliente. Nonostante tutto, sulle labbra mi passa l'ombra di un sorriso. Mi sembra di vederlo, col suo gilet, le folte sopracciglia aggrottate.

«Già» dico, cercando di adeguarmi al suo tono sdrammatizzante. «Non è... una bella situazione.»

«Sono costretto a farti notare che la tua partenza precipitosa di ieri non ha certo migliorato le cose.»

«Lo so. Mi dispiace tanto. Mi sono fatta prendere dal panico.»

«È comprensibile. Comunque, ti sei lasciata alle spalle un bel pasticcio.»

Sotto il tono cordiale avverto una certa tensione, insolita per lui. Arnold non è mai teso. Le cose devono essersi messe davvero male. Avrei voglia di buttarmi in ginocchio e implorare perdono, ma non servirebbe a niente. Il mio comportamento è stato già fin troppo poco professionale.

«Allora... come stanno le cose?» Mi sforzo di apparire composta. «Gli amministratori giudiziari possono fare qualcosa?»

«Lo ritengo improbabile. Sostengono di avere le mani legate.»

«Già.» È come un pugno nello stomaco. Dunque è così. Cinquanta milioni di sterline persi irrimediabilmente. «E l'assicurazione?»

«Quello è il passo successivo, ovviamente. Alla fine la somma verrà recuperata, ne sono sicuro, ma non senza complicazioni. Credo che tu sia consapevole di questo.»

«Lo sono» rispondo, con un sussurro.

Restiamo entrambi in silenzio per qualche istante. Non ci sono buone notizie, mi rendo conto, e la mia presa di coscienza è come un dolore sordo. Non c'è un lato positivo. Ho combinato un gran casino. Fine della storia.

«Arnold...» dico, con voce tremante «davvero non so come abbia fatto a commettere un errore così... così stupido. Non capisco come possa essere successo. Non ricordo neppure di aver visto il promemoria sulla scrivania...»

«Dove sei adesso?» mi interrompe lui.

«Sono...» Guardo inutilmente fuori dalla finestra. «A essere sincera, non so neppure io dove mi trovo con esattezza. Ma posso tornare. Posso tornare subito.» Le parole mi escono di bocca come un fiume. «Salirò sul primo treno... in poche ore posso essere lì.»

«Non credo sia una buona idea.» Nella voce di Arnold c'è un'asprezza nuova che mi blocca.

«Sono stata licenziata?»

«L'argomento non è ancora stato affrontato.» Mi sembra stizzito. «C'erano questioni lievemente più urgenti di cui occuparsi, Samantha.»

«Certo.» Sento il sangue affluire di nuovo alla testa. «Scusa. Io...» Ho un groppo in gola. Chiudo gli occhi, cercando di restare calma. «Ho passato alla Carter Spink tutta la mia vita lavorativa. L'unica cosa che ho sempre desiderato davvero era...»

Non riesco neppure a dirlo.

«Samantha, io so che sei un avvocato di talento» dice Arnold con un sospiro. «Nessuno lo mette in dubbio.»

«Ma ho commesso un errore.»

Sento impercettibili scariche lungo la linea, e il battito del mio cuore nelle orecchie.

«Samantha, farò tutto quello che posso» dice, alla fine. «Tanto vale che tu lo sappia: questa mattina è stata indetta una riunione per discutere del tuo futuro.»

«E non credi che dovrei tornare?» Mi mordo il labbro.

«In questo momento potrebbe risultare più dannoso che utile. Resta dove sei. Lascia fare a me.» Arnold ha un attimo d'esitazione, poi aggiunge, con voce leggermente roca: «Farò del mio meglio, Samantha. Te lo prometto».

«Io aspetto» ribatto, pronta. «Grazie mille...» Ma lui ha già riattaccato. Abbasso lentamente il ricevitore.

Non mi sono mai sentita così impotente in vita mia. Me li vedo tutti, seduti con espressione solenne intorno a un tavolo da riunioni. Arnold. Ketterman. Forse anche Guy. Mentre decidono se concedermi una seconda occasione.

Devo pensare positivo. C'è ancora una possibilità. Se Arnold è dalla mia parte, lo saranno anche gli altri...

«Ragazza favolosa...»

Sobbalzo nel sentire la voce di Trish che si avvicina. «Be', ovviamente controllerò le sue referenze, ma, Gillian, io sono un'esperta nel giudicare il carattere delle persone. A me non la si fa...»

Trish svolta l'angolo, tenendo un cellulare accostato all'orecchio, e io mi allontano in fretta dal telefono.

«Samantha!» esclama, sorpresa. «Cosa stai facendo? Non ti sei ancora vestita? Su, coraggio!» Se ne va e io corro in camera mia. Chiudo la porta e mi osservo allo specchio.

Improvvisamente mi sento un po' in colpa.

Anzi... mi sento molto in colpa. Come reagiranno i Geiger quando confesserò che sono un'impostora? Che non sono affatto una governante esperta in cucina Cordon Bleu, e che cercavo soltanto un posto dove passare la notte?

Mi scorre davanti agli occhi un'immagine improvvisa di loro che mi cacciano fuori di casa con violenza. Sentendosi imbrogliati. Forse chiameranno anche la polizia. Mi faranno arrestare. Oh, Dio. Potrebbe mettersi molto male.

D'altro canto, non è che io abbia altra scelta. Non è che possa...

Oppure sì?

Prendo l'uniforme azzurra e la tasto con le dita, con la mente che gira in tondo.

Sono stati molto gentili a ospitarmi. Non che io abbia altro da fare, al momento. Non che abbia un altro posto dove andare. Forse fare qualche piccola faccenda di casa servirà a distrarmi...

Improvvisamente prendo una decisione.

Interpreterò la parte per una mattina. Non sarà poi così difficile. Preparerò il pane tostato, spolvererò i soprammobili o quello che vogliono. Sarà un modo per ringraziarli. Poi, quando Arnold mi chiamerà, troverò una scusa convincente e me ne andrò. E i Geiger non verranno mai a sapere che io non ero una vera governante.

Indosso in fretta l'uniforme e mi passo un pettine fra i capelli. Poi mi alzo in piedi e mi guardo allo specchio.

«Buongiorno, signora Geiger» dico alla mia immagine riflessa. «Ehm... desidera che spolveri in soggiorno?»

Okay. Andrà bene.

Mentre scendo, vedo i Geiger in fondo alle scale, che mi osservano. Non mi sono mai sentita così in imbarazzo in vita mia.

Sono una governante. Devo comportarmi come una governante.

«Benvenuta, Samantha!» dice Eddie quando arrivo nell'atrio. «Dormito bene?»

«Molto bene, grazie, signor Geiger» rispondo, modesta.

«Bene!» Eddie dondola avanti e indietro sui tacchi delle scarpe. Sembra in imbarazzo. Anzi, a dire il vero… lo sembrano entrambi. Sotto il trucco accurato, l'abbronzatura, gli abiti costosi… c'è un po' di incertezza in questi due.

Vado verso una panca e raddrizzo un cuscino, cercando di dare l'impressione di sapere quello che faccio.

«Vorrai familiarizzare con la tua nuova cucina!» dice Trish, con tono vivace.

«Certo» rispondo con un sorriso sicuro. «Non vedo l'ora!»

È solo una cucina. Solo per una mattina. Posso farcela.

Trish fa strada nella spaziosa cucina in legno d'acero, e questa volta mi guardo intorno con più attenzione, cercando di memorizzare i dettagli. Incassato nel bancone di granito, alla mia sinistra, c'è un enorme piano cottura. Una coppia di forni inserita nella parete. Ovunque volga lo sguardo vedo scintillanti oggetti cromati collegati alle prese di corrente. File di casseruole, tegami e ogni genere di marchingegni sono appesi in alto in un groviglio di acciaio inossidabile.

Non ho la più pallida idea di cosa sia tutta questa roba.

«Immagino che vorrai sistemare le cose a modo tuo» dice Trish, facendo un ampio gesto con la mano. «Cambia pure la disposizione a tuo piacimento. La cuoca sei tu!»

Mi guardano tutti e due con aria fiduciosa.

«Certo» rispondo con sicurezza. «Ovviamente io ho il mio… metodo. Questo, per esempio, dovrebbe andare qui.» Indico un aggeggio a caso. «Dovrò spostarlo.»

«Davvero?» Trish sembra affascinata. «E come mai?»

Segue un momento di silenzio. Persino Eddie pare interessato.

«Teorie di… cucina ergonomica» improvviso. «Allora, gradite pane tostato per colazione?» aggiungo in fretta.

«Pane tostato per tutti e due» dice Trish. «E caffè con latte scremato.»

«Pronti.» Sorrido, lievemente sollevata.

Il pane tostato so prepararlo. Quando avrò capito quale di questi cosi è il tostapane.

«Ve lo porto subito» aggiungo, cercando di allontanarli da lì. «Desiderate fare colazione in sala da pranzo?»

Si sente un tonfo in corridoio.

«Dev'essere il giornale» osserva Trish. «Sì, puoi servire la colazione in sala da pranzo, Samantha.» Quindi corre fuori, mentre Eddie indugia in cucina.

«Sai, ho cambiato idea» dice, rivolgendomi un sorriso affabile. «Lascia perdere il pane tostato, Samantha. Mangerò le tue famose uova alla Benedict. Mi hai fatto venire voglia, ieri sera!»

Ieri sera? Cos'ho detto ieri sera?

Oh, Gesù! Le uova alla Benedict. Il mio piatto forte tanto amato da lord Edgerly.

Cosa mi è passato per la testa?

Non so neppure cosa siano le uova alla Benedict.

«È sicuro... di volere proprio quelle?» ribatto con voce strozzata.

«Non rinuncerò certo alla tua specialità!» Eddie si accarezza lo stomaco con l'aria di chi sta già pregustando ciò che mangerà. «È la mia colazione preferita. Le migliori uova alla Benedict le ho mangiate al Carlyle di New York, ma scommetto che le tue sono anche meglio!»

«Questo non lo so.» In qualche modo riesco a sorridere.

Perché cavolo ho detto che sapevo cucinare le uova alla Benedict?

Okay... manteniamo la calma. Dev'essere piuttosto semplice. Uova e... qualcos'altro.

Eddie si appoggia al bancone di granito con aria affamata. Ho il terribile sospetto che stia aspettando che io cominci a cucinare. Titubante, prendo una padella luccicante dalla rastrelliera, e in quel momento Trish entra col giornale. Mi guarda con curiosità.

«A cosa ti serve la pentola per gli asparagi, Samantha?»

Merda.

«Volevo soltanto... controllarla. Sì...» Annuisco decisa, come se la padella avesse confermato i miei sospetti, poi la riappendo con cura alla rastrelliera.

Sto sudando. Non so proprio da dove cominciare. Devo rompere le uova? Bollirle? Lanciarle contro il muro?

«Ecco le uova.» Eddie ne appoggia una grossa confezione sul bancone e solleva il coperchio. «Dovrebbero essercene abbastanza, direi!»

Fisso le file di uova marroncine, provando un leggero senso di vertigine. Cosa sto facendo? Io non sono capace di cucinare le uova alla Benedict. Non sono in grado di preparare la colazione a queste persone. Dovrò confessare.

Mi volto e inspiro a fondo.

«Signor Geiger... signora Geiger...»

«*Uova?!*» Alla voce di Trish mi interrompo bruscamente. «Eddie, tu non puoi mangiare le uova! Ricordi cos'ha detto il dottore?» Mi guarda, stringendo gli occhi. «Cosa ti ha chiesto, Samantha? Uova alla coque?»

«Ehm... il signor Geiger ha ordinato uova alla Benedict. Ma il fatto è...»

«Tu non puoi mangiare le uova alla Benedict!» strilla Trish. «Sono piene di colesterolo!»

«Io mangio quello che mi pare!» protesta Eddie.

«Il dottore gli ha dato una dieta.» Trish sta tirando boccate furiose dalla sigaretta. «Questa mattina ha già mangiato una ciotola di cereali.»

«Avevo fame!» ribatte Eddie, sulla difensiva. «Tu hai mangiato un muffin al cioccolato!»

Trish ansima come se lui le avesse dato uno schiaffo. Sulle sue guance compaiono minuscoli puntini rossi. Per qualche istante non sembra in grado di proferire parola.

«Prenderemo una tazza di caffè, Samantha» annuncia alla fine, con tono solenne. «Puoi servircelo in salotto. Usa il servizio rosa. Vieni, Eddie.» Ed esce prima che io possa dire altro.

Mi guardo intorno nella cucina deserta. Non so se piangere o ridere. È assurdo. Non posso continuare con questa farsa. Devo andare da loro e dire la verità. Adesso. Esco dalla cucina con passo deciso ma, arrivata in corridoio, mi blocco. Da dietro la porta chiusa del salotto mi giunge la voce stridula di Trish che rimprovera aspramente Eddie, alternata ai suoi borbottii di difesa.

Torno rapidamente in cucina e metto la caffettiera sul fuoco. È sicuramente più facile preparare il caffè.

Dieci minuti dopo ho messo sopra un vassoio d'argento una caffettiera rosa, tazzine rosa, lattiera, zuccheriera e un rametto di fiori rosa che ho tagliato da un vaso appeso fuori dalla finestra della cucina. Devo dire che sono piuttosto soddisfatta di me stessa.

Mi avvicino al salotto, poso il vassoio sul tavolino in corridoio e busso con cautela.

«Avanti!» grida Trish.

Entrando, la vedo seduta su una sedia vicino alla finestra: tiene in mano una rivista con un'angolazione piuttosto innaturale. Eddie è dall'altra parte della stanza, e sta esaminando una scultura di legno.

«Grazie, Samantha.» Trish china il capo con grazia mentre io verso il caffè. «Per il momento è tutto.»

Mi sembra di essere caduta per errore in uno strano melodramma alla Merchant-Ivory, solo che i costumi sono costituiti da tuta rosa da yoga e maglione da golf.

«Ehm… bene, signora» dico, calandomi nella parte. Poi, senza pensarci, accenno un inchino.

Segue un momento di evidente sconcerto in cui entrambi restano a guardarmi a bocca aperta.

«Samantha, hai fatto… un inchino?» domanda Trish, alla fine.

La guardo, paralizzata.

Cosa mi è venuto in mente? Perché ho fatto un inchino? Penserà che la sto prendendo in giro. Le governanti non si inchinano. Non siamo a Gosford Park.

Mi stanno ancora guardando con gli occhi stralunati. Devo dire qualcosa.

«Gli Edgerly gradivano gli inchini.» Ho le guance in fiamme. «È un'abitudine che ho preso. Mi dispiace, signora. Non lo farò più.»

Trish si sta sporgendo pian piano sempre più in avanti, strizzando gli occhi. Mi fissa come se non riuscisse a vedermi.

Deve aver capito che sono un'impostora…

«Mi piace» dichiara alla fine, annuendo soddisfatta. «Sì, mi piace. Puoi fare l'inchino anche qui.»

Cosa?

Posso fare... cosa?

Siamo nel XXI secolo. E mi sento chiedere di inchinarmi davanti a una donna che si chiama Trish?

Apro la bocca per protestare... ma poi la richiudo. Non ha importanza. Tanto questa non è la realtà. Per una mattina posso anche fare l'inchino.

## 8

Come esco dal salotto, corro di sopra in camera mia a controllare il cellulare. È carico solo a metà e non so dove riuscirò a trovare campo. Se Trish c'è riuscita, devo riuscirci anch'io. Chissà che operatore usa...

«Samanthaaa?»

La voce di Trish si leva dal piano terra.

«Samanthaaa?» Sembra seccata. Ora sento i suoi passi sulle scale.

«Sì, signora?» Mi precipito in corridoio.

«Ah, eccoti qui!» dice, lievemente accigliata. «Ti pregherei di non salire in camera tua quando sei in servizio. Non voglio essere costretta a chiamarti in questo modo.»

«Ehm... sì, signora Geiger» rispondo. Quando arriviamo giù nell'atrio, sento lo stomaco aggrovigliarsi. Alle spalle di Trish, posato su un tavolino, vedo il "Times", aperto sulla pagina finanziaria. *La Glazerbrooks in bancarotta* dice il titolo.

Scorro velocemente l'articolo mentre Trish fruga in un'enorme borsa di Chanel, ma non vedo alcun riferimento alla Carter Spink. Grazie a Dio! L'ufficio stampa dev'essere riuscito a far passare la cosa sotto silenzio.

«Dove sono le mie chiavi?» chiede Trish, nervosa. «Dove sono?» Rovista più a fondo e con maggior energia dentro la borsa. Un rossetto dorato vola per aria e mi atterra davanti ai piedi. «Perché le cose scompaiono?»

Raccolgo il rossetto e glielo porgo. «Ricorda dove le ha perse, signora Geiger?»

«Non le ho perse» ribatte, facendo un sospiro. «Me le hanno rubate. È ovvio. Dovremo cambiare tutte le serrature. Assumeranno le nostre identità» prosegue, scuotendo la testa. «È così che fanno, questi truffatori, sai. C'era un articolo a questo proposito sul "Mail"…»

«Sono queste, per caso?» Mi cade l'occhio su un portachiavi luccicante di Tiffany posato sul davanzale della finestra. Lo prendo e glielo porgo.

«Sì!» esclama Trish, meravigliata. «Sì, sono queste! Samantha, sei davvero fantastica! Come hai fatto a trovarle?»

«Non è stato difficile» rispondo, stringendomi nelle spalle con modestia.

«Be', sono davvero colpita!» Mi lancia un'occhiata eloquente. «Lo dirò al signor Geiger.»

«Sì, signora» dico, cercando di dare alla mia voce il giusto tono di profonda gratitudine. «Grazie.»

«Il signor Geiger e io stiamo per uscire» prosegue, tirando fuori una boccetta di profumo e spruzzandosene un po' addosso. «Prepara dei sandwich per l'una e comincia con le pulizie al piano terra. Della cena parleremo dopo.» Si volta verso di me. «Devo dirti che siamo rimasti entrambi molto colpiti dal tuo menu di foie gras.»

«Oh… mmh… bene!»

Non c'è problema. Per l'ora di cena me ne sarò già andata.

«Adesso…» Trish si dà un'ultima aggiustatina ai capelli «vieni un attimo con me in salotto, Samantha.»

La seguo fino al caminetto.

«Prima che io esca e tu cominci a spolverare qui dentro» dice «volevo mostrarti la disposizione dei soprammobili.» Indica una fila di statuine di porcellana sopra la mensola del camino. «Potresti avere difficoltà a ricordarla. Non so perché, ma le donne delle pulizie non la capiscono per niente. Quindi ti prego di stare attenta.»

Mi volto, docile, verso il camino.

«È molto importante che questi cani siano rivolti l'uno verso l'altro.» Trish mi indica una coppia di King Charles spaniel. «Vedi? Non sono rivolti verso l'esterno. Sono rivolti *l'uno verso l'altro*.»

«L'uno verso l'altro» ripeto, annuendo. «Sì, lo vedo.»

«Mentre le pastorelle sono girate leggermente verso l'esterno. Vedi? Verso l'esterno.»

Parla lentamente, scandendo le parole, come se avessi il QI di un bambino di tre anni ritardato.

«Verso l'esterno» ripeto, ossequiosa.

«Hai capito bene?» Trish mi guarda intensamente. «Vediamo. Come vanno i cani?» domanda, e alza un braccio per impedirmi di vedere la mensola.

Non ci posso credere. Mi sta mettendo alla prova.

«I cani di porcellana» insiste. «Come sono rivolti?»

Oh, Dio, non riesco a resistere.

«Ehm...» Rifletto per qualche secondo. «Sono rivolti... verso l'esterno?»

«*L'uno verso l'altro!*» esclama Trish, esasperata. «Sono rivolti l'uno verso l'altro!»

«Ah, giusto» dico, con aria contrita. «Scusi. Sì, adesso ho capito.»

Trish ha chiuso gli occhi e tiene due dita appoggiate alla fronte come se lo stress causato dai domestici stupidi fosse troppo da sopportare.

«Lasciamo perdere» dice, alla fine. «Ci riproveremo domani.»

«Porto via il vassoio del caffè» suggerisco, umilmente. Mentre lo prendo lancio un'altra occhiata all'orologio. Le 10.12. Chissà se la riunione è già iniziata.

La mattinata si annuncia insopportabile.

Alle undici e mezzo sono un fascio di nervi. Il mio cellulare si è caricato e finalmente ho trovato campo. E non ci sono messaggi. Ho controllato ogni minuto.

Ho riempito la lavastoviglie e dopo circa cinquanta tentativi sono riuscita a farla partire. Ho anche spolverato i cani di porcellana con un fazzolettino di carta. A parte questo non ho fatto altro che camminare su e giù per la cucina.

Ho rinunciato quasi subito a preparare i sandwich per il pranzo. Dopo quelle che mi sono sembrate ore passate a segare due pagnotte intere, il risultato ottenuto sono dieci enormi fette di pane una diversa dall'altra, e una più irregolare dell'altra, oltre a un mare di briciole. Dio solo sa dove ho sbagliato. Doveva esserci qualcosa che non andava nel coltello.

Posso solo dire grazie a Dio che esistono le Pagine Gialle e le società di catering. E l'American Express. Mi costerà solo quarantacinque sterline e cinquanta ordinare alla Cotswold Caterers un assortimento di sandwich speciali per Trish ed Eddie. Sarei stata disposta a pagare anche il doppio. A essere sinceri, probabilmente avrei pagato anche dieci volte tanto.

Ora me ne sto seduta su una sedia, la mano stretta intorno al cellulare dentro la tasca.

Spero con tutta me stessa che suoni.

Allo stesso tempo, però, sono terrorizzata all'idea.

All'improvviso la tensione diventa insostenibile. Ho bisogno di qualcosa che la alleggerisca. *Qualunque cosa.* Apro lo sportello dell'enorme frigorifero e tiro fuori una bottiglia di vino bianco. Me ne verso un bicchiere e ne bevo un sorso enorme, disperata. Sto per berne un altro quando avverto una specie di formicolio alla nuca.

Come se... come se qualcuno mi stesse osservando.

Mi volto di scatto e faccio un salto alto un metro. C'è un uomo sulla porta della cucina.

È alto, abbronzato, con le spalle larghe e gli occhi di un azzurro intenso. Ha i capelli ondulati castano chiaro con le punte schiarite dal sole. Indossa un paio di vecchi jeans, una T-shirt consunta e gli stivali più infangati che io abbia mai visto.

Il suo sguardo si posa perplesso sulle dieci fette di pane, tutte storte e sbriciolate, e poi sul mio bicchiere di vino.

«Salve» dice, alla fine. «Sei la nuova chef Cordon Bleu?»

«Ehm... sì! Certo.» Mi liscio l'uniforme con le mani. «Sono Samantha, la nuova governante. Salve.»

«Io sono Nathaniel.» Mi allunga la mano e dopo un attimo di esitazione la stringo. Ha la pelle così dura e ruvida che è come afferrare un pezzo di corteccia. «Io mi occupo del giardino dei Geiger. Vorrai discutere delle verdure, immagino.»

Lo guardo dubbiosa. Perché dovrei discutere con lui delle verdure?

Lui si appoggia allo stipite della porta e incrocia le braccia sul petto, e io non posso fare a meno di notare quanto siano grossi e forti i suoi avambracci. Non ho mai visto un uomo con braccia così prima d'ora. Nella vita reale, per lo meno.

«Io posso fornirti quasi tutto» prosegue. «Prodotti di stagione, ovviamente. Basta solo che tu mi dica cosa vuoi.»

«Oh, le verdure» rispondo, afferrando all'improvviso. «Per cucinare. Sì... me ne serviranno un po'. Certo.»

«Mi hanno detto che hai fatto pratica con un cuoco da guida Michelin.» Inarca appena le sopracciglia. «Non so che genere di cose strane usi, ma farò del mio meglio.» Estrae un piccolo taccuino macchiato di fango e una matita. «Quali brassiche preferisci?»

Brassiche?

Cosa cavolo sono le brassiche?

Devono essere un tipo di verdura. Mi sforzo di visualizzarle, ma vedo solo una fila di brassière appese ad asciugare a una corda.

«Dovrò consultare i miei menu» rispondo, alla fine, con piglio professionale. «Ti farò sapere.»

«Ma in linea di massima» insiste lui, alzando lo sguardo «quali usi di più? Così so cosa piantare.»

Oh, Dio. Non oso nominare una verdura a caso per paura di sbagliare.

«Veramente... le uso un po' tutte» rispondo con un sorriso serafico. «Sai com'è con le brassiche. Un giorno ti va di usarne un tipo... un giorno un altro!»

Non sono certa di essere stata convincente. Nathaniel ha l'aria sconcertata.

«Sto per ordinare dei porri» dice lentamente. «Che varietà preferisci? Albinstar o Bleu de Solaise?»

Lo guardo e mi sento arrossire. Non ho afferrato nessuno dei due nomi.

«Il... ehm... il primo» rispondo, alla fine. «È molto... molto saporito.»

Nathaniel appoggia il taccuino e mi osserva per qualche istante. I suoi occhi si posano di nuovo sul bicchiere di vino. Non sono sicura che mi piaccia la sua espressione.

«Stavo per mettere questo vino in una salsa» mi affretto a spiegare. Con aria indifferente prendo una pentola dalla rastrelliera, la metto sul piano cottura e vi verso dentro il vino. Aggiungo un po' di sale, poi prendo un cucchiaio di legno e comincio a girare.

Quindi lancio un'occhiata a Nathaniel. Mi sta fissando con un'espressione che rasenta l'incredulità.

«Dove hai detto che hai fatto pràtica?» dice.

Avverto un campanello d'allarme. Quest'uomo non è uno stupido.

«Alla… scuola Cordon Bleu.» Le mie guance sono sempre più rosse. Verso dell'altro sale nel vino e mescolo con vigore.

«Non hai acceso il fuoco» osserva Nathaniel.

«È una salsa a freddo» rispondo, senza alzare la testa. Continuo a rimestare per un minuto, poi poso il cucchiaio di legno. «Bene. Adesso la lascio… marinare.»

Alzo lo sguardo. Nathaniel è ancora lì appoggiato allo stipite e mi osserva imperturbabile. C'è un'espressione nei suoi occhi azzurri che mi fa stringere la gola.

Lui lo sa.

Sa che sono un'impostora.

"Ti prego, non dirlo ai Geiger" gli trasmetto in silenzio. "Ti prego. Me ne andrò presto."

«Samantha?» La testa di Trish fa capolino dalla porta, facendomi trasalire. «Oh, hai conosciuto Nathaniel! Ti ha detto del suo orto?»

«Ehm… sì.» Non riesco a guardarlo. «Sì, me ne ha parlato.»

«Splendido!» esclama, tirando una boccata dalla sigaretta. «Bene, il signor Geiger e io siamo tornati, e vorremmo i nostri sandwich fra una ventina di minuti.»

Resto di sasso. Venti minuti? Ma sono soltanto le dodici e dieci! I sandwich arriveranno solo all'una.

«Non gradite un drink, prima?» suggerisco, disperata.

«No, grazie» risponde lei. «Solo i sandwich. A dire il vero, siamo tutti e due affamati, quindi sbrigati a portarli…»

«Certo.» Deglutisco. «Nessun problema!»

Automaticamente faccio un inchino mentre Trish scompare, e sento che Nathaniel si lascia sfuggire una risatina soffocata.

«Hai fatto un inchino» dice.

«Sì, ho fatto un inchino» ribatto con aria di sfida. «Cosa c'è di male?»

Gli occhi di lui si posano nuovamente sulle fette di pane massacrate sopra il tagliere.

«È quello il pranzo?» domanda.

«No, quello non è il pranzo!» ribatto, esasperata. «Ti dispiacerebbe uscire dalla mia cucina? Ho bisogno di spazio per lavorare.»

Lui inarca le sopracciglia.

«Allora ci vediamo. Buona fortuna con la salsa.» Fa un cenno col capo in direzione della pentola col vino.

Mentre lui si chiude la porta alle spalle, io tiro fuori il telefono e richiamo il numero del servizio di catering. Ma risponde la segreteria telefonica.

«Salve» dico, tutta affannata, dopo il segnale acustico. «Ho ordinato dei sandwich, poco fa. Ne ho bisogno *adesso*. Al più presto. Grazie.»

Metto giù il telefono e mi rendo conto che è inutile. Non arriveranno mai in tempo. I Geiger stanno aspettando.

E poi sento la determinazione crescermi dentro.

Posso farcela. Sono in grado di preparare qualche sandwich.

Scelgo velocemente le due fette meno disgraziate. Prendo il coltello e inizio a tagliare la crosta finché restano cinque centimetri quadrati di pane, ma presentabili. Da una burriera lì accanto prendo un po' di burro. Lo spalmo sulla prima fetta, ma questa si rompe in due.

Merda.

Attaccherò i due pezzi insieme. Non se ne accorgerà nessuno.

Spalanco l'antina di un pensile e frugo disperata fra vasetti di mostarda, salsa alla menta, marmellata di fragole... Vada per i sandwich alla marmellata. Un classico della cucina inglese. Con gesti veloci distribuisco la marmellata su una fetta di pane, ancora un po' di burro sull'altra, e le metto insieme. Faccio un passo indietro e osservo la mia opera.

Un vero disastro. La marmellata sta colando dai bordi. E il sandwich non è neppure quadrato.

Non ho mai visto un sandwich così schifoso in vita mia.

Non posso servirlo ai Geiger.

Lentamente poso il coltello, sconfitta. Ci siamo. È venuto il momento di dare le dimissioni. Mentre guardo quella schifezza piena di marmellata, mi sento stranamente delusa di me stessa. Ero convinta di poter durare almeno una mattina.

Un lieve bussare mi riscuote dalle mie riflessioni. Mi volto di scatto e vedo una ragazza coi capelli tirati indietro da una fascia di velluto blu che sbircia attraverso la finestra della cucina.

«Salve!» grida. «Siete voi che avete ordinato sandwich per venti?»

Accade tutto molto in fretta. Un attimo prima me ne stavo lì a guardare il mio ammasso di briciole e marmellata, e adesso due ragazze in grembiule verde entrano ed escono dalla cucina portando vassoi di sandwich preparati da mani esperte.

Sandwich perfetti, di pane bianco e integrale, sistemati in piramidi ordinate, guarniti con rametti di erbe e fette di limone. Ci sono persino delle piccole bandierine che descrivono la farcitura.

Tonno, cetriolo e menta. Salmone affumicato, crema di formaggio e caviale. Pollo alla thailandese e rucola.

«Mi dispiace molto per l'errore» dice la ragazza dall'aria campagnola con la fascia di velluto nei capelli, mentre io firmo la ricevuta. «Sembrava proprio un venti. Non riceviamo spesso ordini per due persone...»

«Non c'è problema» dico, spingendola pian piano verso la porta. «Davvero. Addebitatelo pure sulla mia carta...»

Finalmente la porta si chiude e io mi guardo intorno, sbalordita. Non ho mai visto così tanti sandwich. Ce ne sono ovunque. I vassoi occupano ogni superficie libera. Sono stata costretta a metterne persino qualcuno sui fornelli.

«Samantha?» Sento Trish venire verso la cucina.

«Aspetti!» Corro alla porta, cercando di bloccarle la visuale.

«È l'una e cinque» le sento dire, piuttosto seccata. «Mentre io ti avevo chiesto espressamente...»

Quando arriva in cucina resta senza parole, a bocca aperta per lo stupore. Seguo il suo sguardo mentre osserva la sequenza infinita di vassoi colmi di sandwich.

«Oh, buon Dio!» Alla fine ritrova la voce. «È... è impressionante!»

«Non sapevo quali preferite» ribatto. «Ovviamente la prossima volta non ne preparerò così tanti...»

«Bene.» Trish non sa cosa dire. Prende una delle bandierine e legge a voce alta: «Roast-beef, lattuga e rafano». Alza lo sguardo, meravigliata. «Sono settimane che non compero manzo! Dove l'hai trovato?»

«Ehm… nel freezer.»

Avevo guardato dentro il freezer, prima. La quantità di cibo ammassata là dentro sarebbe bastata a sfamare un piccolo paese africano per una settimana.

«Ma certo!» esclama Trish, facendo schioccare la lingua. «Come sei intelligente!»

«Ne metterò un misto su un piatto» suggerisco «e ve lo porterò in veranda.»

«Splendido! Nathaniel!» Trish batte sulla finestra della cucina. «Entra a prendere un sandwich!»

Mi blocco. No! Ancora lui!

«Non vorremo buttarli, no?» dice lei, inarcando le sopracciglia. «Se proprio dovessi avanzare una critica, Samantha, direi che sei stata un tantino esagerata nella quantità… non che siamo poveri» si affretta ad aggiungere. «Non è certo per quello.»

«Ehm… no, signora.»

«Non mi piace parlare di soldi, Samantha» prosegue, abbassando un poco la voce. «È così volgare. Ma…»

«Signora Geiger?»

Nathaniel è ricomparso sulla soglia della cucina, con una vanga in mano.

«Prendi uno dei deliziosi sandwich di Samantha!» esclama Trish, e con un gesto passa in rassegna tutta la cucina. «Guarda! Non è brava?»

Segue un silenzio di tomba mentre Nathaniel osserva le montagne di sandwich. Non riesco a guardarlo in faccia. Mi sento avvampare. Forse sto impazzendo. Mi trovo in una cucina nel mezzo del nulla. Con indosso un'uniforme di nylon azzurra. E mi sto spacciando per una governante capace di creare magicamente dei sandwich dal niente.

«Straordinario» osserva Nathaniel alla fine.

Mi azzardo ad alzare lo sguardo e dentro di me sorrido. Mi sta guardando, la fronte corrugata come se non riuscisse a vedermi bene.

«Non ci hai messo molto» dice, con un tono lievemente interrogativo.

«Sono… piuttosto veloce, quando voglio» ribatto, con un sorriso mellifluo.

«Samantha è meravigliosa!» esclama Trish, dando un morso avido a un sandwich. «Ed è così ordinata! Guarda la cucina, è immacolata!»

«Scuola Cordon Bleu» dico, con modestia.

«Oh!» Trish si è infilata un altro sandwich in bocca ed è praticamente sul punto di svenire. «Questo pollo alla thailandese è divino!»

Con mossa furtiva ne prendo uno dalla pila e gli do un morso.

Accidenti se è buono. Anche se non dovrei essere io a dirlo.

Per le due e mezzo la cucina è vuota. Trish ed Eddie hanno divorato più della metà dei sandwich, e ora sono usciti. Nathaniel è tornato in giardino. Io cammino avanti e indietro, giocherellando con un cucchiaio e guardando l'orologio ogni trenta secondi.

Arnold chiamerà presto. Sono passate ore.

Non riesco a pensare ad altro. La mia mente si è ristretta a un tunnel a senso unico, e l'unica cosa di cui mi importi si trova alla fine di quel tunnel.

Guardo un piccolo uccello marrone fuori dalla finestra che becca sul terreno, poi mi volto e mi lascio cadere su una sedia, lo sguardo fisso sul tavolo, tracciando ossessivamente con l'unghia la venatura del legno lucido.

Ho commesso un errore. Uno. Alle persone è consentito di sbagliare una volta nella vita. È la regola.

O forse no. Non lo so.

Improvvisamente sento vibrare il cellulare e il petto quasi mi esplode per lo spavento. Con mano tremante afferro il telefono e lo estraggo dalla tasca dell'uniforme.

Dal numero sul display vedo che è Guy. Faccio un bel respiro profondo e premo OK.

«Pronto, Guy?» Cerco di parlare con tono deciso, ma la mia voce suona incerta e spaventata persino a me.

«Samantha? Sei tu?» La voce di lui esce tumultuosa come un torrente in piena. «Dove diavolo sei? Perché non sei qui? Non hai ricevuto le mie e-mail?»

«Non ho il palmare» rispondo, colta alla sprovvista. «Perché non mi hai chiamato sul cellulare?»

«Ci ho provato! Non hai risposto. Poi sono passato da una riunione all'altra, ma ti ho mandato e-mail per tutta la mattina... Samantha, dove sei? Dovresti essere in ufficio! Non nascosta chissà dove!»

Un'ondata di terrore mi percorre tutto il corpo. Nascosta?

«Ma... Arnold mi ha detto di non tornare! Ha detto che sarebbe stato meglio. Mi ha consigliato di restare lontana dall'ufficio, e che lui avrebbe fatto tutto il possibile...»

«Hai idea dell'impressione che dai?» mi interrompe lui. «Prima perdi la testa, poi scompari. Si dice in giro che sei impazzita, che hai avuto un esaurimento nervoso... si mormora che tu sia fuggita dalla città...»

Appena la verità mi colpisce, avverto un senso di panico caldo, soffocante. Non riesco a credere di aver sbagliato fino a questo punto. Non riesco a credere di essere stata così stupida. Cosa ci faccio ancora qui, seduta in questa cucina, a chilometri di distanza da Londra?

«Di' a tutti che sto rientrando» dico, balbettando. «Di' a Ketterman che arrivo subito... salto sul primo treno.»

«Potrebbe essere troppo tardi.» Il tono di Guy è serio, esitante. «Samantha... circolano un sacco di voci.»

«Voci?» Il cuore mi batte così forte che quasi non ce la faccio a pronunciare la parola. «Quali... quali voci?»

Non riesco a capire. È come se la mia auto fosse improvvisamente finita fuori strada e io non riuscissi a fermarla. Credevo di avere tutto sotto controllo. Credevo di fare la cosa giusta, restandomene qui, lasciando che fosse Arnold a perorare la mia causa.

«A quanto pare dicono che sei... inaffidabile» dice Guy, alla fine. «Dicono che non è la prima volta. Che hai commesso altri errori in precedenza.»

«Errori?!» esclamo, saltando in piedi, la voce stridula come se mi fossi scottata. «Chi l'ha detto? Io non ho mai commesso errori! Di cosa stanno parlando?»

«Non lo so. Non ero presente alla riunione. Samantha... pensaci bene. Hai commesso altri errori?»

Pensaci bene?

Fisso il cellulare scioccata e incredula. Non mi crede?

«Io non ho mai commesso nessun errore» rispondo, cercando, senza riuscirci, di mantenere un tono di voce calmo. «Nessuno.

Mai! Io sono un buon avvocato. Io sono un buon avvocato.» Con mio grande sgomento, le lacrime prendono a scorrermi lungo le guance. «Io sono affidabile! E tu questo lo sai, Guy.»

Segue un silenzio teso.

Le cose non dette restano lì, sospese, fra noi. Come un verdetto di colpevolezza. Ho commesso un errore.

«Guy, non so come ho fatto a non vedere la documentazione della Glazerbrooks.» Le parole mi escono di bocca sempre più veloci. «Non so come sia potuto accadere. Non ha senso. È vero, la mia scrivania è incasinata, ma io ho i miei metodi, per Dio. A me le cose non sfuggono in questo modo. Io non...»

«Samantha, calmati.»

«Come faccio a calmarmi?» urlo. «Questa è la mia vita. *La mia vita*. Io non ho altro!» Mi asciugo le lacrime sulle guance. «Non ho intenzione di perderla. Torno in ufficio. Adesso.»

Tronco la comunicazione e mi alzo in piedi, ribollendo per il panico. Avrei dovuto tornare. Avrei dovuto tornare subito, senza perdere tempo qui. Non so a che ora ci sia un treno, ma non mi interessa. Devo andarmene.

Afferro un pezzo di carta e una matita e scrivo in fretta:

Gentile signora Geiger,
    purtroppo sono costretta a dare le dimissioni dal posto di governante. Anche se sono stata bene

Forza, non c'è tempo per scrivere altro. Devo andare. Poso il foglio sul tavolo e mi dirigo verso la porta. Poi mi blocco.

Non posso lasciare la lettera a metà di una frase. Mi tormenterebbe per il resto della giornata.

    Anche se sono stata bene con voi, sento di aver bisogno di una nuova sfida. Vi ringrazio per la vostra gentilezza.
    Distinti saluti.
                    *Samantha Sweeting*

Poso la matita e spingo via la sedia, facendola strisciare sul pavimento. Sono già sulla porta quando il cellulare si rimette a vibrare.

Guy, penso, istintivamente. Lo prendo dalla tasca e lo sto già aprendo, quando vedo il numero sul display. Non è Guy.

È Ketterman.

Qualcosa di gelido pare afferrarmi la spina dorsale. Mentre

fisso il suo nome provo la paura vera, come non l'ho mai provata prima. Una paura infantile, ossessiva. Il mio istinto mi dice di non rispondere.

Ma è troppo tardi. Ho già aperto il telefono. Lentamente lo avvicino all'orecchio.

«Pronto.»

«Samantha? Sono John Ketterman.»

«Sì.» La mia voce è stridula per l'agitazione. «Sono io.»

Segue una lunga pausa. So che è il momento di dire qualcosa, ma mi sento come paralizzata. Mi sembra di avere la gola imbottita di cotone. Nessuna parola pare adeguata. Lo sanno tutti che Ketterman detesta le scuse, le giustificazioni, le spiegazioni.

«Samantha, la chiamo per informarla che il suo contratto con la Carter Spink è stato rescisso.»

Sento il sangue defluire dal viso.

«Le abbiamo spedito una lettera con le motivazioni.» Il suo tono è distante e formale. «Negligenza grave unita a comportamento non professionale. Le invieremo anche il suo estratto contributivo. Il suo lasciapassare è stato disabilitato. Non desidero più vederla negli uffici della Carter Spink.»

Sta succedendo troppo in fretta. Accade tutto troppo in fretta.

«La prego non...» Le parole mi escono senza preavviso per la disperazione. «La prego, mi dia un'altra possibilità. Ho commesso un errore. Uno solo.»

«I legali della Carter Spink non commettono errori, Samantha. Né fuggono dai propri sbagli.»

«So di avere sbagliato a fuggire. Lo so.» Sto tremando tutta. «Ma è stato un tale shock... non ero lucida...»

«Lei ha infangato la reputazione dello studio oltre che la sua.» La voce di Ketterman si inasprisce come se, anche per lui, questa conversazione fosse difficile. «Con la sua negligenza ha fatto perdere cinquanta milioni di sterline a un cliente. E subito dopo si è resa irreperibile, senza alcuna spiegazione. Samantha, di certo non poteva aspettarsi un'altra conclusione.»

Segue un lungo silenzio. Ho la mano premuta contro la fronte. Mi sto concentrando per continuare a respirare.

«No» sussurro alla fine.

È finita. È davvero finita.

Ketterman attacca un discorsetto a proposito di un incontro

con l'ufficio risorse umane, ma non lo ascolto più. La stanza mi gira intorno e io ho difficoltà a respirare.

È finita. La mia carriera. Tutto ciò per cui ho faticato da quando avevo dodici anni. Tutto svanito. Buttato via. In ventiquattro ore.

Alla fine mi rendo conto che Ketterman non è più in linea. Mi alzo in piedi e, barcollando, vado verso il frigorifero lucido. Ho un colorito verdastro. I miei occhi sono due enormi buchi cocenti. Non so cosa fare. Non so da dove cominciare.

Resto lì a lungo, in piedi, a fissare la mia faccia finché questa perde di significato e i lineamenti paiono confondersi.

Sono stata licenziata. La frase mi rimbomba nella mente. Sono stata licenziata. Potrei chiedere il sussidio di disoccupazione. Il pensiero mi suscita un'espressione di disgusto. Mi immagino insieme ai protagonisti di *Full Monty*. In coda all'ufficio di collocamento, ancheggiando al ritmo di *Hot Stuff*.

All'improvviso sento il rumore di una chiave nella porta d'ingresso. I miei occhi tornano a mettere a fuoco e mi allontano dal frigorifero.

Non posso farmi trovare in queste condizioni. Non potrei sopportare domande né compassione. Temo di mettermi a singhiozzare e non fermarmi più.

Afferro distrattamente uno straccio e comincio a passarlo in tondo sul tavolo. E mi cade l'occhio sul biglietto che avevo scritto per Trish, ancora sopra il ripiano. Lo afferro, lo accartoccio e lo butto nel secchio della spazzatura. Dopo. Lo farò dopo. In questo momento ho difficoltà a parlare, figuriamoci se riesco a mettere insieme un discorso di dimissioni convincente.

«Eccoti qui!» Trish entra in cucina incespicando sugli zoccoli col tacco alto, carica sotto il peso di tre borse della spesa stracolme. «Samantha!» Vedendomi, si blocca. «Ti senti bene? Ti è tornato il mal di testa?»

«Sto bene, grazie» rispondo con voce tremante.

«Hai un aspetto orrendo! Buon Dio! Prendi qualche pillola!»

«Davvero…»

«Forza! Ne prenderò qualcuna anch'io, perché no?» aggiunge, allegramente. «Su, siediti… ti preparo una tazza di tè.»

Lascia le borse della spesa e accende il bollitore, quindi si mette a frugare alla ricerca degli analgesici.

«Questi sono quelli che ti piacciono, vero?»

«Ehm, preferirei prendere un'aspirina» dico. «Se non c'è problema.»

«Ne sei sicura?» Mi riempie un bicchiere d'acqua e mi porge un paio di aspirine. «Ecco. Siediti qui. Rilassati. Non osare fare nient'altro! Finché non è ora di preparare la cena» aggiunge subito dopo, ripensandoci.

«Lei è... molto gentile» dico, con difficoltà.

Mentre pronuncio queste parole, mi rendo vagamente conto che lo penso davvero. La gentilezza di Trish può anche essere un po' strana, ma è genuina.

«Ecco qui...» Trish mi mette davanti una tazza di tè e mi osserva per qualche istante. «Hai nostalgia di casa?» Lo dice con aria trionfante, come se avesse risolto il mistero. «La filippina che avevamo prima ogni tanto soffriva di depressione... ma io le dicevo sempre: "Su con la vita, Manuela!".» Trish fa una pausa, pensierosa. «Poi ho scoperto che si chiamava Paula. Straordinario.»

«Non ho nostalgia di casa» rispondo, tranguigiando il tè.

La mia mente sbatte come le ali di una farfalla. Cosa farò?

Andrò a casa.

Ma il pensiero di tornare in quell'appartamento, con Ketterman due piani sopra, mi fa stare male. Non me la sento di affrontarlo. Non posso.

Telefonerò a Guy. Lui mi ospiterà. Ha un'enorme casa a Islington, con tante camere per gli ospiti. Ci ho già dormito, una notte. E poi... venderò l'appartamento. Mi troverò un lavoro.

Che lavoro?

«Questo ti tirerà su.» La voce di Trish interrompe i miei pensieri. Dà un colpetto alle sporte con una contentezza a stento trattenuta. «Dopo la tua sorprendente performance a pranzo... sono andata a fare la spesa. E ho una sorpresa per te! Che ti renderà felice.»

«Una sorpresa?» Alzo lo sguardo, confusa, mentre Trish comincia a estrarre pacchetti dalle borse.

«Foie gras... ceci... agnello...» Posa un pezzo di carne sulla tavola e mi guarda con grande aspettativa. Poi, vedendo la mia espressione sconcertata, fa schioccare la lingua. «Sono gli ingredienti! Per il tuo menu di stasera! Ceneremo alle otto, se per te va bene.»

## 9

Andrà tutto bene.

Se continuo a ripetermelo, diventa vero.

So che dovrei chiamare Guy. Ho preso in mano il telefono parecchie volte per farlo. Ma ogni volta la vergogna me l'ha impedito. Anche se è mio amico, anche se è la persona con cui ho più confidenza in tutto l'ufficio, sono io quella che è stata licenziata, quella che è caduta in disgrazia. Non lui.

Alla fine mi metto a sedere e mi sfrego le guance, cercando di tirarmi su di morale. Forza, si tratta di Guy. Sicuramente vorrà avere mie notizie. Vorrà aiutarmi. Apro il cellulare e digito il numero della sua linea diretta. Un attimo dopo sento un rumore di zoccoli sul pavimento di legno del corridoio.

Trish.

Con un unico, fluido movimento chiudo il telefono, me lo metto in tasca e allungo la mano verso un mazzetto di broccoli.

«Come va?» chiede lei dal corridoio. «Stai facendo progressi?»

Entra in cucina e resta sorpresa nel vedermi seduta nello stesso posto in cui mi aveva lasciato. «Tutto bene?»

«Sto... esaminando gli ingredienti» rispondo, improvvisando.

In quel momento una donna bionda compare sulla soglia accanto a lei. Ha un paio di occhiali da sole tempestati di strass sollevati sulla testa e mi osserva con avido interesse.

«Io sono Petula» annuncia. «Piacere.»

«Petula ha appena assaggiato i tuoi sandwich» interviene Trish. «Li ha trovati meravigliosi.»

«E ho sentito parlare del tuo foie gras con glassa d'albicocca» dice Petula, inarcando le sopracciglia. «Davvero sbalorditivo!»

«Samantha sa cucinare qualsiasi piatto» si vanta Trish, con le guance colorite dall'orgoglio. «Ha fatto pratica sotto Michel de la Roux de la Blanc! Il maestro in persona!»

«E come fai, esattamente, a glassare il foie gras, Samantha?» chiede Petula con interesse.

La cucina è silenziosa. Le due donne attendono una risposta, curiose.

«Be'...» Mi schiarisco la gola più volte. «Uso... il solito metodo, suppongo. La parola "glassare" deriva ovviamente dalla natura trasparente del... ehm... della finitura... e fa da complemento al... gras. Foie» mi correggo. «De gras. Alla... fusione di sapori.»

Sto dicendo un sacco di cavolate, ma pare che né Trish né Petula se ne accorgano. Anzi, sembrano entrambe molto colpite.

«Dove l'hai trovata?» domanda Petula a Trish in quello che, chiaramente, lei crede sia un tono di voce discreto. «La mia è senza speranza. Non sa cucinare e non capisce una parola di quello che le dico.»

«Si è presentata all'improvviso» mormora Trish in risposta, ancora rossa in viso per il compiacimento. «Cordon Bleu. Inglese. Non riuscivamo a crederci!»

Le due donne mi guardano come se fossi un animale raro con due corna che gli spuntano dalla testa.

Non riesco a sopportarlo oltre.

«Vi preparo un po' di tè e ve lo porto in veranda?» dico, disperata.

«No, facciamo un salto fuori a farci fare le unghie» dice Trish. «Ci vediamo dopo, Samantha.»

Ma non si muove. Di colpo capisco che Trish sta aspettando il mio inchino. Avverto un formicolio per tutto il corpo. Perché ho fatto l'inchino? Perché?

«Bene, signora Geiger.» Chino la testa con un gesto goffo. Quando la alzo di nuovo, vedo che Petula ha due occhi grossi così.

Mentre le due donne si allontanano, sento Petula che sussurra: «Fa l'inchino? Ti fa l'inchino?».

«È solo un segno di rispetto» sento che risponde Trish con noncuranza. «Ma molto efficace. Sai, Petula, dovresti provarlo anche con la tua…»

Oh, Dio, cos'ho fatto?

Aspetto finché il ticchettio degli zoccoli è scomparso. Poi, dopo essere entrata nella dispensa per non correre rischi, apro il telefono e ricompongo il numero di Guy. Risponde dopo tre squilli.

«Samantha.» Ha un tono circospetto. «Ciao, hai…»

«È tutto tranquillo, Guy» dico, stringendo gli occhi per un attimo. «Ho parlato con Ketterman. So tutto.»

«Cristo, Samantha.» Fa un respiro profondo. «Mi dispiace. Mi dispiace tantissimo…»

Non sopporto la sua pietà. Se dice un'altra parola, scoppio a piangere.

«È tutto a posto» dico, interrompendolo. «Davvero. Non parliamo di questo. Guardiamo avanti. Devo rimettermi in pista.»

«Gesù, come sei determinata!» Nella sua voce c'è una nota di ammirazione. «Non ti lasci turbare proprio da niente, eh?»

Mi scosto i capelli dal viso. Sono secchi, trascurati, pieni di doppie punte.

«Devo… andare avanti.» In qualche modo riesco a mantenere un tono di voce fermo. «Devo tornare a Londra, ma non posso andare a casa mia. Ketterman ha comperato un appartamento nel mio palazzo. Abita lì.»

«Sì, ho sentito.» Avverto il suo tono dispiaciuto. «Una vera sfortuna.»

«Non sopporterei di incontrarlo, Guy.» Sento nuovamente la minaccia delle lacrime e mi sforzo di fare dei bei respiri profondi. «E così… mi chiedevo se posso venire a stare da te per un po'. Solo per qualche giorno…»

Silenzio. Non mi aspettavo il silenzio.

«Samantha… io vorrei tanto poterti aiutare» dice Guy alla fine «ma devo prima chiedere a Charlotte.»

«Certo» ribatto, un po' sconcertata.

«Resta in linea un secondo. La chiamo.»

Un attimo dopo mi mette in attesa. Me ne sto lì seduta ad aspettare, ascoltando una musica metallica di spinetta, cercando disperatamente di non sentirmi sconfitta. Era irragionevole aspettarsi che dicesse subito di sì. È ovvio che debba chiedere il permesso alla sua ragazza.

Alla fine Guy torna in linea.

«Samantha, temo che non sia possibile.»

È come uno schiaffo.

«Va bene.» Cerco di sorridere, di sembrare naturale, come se non fosse poi così importante. «Be'… pazienza. Non importa…»

«Charlotte è molto impegnata in questo momento… stiamo facendo dei lavori nelle camere da letto, non è il periodo più adatto…»

Parla con esitazione, come se volesse troncare la telefonata. E all'improvviso capisco. Non si tratta di Charlotte. È solo una scusa. È lui che non vuole avere nulla a che fare con me. È come se la mia disgrazia fosse contagiosa, come se anche la sua carriera potesse essere danneggiata.

Ieri ero la sua migliore amica. Ieri, quando stavo per diventare socio, se ne stava appicciccato alla mia scrivania, tutto sorrisi e battute. Oggi non vuole neppure far sapere che mi conosce.

So che farei meglio a stare zitta, a non perdere la dignità, ma non riesco a trattenermi.

«Non vuoi avere nulla a che fare con me, vero?» sbotto, senza mezzi termini.

«Samantha!» È sulla difensiva. «Non essere ridicola.»

«Io sono sempre la stessa persona. Ti credevo un amico, Guy.»

«Io sono tuo amico! Ma non puoi aspettarti che… devo pensare a Charlotte, non abbiamo molto spazio. Senti, chiamami fra un paio di giorni, potremmo bere qualcosa insieme…»

«Non ti preoccupare.» Cerco di controllare la voce. «Scusa se ti ho disturbato.»

«Aspetta!» esclama lui. «Non riattaccare. Cosa farai adesso?»

«Oh, Guy» rispondo, con una risatina sarcastica. «Come se a te importasse qualcosa.»

Chiudo la comunicazione, stordita e incredula. È cambiato tutto. O forse lui non è cambiato. Forse Guy è sempre stato così, solo che io non lo avevo capito.

Fisso il piccolo quadrante luminoso del telefono, col respiro affannoso, osservando i secondi che passano. Che cosa farò? E poi, all'improvviso, il telefono si mette a vibrare nella mia mano, cogliendomi di sorpresa. TENNYSON dice il display.

La mamma.

Provo una fitta di apprensione. Avrà saputo. Dovevo aspettarmelo. Mi viene in mente che potrei andare a stare da lei. Che strano. Non ci avevo neanche pensato. Apro il telefono e faccio un respiro profondo.

«Ciao, mamma.»

«Samantha.» La sua voce mi perfora l'orecchio senza preamboli. «Quando pensavi di informarmi della tua débâcle? Devo venire a sapere della disgrazia di mia figlia da una storiella su Internet?» Pronuncia le parole con repulsione.

«Una... storiella su Internet?» ripeto, con un filo di voce. «Cosa vuoi dire?»

«Non ne sapevi nulla? A quanto pare in certi ambienti legali la nuova unità di misura per indicare cinquanta milioni di sterline è "una Samantha". Credimi, non l'ho trovato affatto divertente.»

«Mamma, mi dispiace...»

«Se non altro la vicenda è rimasta confinata al nostro giro. Ho parlato con la Carter Spink e mi hanno assicurato che non andrà oltre. Dovresti essere grata di questo.»

«Sì... suppongo di sì.»

«Dove sei?» domanda brusca, interrompendo i miei balbettamenti.

"Dentro una dispensa, circondata da confezioni di cereali."

«Sono in casa di certe persone. Fuori Londra.»

«E che progetti hai?»

«Non lo so.» Mi passo una mano sul volto. «Ho bisogno di... fare mente locale. Di trovarmi un lavoro.»

«Un lavoro» ripete lei, aspra. «Pensi che uno studio legale decente sia disposto anche solo a incontrarti, adesso?»

Il suo tono mi ferisce. «Io... non lo so, mamma. Ho appena saputo di essere stata licenziata. Non posso...»

«Invece sì che puoi. Grazie al cielo, ci ho pensato io.»

Ci ha pensato lei?

«Cos'hai...»

«Qualcuno mi doveva dei favori. Non è stato facile. Il socio anziano della Fortescues ti riceverà domani mattina alle dieci.»

Guardo il telefono incredula.

«Mi hai fissato un colloquio?»

«Ammettendo che vada tutto bene, entrerai al livello di associato anziano.» La sua voce è secca. «Ti viene offerta questa occasione solo per fare un favore personale a me. Come puoi immaginare, ci sono... delle riserve. Quindi, se vuoi fare carriera, Samantha, dovrai rendere molto. Dovrai dedicare a questo lavoro ogni ora del tuo tempo.»

«Giusto.» Chiudo gli occhi, con i pensieri che mi turbinano nella mente. Ho un colloquio di lavoro. Un nuovo inizio. La fine dell'incubo.

Perché non mi sento sollevata? Più felice?

«Dovrai lavorare più di quanto lavoravi alla Carter Spink» prosegue la mamma. «Non c'è spazio per la pigrizia o l'autocompiacimento. Dovrai faticare il doppio per dimostrare quanto vali. Ti è chiaro?»

«Sì» rispondo, automaticamente.

Più ore. Più lavoro. Più nottate.

È come se sentissi i blocchi di cemento che mi vengono caricati di nuovo sulla schiena. In numero maggiore. Più pesanti.

«Voglio dire... no» sento la mia voce rispondere. «No. Io non voglio. Non voglio questo. Non posso... è troppo...»

Le parole mi escono dalla bocca da sole. Non intendevo pronunciarle. Non le ho neppure pensate, prima. Ma ora che sono uscite, in un certo senso suonano vere.

«*Prego?*» La voce della mamma è brusca. «Samantha, cosa diavolo stai dicendo?»

«Non lo so.» Mi massaggio la fronte, cercando di dare un senso alla mia confusione. «Pensavo... che potrei prendermi una pausa.»

«Una pausa sarebbe la fine della tua carriera legale» ribatte lei secca, con un tono che non ammette repliche. «La fine.»

«Potrei... fare dell'altro.»

«Non dureresti più di due minuti, qualunque altra cosa facessi!» Adesso sembra indignata. «Samantha, tu sei un *avvocato*. Hai studiato da *avvocato*.»

«Ci sono altre cose, al mondo, oltre che fare l'avvocato!» esclamo, turbata.

Segue un silenzio minaccioso.

«Samantha, se hai per caso un esaurimento nervoso...»

«No!» La mia voce si alza per la tensione. «Solo perché metto in discussione la mia vita, questo non significa che io abbia un esaurimento nervoso! Io non ti ho chiesto di trovarmi un altro lavoro. Non so cosa voglio. Ho bisogno di un po' di tempo per... per pensare.»

«Tu andrai a quel colloquio, Samantha.» La voce della mamma è come una frustata. «Ti presenterai domani mattina alle dieci.»

«No!»

«Dimmi che lo farai! Ti mando immediatamente una macchina.»

«No! Lasciami in pace.»

Chiudo il telefono, esco dalla dispensa, e lo lancio con rabbia sul tavolo. Ho il viso in fiamme. Le lacrime premono, violente, per uscire. Il telefono si mette a vibrare, rabbioso, sul tavolo, ma io lo ignoro. Non ho intenzione di rispondere. Non ho intenzione di parlare con nessuno. Berrò qualcosa. E poi mi metterò a preparare questa maledetta cena.

Verso del vino bianco in un bicchiere e ne bevo parecchi sorsi. Poi mi dedico alla montagna di ingredienti che attendono sul tavolo.

Posso cucinare. Posso cucinare questa roba. Anche se ho fallito in tutto il resto, questo posso farlo. Ho un cervello. Capirò come si fa.

Senza indugio apro l'involucro di plastica dell'agnello. Questo può andare in forno. In una pirofila. Semplice. E così pure i ceci. Poi li passerò ed ecco fatta la purea di ceci.

Apro una credenza e tiro fuori un assortimento di teglie lucenti. Ne scelgo una e vi distribuisco i ceci. Alcuni cadono a terra rimbalzando, ma chissenefrega. Prendo una bottiglia d'olio dal bancone e ne verso un goccio sui ceci. Mi sento già una cuoca.

Infilo la teglia nel forno e lo accendo al massimo della potenza. Poi prendo l'agnello, lo metto in una pirofila ovale e infilo dentro anche quella.

Fin qui tutto bene. Ora non mi resta che sfogliare i libri di ricette di Trish e trovare le istruzioni per il foie gras con glassa d'albicocca.

Okay, non c'era neanche una ricetta per il foie gras con glassa d'albicocca. La cosa più simile che ho trovato è quella per il flan di albicocche e lamponi. Forse posso modificarla un po'.

"Frizionare il burro nella farina fino a formare delle briciole" leggo.

Non ha senso. Briciole? Con burro e farina?

Fisso la pagina, confusa, la mente in subbuglio. Ho appena rifiutato quella che potrebbe essere la mia unica occasione per ricominciare. Non capisco perché l'ho fatto. Sono un avvocato. Ecco cosa sono. Cos'altro potrei fare? Cosa mi è successo?

Oh, Dio! Perché esce tutto quel fumo dal forno?

Alle sette sto ancora cucinando.

Se non altro credo di sapere cosa sto facendo. I due forni soffiano per il calore. Le pentole borbottano sui fornelli. Il frullatore ronza. Mi sono ustionata la mano destra due volte, togliendo delle cose dal forno. In cucina ci sono aperti ben otto libri di ricette, uno zuppo d'olio che mi si è rovesciato, l'altro sporco di rosso d'uovo. Sono paonazza, sudata fradicia, e ogni tanto cerco di infilare la mano sotto l'acqua fredda.

Sono tre ore che lavoro, e finora non ho prodotto niente che sia vagamente commestibile. Fino a questo momento ho gettato via un soufflé al cioccolato afflosciato, due padelle di cipolle bruciate e una pentola di albicocche indurite che mi facevano schifo solo a guardarle.

Non riesco a capire cosa c'è che non va. Ma non ho tempo per capire cosa c'è che non va. Non ha senso perdersi in analisi inutili. Ogni volta che succede un disastro, getto via tutto e ricomincio da capo.

I Geiger non hanno la minima idea di cosa sta succedendo. Stanno bevendo sherry in salotto. Sono convinti che tutto stia andando a meraviglia. Mezz'ora fa Trish ha cercato di entrare in cucina, ma sono riuscita a dirottarla.

Fra meno di un'ora lei ed Eddie siederanno al tavolo aspettandosi una cena da gourmet. Spiegheranno i tovaglioli, pregustando ciò che li aspetta. Si verseranno l'acqua minerale.

Sto diventando isterica. So di non potercela fare. Ma non riesco a darmi per vinta. Continuo a pensare che accadrà un miracolo. Metterò insieme qualcosa. In qualche modo ci riuscirò.

Oh, Dio, la salsa sta per traboccare!

Chiudo con forza lo sportello del forno, afferro un cucchiaio e comincio a girarla. Si presenta come un rivoltante liquido marrone pieno di grumi. Comincio a frugare in fretta nelle credenze alla ricerca di qualcosa da buttarci dentro. Farina bianca. Farina di mais. Qualcosa del genere. Questo potrebbe andare bene. Prendo un piccolo barattolo pieno di polvere bianca e ne verso dosi generose, poi mi asciugo il sudore dalla fronte. Okay. E adesso?

All'improvviso mi vengono in mente le chiare d'uovo, che continuano a girare nel frullatore. Prendo il libro delle ricette e faccio correre il dito lungo la pagina. Ho cambiato dessert dopo essermi imbattuta per caso in una nota su un ricettario: "Le meringhe sono facilissime da preparare".

Finora tutto bene. E adesso? "Sulla carta da forno formate un grosso cerchio con l'impasto, montato fino a diventare di consistenza densa."

Osservo il contenuto della ciotola. Consistenza densa? Il mio impasto è liquido.

Deve andare bene, mi dico. Dev'essere così. Ho seguito le istruzioni. Forse è più denso di quello che sembra. Forse quando comincerò a versarlo, si addenserà per qualche strana legge fisica culinaria.

Lentamente comincio a versarlo nella teglia da forno.

Non si addensa. Si allarga fino a formare un lago bianco che deborda dalla teglia e da lì cola sul pavimento, in grosse chiazze.

Qualcosa mi dice che con questa roba non ci farò una Pavlova al cioccolato bianco per otto.

Una goccia mi atterra su un piede e io lancio un urlo di frustrazione. Sono sull'orlo delle lacrime. Perché non ha funzionato? Ho seguito passo passo questa fottuta ricetta! Una rabbia repressa mi sta montando dentro: rabbia verso me stessa, rabbia per queste chiare d'uovo di merda, rabbia per tutti questi libri di ricette, per i cuochi, per il cibo... e più di tutto rabbia verso chi ha scritto che le meringhe sono facilissime da preparare.

«Non è vero!» urlo. «Non è per niente vero!» Scaglio il libro mandandolo a sbattere contro la porta della cucina.

«Cosa diavolo...» esclama sorpresa una voce maschile.

Un attimo dopo la porta si apre e Nathaniel è lì, sulla soglia, le gambe come tronchi d'albero fasciati nei jeans, i capelli che brillano nella luce del tramonto. Ha uno zaino sulle spalle; sembra stia andando a casa. «Va tutto bene?»

«Benissimo» rispondo, turbata. «Va tutto bene. Grazie. Grazie mille.» Lo liquido con un gesto della mano, ma lui non accenna a muoversi.

«Ho sentito che stavi cucinando una cena da gourmet per stasera» dice lentamente, guardandosi intorno.

«Sì. Esatto. Sono... nella fase più complessa del... ehm...» Getto un'occhiata ai fornelli e lancio un urlo. «Oh, merda! La salsa!»

Non so proprio cosa sia successo. Dalla pentola stanno uscendo delle bolle marroni che traboccano sui fornelli e da lì per terra lungo i bordi della cucina. Sembra la storia della pentola magica che non smetteva mai di produrre porridge.

«Toglila dal fuoco, per amor del cielo!» esclama Nathaniel. Afferra la pentola e la sposta. «Cosa diavolo c'è qua dentro?»

«Niente!» rispondo. «I soliti ingredienti...»

Nathaniel ha notato il vasetto sul bancone. Lo afferra e lo guarda con aria incredula. «Bicarbonato? Hai messo il bicarbonato nella salsa? È questo che ti hanno insegnato alla...» Si interrompe e annusa l'aria. «Un momento. Sta bruciando qualcosa?»

Lo osservo, impotente, mentre apre il forno più basso, prende un guantone con gesto esperto ed estrae una teglia piena di palline simili a piccoli proiettili neri.

I ceci! Me li ero completamente dimenticati.

«E questi cosa dovrebbero essere?» domanda, con aria incredula. «Sterco di coniglio?»

«Sono ceci» ribatto. Ho le guance in fiamme, ma sollevo il mento, cercando di recuperare un minimo di dignità. «Li ho spruzzati di olio d'oliva e li ho messi in forno perché... si sciogliessero.»

Nathaniel mi fissa. «Si sciogliessero?»

«Si ammorbidissero» mi affretto a rettificare.

Nathaniel posa la teglia e incrocia le braccia.

«Ma tu ne sai qualcosa di cucina?» domanda.

Prima che io possa formulare una risposta, dal microonde arriva una potentissima esplosione.

«Oh, mio Dio!» urlo, terrorizzata. «Oh, mio Dio! Cos'è stato?» Nathaniel sta scrutando lo sportello di vetro.

«Cosa diavolo c'era qui dentro?» domanda. «È esploso qualcosa.»

La mia mente vortica freneticamente. Cos'ho infilato nel microonde? Ho solo dei vaghi ricordi.

«Le uova!» mi ricordo all'improvviso. «Stavo preparando le uova sode per i canapè.»

«Nel *microonde*?» fa lui, incredulo.

«Per risparmiare tempo!» gli urlo di rimando. «Volevo solo essere più efficiente!»

Nathaniel stacca la spina del microonde dalla presa e si volta, il viso contratto per l'incredulità. «Tu non sai un accidente di cucina! È tutto un bluff! Tu non sei una governante. Non so cosa tu abbia in mente, ma...»

«Io non ho in mente proprio nulla!» replico, scioccata.

«I Geiger sono brave persone» dichiara, affrontandomi. «Non lascerò che qualcuno si approfitti di loro.»

A un tratto ha assunto un atteggiamento veramente aggressivo. Oh, Dio. Cosa pensa? Che io sia una specie di truffatrice?

«Senti... ti prego.» Mi passo una mano sul volto sudato. «Io non sto cercando di imbrogliare nessuno. È vero, non so cucinare. Ma sono finita qui per un... equivoco.»

«Un equivoco?» ripete lui, aggrottando la fronte con aria sospettosa.

«Sì» ribatto, un po' più secca di quanto volessi. Mi lascio cadere su una sedia e mi massaggio le reni dolenti. Non mi ero resa conto di quanto fossi esausta. «Io stavo fuggendo da... qualcosa. Avevo bisogno di un posto dove passare la notte. I Geiger hanno pensato che fossi una governante. E la mattina seguente mi sono sentita in colpa. Ho deciso di lavorare per loro mezza giornata. Ma non ho intenzione di restare. E non pretenderò dei soldi, se è di questo che ti preoccupi.»

Segue un momento di silenzio. Alla fine alzo lo sguardo. Nathaniel è appoggiato al bancone, le possenti braccia incrociate sul petto. La sua espressione preoccupata e diffidente si è un po' ammorbidita. Fruga nello zaino e tira fuori una bottiglia di birra. Me la offre, ma io rifiuto, scuotendo la testa.

«Da cosa stavi scappando?» dice, aprendo la bottiglia.

«Da… una situazione» rispondo, abbassando gli occhi.

Lui beve un sorso di birra. «Una brutta relazione?»

Per un attimo non so cosa rispondere. Ripenso a tutti gli anni passati alla Carter Spink. A tutte le ore che ho dedicato all'azienda, a tutti i sacrifici. Cancellati con una telefonata di tre minuti.

«Sì» rispondo lentamente. «Una brutta relazione.»

«Quanto è durata?»

«Sette anni.» Con orrore, sento le lacrime scendere dagli angoli degli occhi. Non so da dove vengano. «Scusa» dico, deglutendo. «È stata una giornata pesante.»

Nathaniel fruga di nuovo nello zaino, prende un pacchetto di fazzoletti di carta e me ne allunga uno.

«Se era una brutta relazione, hai fatto bene ad andartene» osserva con voce calma. «Non ha senso restare. Non ha senso guardarsi indietro.»

«Hai ragione» dico, asciugandomi gli occhi. «Sì. Devo solo decidere cosa fare della mia vita. Non posso restare qui.» Prendo la bottiglia di Crème de Menthe che avrebbe dovuto servire per il soufflé al cioccolato al profumo di menta, ne verso un po' in una tazza e ne bevo un sorso.

«I Geiger sono ottimi datori di lavoro» osserva Nathaniel con una leggera scrollata di spalle. «Poteva andarti peggio.»

«Già» faccio io con un mezzo sorriso. «Peccato che io non sappia cucinare.»

Posa la bottiglia di birra e si passa una mano sulla bocca. Si è lavato bene le mani, ma ha ancora tracce di terra nelle unghie, nelle pieghe della pelle segnata dal sole e dal vento.

«Potrei chiedere a mia madre. Lei è brava a cucinare. Potrebbe insegnarti le cose fondamentali.»

Lo guardo meravigliata, quasi divertita. «Pensi che dovrei

restare? Credevo mi considerassi un'impostora.» Scuoto la testa, facendo una smorfia per il gusto della Crème de Menthe. «Devo andare.»

«Peccato» fa lui, stringendosi nelle spalle. «Sarebbe stato bello avere intorno una persona che parla inglese. E che sa preparare sandwich così buoni» aggiunge, con espressione impassibile.

Non posso fare a meno di sorridere. «Servizio di catering.»

«Ah. Me lo sono chiesto, in effetti…»

Sentiamo un lieve bussare alla porta e solleviamo lo sguardo.

«Samantha?» La voce di Trish, dall'altra parte, è un sussurro concitato. «Mi senti?»

«Sì?» rispondo, con voce strozzata.

«Non ti preoccupare. Non entro. Non voglio disturbarti! Sarai in un momento cruciale.»

«In un certo senso…»

Incrocio lo sguardo di Nathaniel e sento crescere dentro una risata isterica.

«Volevo solo chiederti» prosegue lei «se per caso hai intenzione di servire del sorbetto fra una portata e l'altra.»

Guardo Nathaniel. Le sue spalle sono scosse da una risata silenziosa. Non riesco a trattenere una smorfia. Mi premo la mano sulla bocca, cercando di riprendere il controllo.

«Samantha?»

«Ehm… no» rispondo, alla fine. «Niente sorbetto.»

Nathaniel ha preso una delle padelle con le cipolle bruciate. Sta mimando il gesto di prendere un cucchiaio e mangiarle. Buono, dice, muovendo le labbra senza emettere suono. Ho le lacrime agli occhi. Rischio di soffocare, nel tentativo di non fare rumore.

«Bene, ci vediamo dopo!»

Trish si allontana ticchettando e io scoppio a ridere fragorosamente. Non ho mai riso così tanto in vita mia. Mi fanno male le costole, tossisco, ho quasi la nausea.

Alla fine mi calmo, mi asciugo gli occhi e mi soffio il naso nel fazzoletto di Nathaniel. Anche lui ha smesso di ridere e si sta guardando intorno nella cucina devastata.

«Tornando alle cose serie» dice «cosa intendi fare? Loro si aspettano una cena elaborata.»

«Lo so.» Sento che sta per arrivare un'altra ondata d'isterismo e la reprimo. «Lo so. Dovrò... pensare a qualcosa.»

In cucina scende il silenzio. Vedo che Nathaniel osserva curioso le chiazze bianche di meringa sul pavimento.

«Okay.» Faccio un sospiro, interrotto da un piccolo brivido, e mi scosto i capelli umidi dal viso. «Troverò una soluzione.»

«Troverai una soluzione» ripete lui con aria incredula.

«A dire il vero, penso che questo potrebbe risolvere ogni problema.» Mi alzo in piedi e comincio a gettare cartocci nella spazzatura. «Innanzitutto devo riordinare un po' la cucina...»

«Ti do una mano» dice Nathaniel, alzandosi. «Voglio proprio vedere cosa farai.»

Insieme, svuotiamo pentole e padelle nel secchio della spazzatura. Io lavo tutte le superfici imbrattate, mentre Nathaniel pulisce la meringa sul pavimento.

«Da quanto tempo lavori qui?» domando mentre lui sciacqua lo straccio nel lavandino.

«Tre anni. Lavoravo già per la famiglia che viveva qui prima dei Geiger, gli Ellis. Poi un paio d'anni fa sono arrivati i Geiger e mi hanno tenuto.»

Assimilo l'informazione. «Perché gli Ellis se ne sono andati? È una casa così bella.»

«I Geiger hanno fatto un'offerta che non potevano rifiutare.» La bocca di Nathaniel si increspa in un sorriso divertito.

«Cos'è successo?» domando, incuriosita.

«Be'...» Nathaniel posa lo straccio. «È una storia piuttosto divertente. La casa era stata usata come set per uno sceneggiato in costume prodotto dalla BBC. Due settimane dopo la messa in onda, Trish ed Eddie si sono presentati alla porta con un assegno in mano. Avevano visto la casa in televisione e avevano deciso che la volevano. Così si sono dati da fare per scoprire dove si trovava.»

«Però!» esclamo, ridendo. «Quindi è probabile che l'abbiano pagata molto più di quanto valesse.»

«Nessuno sa quanto abbiano sborsato. Gli Ellis non l'hanno mai voluto rivelare.»

«E i Geiger come hanno fatto tutti questi soldi?» So di essere indiscreta, ma è bello ficcare il naso nella vita di qualcun altro per un momento, e dimenticarsi della propria.

«Hanno creato dal niente una ditta di trasporti su strada, che poi hanno ceduto. Hanno fatto un mucchio di soldi.» Si mette a lavare l'ultima macchia di meringa.

«E tu? Cosa facevi prima di lavorare per gli Ellis?» Butto le albicocche nel tritarifiuti con un brivido.

«Lavoravo a Marchant House» risponde Nathaniel. «Una casa signorile vicino a Oxford. E, prima ancora, ho fatto l'università.»

«L'università?» dico, incuriosita. «Non sapevo...»

Mi blocco di colpo, arrossendo. Stavo per dire: "Non sapevo che i giardinieri andassero all'università".

«Ho studiato scienze naturali.» Nathaniel mi rivolge un'occhiata dalla quale intuisco che ha capito cosa stavo pensando.

Sto per chiedergli quando e quale università ha frequentato, ma poi, ripensandoci, cambio idea e aziono il tritarifiuti. Non voglio entrare nei particolari, cominciare col solito: "Abbiamo degli amici comuni?". In questo momento non ho nessuna voglia di pensare ai dettagli della mia vita.

Finalmente la cucina ha un aspetto un po' più normale. Prendo la tazza, scolo quanto resta della Crème de Menthe e faccio un respiro profondo.

«Okay. È venuto il momento.»

«Buona fortuna» dice Nathaniel, inarcando le sopracciglia.

Apro la porta e vedo Trish ed Eddie che gironzolano in corridoio con un bicchiere di sherry in mano.

«Ah, Samantha! È pronto?» Il volto di Trish si illumina e io provo un enorme senso di colpa per ciò che sto per fare.

Ma non vedo altra soluzione.

Faccio un bel respiro profondo e assumo la mia migliore espressione da cattive notizie.

«Signore e signora Geiger» attacco, guardando dall'uno all'altra per accertarmi di avere tutta la loro attenzione «sono desolata.»

Chiudo gli occhi e scuoto il capo.

«Desolata?» ripete Trish, ansiosa.

«Ho fatto del mio meglio» proseguo, aprendo gli occhi «ma purtroppo non posso lavorare con la vostra attrezzatura. La cena che ho preparato non era all'altezza dei miei standard professionali. Non potevo permettere che uscisse dai confini della cucina. Ovviamente sono pronta a rimborsarvi le spese… e a rassegnare le dimissioni. Me ne andrò domani mattina stessa.»

Ecco. Fatto. E senza vittime.

Lancio un'occhiata a Nathaniel, che se ne sta sulla soglia della cucina. Sta scuotendo la testa e sulle sue labbra c'è l'ombra di un sorriso. Mi fa un segno col pollice alzato.

«Andartene?» Trish mi guarda con aria costernata, gli occhi azzurri spalancati. «Non puoi andartene! Sei la migliore governante che abbiamo mai avuto! Eddie, fai qualcosa!»

«Signora Geiger, dopo la prestazione di questa sera, temo di non avere altra scelta» proseguo. «A essere sincera, la cena era immangiabile.»

«Non è stata colpa tua!» ribatte lei, convinta. «È colpa nostra! Ordineremo subito una nuova attrezzatura.»

«Ma…»

«Tu facci un elenco di tutto ciò di cui hai bisogno. Non badare a spese! Ti daremo anche un aumento!» All'improvviso le viene un'idea. «Quanto vuoi? Di' una cifra!»

La conversazione non sta andando nella direzione prevista.

«Be'… non abbiamo mai parlato del compenso…» Abbasso lo sguardo, imbarazzata.

«Eddie!» Trish si volta verso il marito, infuriata. «È tutta colpa tua! Samantha se ne vuole andare perché tu non la paghi abbastanza!»

«Non ho detto questo…» ribatto, inutilmente.

«E ha bisogno di pentole e padelle nuove. Della marca migliore.» Gli dà una gomitata nelle costole e mormora: «Di' qualcosa!».

«Ehm… Samantha.» Eddie si schiarisce la voce, imbarazzato. «Saremmo molto felici se tu prendessi in considerazione l'idea di restare con noi. Siamo molto soddisfatti del tuo lavoro e qualunque siano le tue richieste economiche noi le soddisferemo.» Trish gli dà un'altra gomitata. «Andremo oltre.»

«Più l'assistenza sanitaria» aggiunge Trish.

Mi guardano entrambi con espressione speranzosa.

Lancio un'occhiata a Nathaniel, che china la testa di lato come per dire: "Perché no?".

Provo una strana sensazione. Tre persone. Che nel giro di dieci minuti mi chiedono di restare.

Potrei farlo. È semplice.

"Non sai cucinare" dice una vocina dentro di me. "Non sai pulire. Non sei una governante."

Però potrei imparare. Potrei imparare tutto.

Il silenzio si sta facendo teso. Persino Nathaniel mi osserva con attenzione dalla porta della cucina.

«D'accordo.» Sento un sorriso affiorarmi sulle labbra. «D'accordo. Se mi volete... resterò.»

Più tardi, quella sera, dopo che tutti abbiamo mangiato cibo cinese da asporto, tiro fuori il cellulare, chiamo l'ufficio di mia madre e aspetto di essere trasferita alla sua segreteria.

«Mamma, è tutto sistemato» dico. «Non è necessario che tu ti faccia restituire alcun favore. Ho trovato un lavoro.» E chiudo la telefonata.

È come se avessi tagliato un laccio.

Mi sento libera.

## 10

L'unico problema è che adesso devo fare la governante.

Metto la sveglia presto, e la mattina dopo scendo in cucina prima delle sette, in uniforme. Il giardino è umido di rugiada e silenzioso, a parte una coppia di gazze che litigano sul prato. Mi sento come se fossi l'unica persona sulla terra.

Facendo meno rumore possibile svuoto la lavastoviglie e rimetto tutto nelle credenze. Sistemo le sedie intorno al tavolo. Preparo una tazza di caffè. Poi osservo il bancone di granito scintillante.

Il mio regno.

Ma non mi sembra il mio regno. Mi sembra l'inquietante cucina di qualcun altro.

E adesso cosa faccio? Mi viene l'ansia a stare qui senza fare niente. Dovrei tenermi occupata. Mi cade l'occhio su un vecchio numero dell'"Economist" nel portariviste accanto al tavolo. Lo prendo, lo sfoglio, e comincio a leggere un interessante articolo sui controlli monetari internazionali, e intanto sorseggio il mio caffè.

Poi, sentendo un rumore al piano di sopra, rimetto subito il giornale al suo posto. Le governanti non leggono articoli sui controlli monetari internazionali. Dovrei essere impegnata nelle faccende domestiche, a fare la marmellata o cose del genere.

Solo che c'è già una credenza piena di barattoli di marmellata. E comunque io non saprei farla.

Cos'altro? Cosa fanno le governanti tutto il giorno? Passo di nuovo lo sguardo sulla cucina e a me sembra perfettamente pulita. Poi mi viene in mente che potrei preparare la colazione. Ma finché non so cosa vogliono…

E poi penso a ieri mattina. Trish mi ha fatto una tazza di tè.

Forse oggi dovrei fargliela io una tazza di tè! Forse sono di sopra che aspettano, tamburellando impazienti con le dita, domandandosi: "Quando diavolo arriva questo tè?".

Accendo velocemente il bollitore e preparo una teiera piena. La metto su un vassoio con tazze e piattini e, dopo un momento di riflessione, ci aggiungo un paio di biscotti. Salgo al piano di sopra, mi avventuro lungo il corridoio silenzioso e, giunta davanti alla porta della camera di Trish ed Eddie, mi fermo.

E adesso?

E se dormono e io li sveglio?

Busserò pian piano, decido. Sì. Un colpetto breve, discreto, da governante.

Sto per bussare, ma il vassoio è troppo pesante per una mano sola e con un allarmante tintinnio tutto comincia a inclinarsi di lato. Lo afferro, terrorizzata, un attimo prima che la teiera cada. Tutta sudata, poso il vassoio a terra, alzo la mano e busso piano, poi riprendo il vassoio.

Nessuna risposta. Cosa faccio, adesso?

Busso di nuovo, incerta.

«Eddie! Smettila!» La voce alta di Trish filtra all'improvviso attraverso la porta.

Oh, Dio. Perché non mi sentono?

Sono accaldata. Questo vassoio è maledettamente pesante. Non posso starmene qui davanti alla loro camera con una teiera in mano per tutta la mattina. Sarà il caso che me ne vada?

Sto per voltarmi e andarmene quando la determinazione ha la meglio. No. Non devo essere così debole. Ho fatto il tè e glielo porterò. O, per lo meno, glielo offrirò. Possono sempre dirmi di andare via.

Afferro saldamente il vassoio e picchio un angolo contro la porta. Questo lo sentiranno di certo.

«Avanti!» dice Trish dopo un attimo.

Provo un'ondata di sollievo. È tutto a posto. Mi stanno aspettando. Lo sapevo. In qualche modo riesco a girare la maniglia tenendo il vassoio in equilibrio contro la porta. La apro ed entro nella stanza.

Trish mi guarda dal letto, dove è distesa sui cuscini, da sola. Indossa una camicia da notte di seta, ha i capelli scompigliati e sbavature di trucco intorno agli occhi. Per un attimo pare sorpresa di vedermi.

«Samantha» dice brusca. «Cosa vuoi? È tutto a posto?»

Ho l'orribile sensazione di aver sbagliato qualcosa. Il mio sguardo rimane fisso su di lei, ma con la coda dell'occhio comincio a notare alcuni particolari nella stanza. A terra vedo un libro intitolato *Il godimento dei sensi*. E un flacone di olio per massaggi al profumo di muschio. E…

Una copia consunta della *Gioia del sesso*. Proprio accanto al letto. Aperta su "Sesso alla turca".

Okay. Non aspettavano il tè.

Deglutisco, cercando di restare composta, fingendo con tutta me stessa di non aver visto nulla.

«Io… ho portato il tè» dico, con voce roca per l'agitazione. «Pensavo che… lo avreste gradito.»

Non guardare *La gioia del sesso*. Tieni lo sguardo alto.

Il volto di Trish si rilassa.

«Samantha! Sei un tesoro! Posalo pure lì!» Indica col braccio il comodino.

Sto per andarmene quando la porta del bagno si apre e spunta Eddie, completamente nudo a parte un paio di boxer troppo stretti, con il torace coperto da un'incredibile quantità di peli.

Gesù.

In qualche modo riesco a non mollare il vassoio per terra.

«Mi… mi dispiace» balbetto, arretrando. «Io non mi ero resa conto…»

«Non essere sciocca! Vieni avanti!» esclama Trish tutta allegra, apparentemente riconciliatasi con la mia presenza nella sua camera da letto. «Non siamo poi così pudichi.»

Vorrei tanto che lo fossero. Avanzo cautamente verso il letto, scavalcando un reggiseno di pizzo lilla. Trovo un angolo sul comodino di Trish dove posare il vassoio, spostando una foto di lei ed Eddie seduti in una Jacuzzi con due bicchieri di champagne in mano.

Verso il tè più in fretta che posso e ne porgo una tazza a ognuno. Non ce la faccio a guardare Eddie negli occhi. In quale altro lavoro ti capita di vedere il tuo principale nudo?

Mi viene in mente soltanto un'altra occupazione, e non è lusinghiera.

«Bene... io vado» mormoro, a capo chino.

«Non scappare!» Trish sorseggia il suo tè con gusto. «Mmh. Già che sei qui, volevo parlarti un attimo. Per vedere a che punto siamo con le cose.»

«Ehm... bene.» La camicia da notte si è aperta sul davanti e intravedo spuntare un capezzolo. Distolgo immediatamente lo sguardo e mi ritrovo a fissare il tizio barbuto della *Gioia del sesso* in una posizione contorta.

Senza volere, ho un'improvvisa visione di Trish ed Eddie nella stessa posizione.

No. Smettila.

Mi sento arrossire per l'imbarazzo. Che follia è questa? Cosa ci faccio nella stanza di queste persone, quasi degli estranei, che mi stanno praticamente mostrando come fanno sesso? E non sembrano scomporsi per niente...

E poi capisco. Ma certo. Io sono una dipendente. Io non conto.

«Allora, è tutto a posto, Samantha?» Trish posa la tazza e mi rivolge uno sguardo con i suoi occhi luccicanti. «Ti sei ambientata? Sei soddisfatta?»

«Assolutamente.» Mi sforzo di cercare una frase che possa apparire competente. «Sento di aver raggiunto una posizione... soddisfacente.» Aaahhh! «Voglio dire... ho tutto in mano.»

Aaahhh!

«Bene!» esclama lei. «Lo sapevo! Non c'è bisogno di fare tanti complimenti con te. Tu sai come muoverti in una casa!»

«Direi.»

Trish mi sorride e beve un altro sorso di tè. «Immagino farai il bucato, oggi.»

Il bucato. Non ci avevo neppure pensato al bucato.

«Solo che vorrei che cambiassi le lenzuola, quando rifai i letti» aggiunge.

Rifare i letti?

Non avevo pensato neppure a questo.

Provo una leggera fitta di panico. Non solo non ho raggiunto una "posizione soddisfacente", ma non ho neppure la più pallida idea di quale sia.

«Ovviamente ho una mia… ehm… una mia routine consolidata» dico, cercando di sembrare naturale. «Ma potrebbe essere una buona idea se lei mi facesse un elenco dei miei compiti.»

«Oh.» Trish pare un po' seccata. «Be', se credi sia necessario…»

«Ah, Samantha, più tardi dobbiamo discutere della tua retribuzione» aggiunge Eddie. È in piedi davanti allo specchio, e tiene in mano un manubrio per fare ginnastica. «Così capirai in che guaio ti sei cacciata.» Sghignazza e con un grugnito solleva i pesi sopra la testa. Sul suo torace si formano delle increspature per lo sforzo. E non è una bella vista.

«Allora… io vado avanti con i lavori.» Comincio ad arretrare verso la porta, gli occhi fissi a terra.

«Ci vediamo dopo, a colazione.» Trish mi fa un piccolo cenno di saluto con la mano. «Ciao, ciao!»

Non riesco a star dietro ai continui cambiamenti d'umore di Trish. A quanto pare siamo passati di colpo da una condizione datrice di lavoro-dipendente a quella di compagni di crociera.

«Ehm… arrivederci!» rispondo, adeguandomi al suo tono frivolo. Mi inchino, scavalco il reggiseno ed esco dalla stanza più in fretta che posso.

La colazione è un incubo. Dopo sei tentativi falliti, finalmente riesco a capire come si taglia a metà un pompelmo. Dovrebbe essere più chiaro. Potrebbero tracciare sulla buccia delle linee da seguire, meglio se perforate. Nel frattempo il latte trabocca sui fornelli e quando alzo la caffettiera, il caffè schizza ovunque. Fortunatamente Trish ed Eddie sono così occupati a litigare sulla meta delle loro prossime vacanze che non si accorgono di quanto sta accadendo in cucina, né delle mie urla.

Di positivo c'è che forse sono riuscita a capire come funziona il tostapane.

Quando terminano di fare colazione, infilo i piatti sporchi nella lavastoviglie. Sto disperatamente cercando di ricordarmi come ho fatto ad accenderla ieri, quando Trish entra in cucina.

«Samantha, il signor Geiger desidera vederti nel suo studio per discutere del tuo stipendio e delle condizioni. Non farlo aspettare!»

«Ah... bene, signora.» Faccio un inchino, mi liscio l'uniforme ed esco in corridoio. Vado alla porta dello studio di Eddie e busso due volte.

«Avanti!» dice una voce cordiale. Eddie è seduto dietro la scrivania, un grosso affare in mogano e pelle lavorata, con sopra un portatile dall'aria costosa. È vestito di tutto punto, grazie al cielo: indossa pantaloni beige e una camicia sportiva, e la stanza odora di dopobarba.

«Ah, Samantha. Pronta per la nostra piccola riunione?» Eddie indica una sedia di legno dallo schienale rigido e io mi siedo. «Ecco qui! Il documento che aspettavi!»

Con aria boriosa mi porge una cartellina con su scritto CONTRATTO GOVERNANTE. La apro e vedo un foglio in carta pergamena color crema stampato con elaborati caratteri gotici in modo da sembrare un documento antico.

*CONTRATTO PER ACCORDO*
*DI PRESTAZIONE DI SERVIZIO*

*Tra Samantha Sweeting*
*e i signori Edward e Trish Geiger,*
*redatto il giorno 2 del mese di luglio*
*nell'anno del Signore duemilaquattro.*

«Wow!» esclamo, sorpresa. «L'ha stilato un avvocato?»

Non riesco a immaginare nessun avvocato di mia conoscenza che rediga un contratto in caratteri medieval-disneyani. E meno che mai su una finta pergamena antica.

«Io non ho bisogno di avvocati» risponde lui, con una risata soddisfatta. «Io non mi faccio fregare dai loro giochetti. Ti fanno pagare un occhio della testa per qualche parolone in latino. Fidati di quello che ti dico. Queste cose sono così semplici che basta anche metà cervello» prosegue, e mi strizza l'occhio.

«Sono sicura che lei ha ragione» rispondo, alla fine. Volto la pagina e scorro le clausole.

Oh, mio Dio. Cosa sono questi vaneggiamenti? Sono costretta a mordermi un labbro per non ridere, mentre leggo frasi a caso qua e là.

*... Samantha Sweeting (in seguito denominata* RICORRENTE*)...*

Ricorrente? Ma lui sa cos'è un ricorrente?

*... pertanto, ferma restando la fornitura di servizi culinari, in una maniera da definirsi, incontestabilmente, che comprendano e non escludano piccoli spuntini e bevande...*

Stringo le labbra con forza. Non devo ridere.

*In conformità con quanto sopra espresso, ipso facto, le parti manterranno i summenzionati diritti al di là di ogni ragionevole dubbio.*

Cosa? *Cosa?*

Questo documento è un'accozzaglia di cavolate. Frammenti di linguaggio legale insieme a frasi che vorrebbero essere solenni, ma che sono prive di senso. Scorro il resto della pagina, sforzandomi di restare seria, cercando di trovare una risposta adatta.

«Sì, lo so che può intimorire!» dice Eddie, fraintendendo il mio silenzio. «Ma non farti spaventare da quei paroloni. È tutto molto semplice! Hai dato un'occhiata allo stipendio?»

I miei occhi vanno veloci alla cifra scritta in neretto sotto la dicitura "Salario settimanale". È un po' meno del mio compenso orario come avvocato.

«Mi sembra molto generoso» dico, dopo un attimo di esitazione. «Grazie mille, signore.»

«Se c'è qualcosa che non capisci, dimmelo» mi esorta lui, con un sorriso allegro.

Da dove comincio?

«Ehm... questo punto.» Indico la clausola 7: "Orari". «Significa che ho il fine settimana libero? Tutti i fine settimana?»

«Certo.» Eddie sembra sorpreso. «Non ci sogneremmo mai di farti rinunciare ai tuoi weekend! A meno che non sia un'occasione speciale, nel qual caso ti pagheremo un extra, come vedi alla clausola 9...»

Non lo ascolto più. Tutti i fine settimana liberi. Mi riesce quasi impossibile concepire l'idea. Credo di non avere avuto un fine settimana completamente libero da quando avevo dodici anni.

«È fantastico.» Alzo lo sguardo. Non riesco a smettere di sorridere. «Grazie mille!»

«I tuoi datori di lavoro precedenti non ti davano i weekend liberi?» Eddie sembra sconcertato.

«Be', no» rispondo con sincerità. «Veramente no.»

«Che schiavisti! Vedrai che noi siamo molto più ragionevo-

li» aggiunge con un gran sorriso. «Ora ti lascio sola per un po'
a studiare l'accordo prima di firmarlo.»

«L'ho già letto…» Mi blocco vedendo che Eddie alza una
mano in segno di rimprovero.

«Samantha, Samantha» dice con un tono da vecchio zio,
scuotendo la testa «voglio darti un piccolo consiglio che ti tornerà assai utile nella vita. Leggi sempre *molto* attentamente i
documenti legali.»

Lo guardo per qualche istante, col naso che mi prude per lo
sforzo di restare impassibile.

«Sì, signore» dico, alla fine. «Cercherò di tenerlo presente.»

Quando Eddie esce dalla stanza, abbasso lo sguardo sul
contratto, scorrendo veloce il foglio. Prendo una matita e automaticamente comincio a correggere il testo, riformulandolo,
cancellando e aggiungendo quesiti a margine.

Poi mi blocco di colpo.

*Cosa diavolo sto facendo?*

Afferro una gomma e cancello le modifiche. Prendo una biro
e vado alla pagina finale, dove una vignetta con un gufo che indossa la toga da avvocato indica una linea tratteggiata.

Nome: Samantha Sweeting
Occupazione:

Ho un attimo di esitazione, poi scrivo: domestica.

Mentre scrivo, sperimento un breve momento di incredulità. Lo sto facendo sul serio. Sto davvero accettando questo
lavoro, lontano mille miglia dalla mia vita precedente, in tutti
i sensi. E nessuno lo sa.

Mi appare davanti agli occhi il volto di mia madre, con l'e-
spressione che avrebbe se sapesse dove sono in questo momento. Se potesse vedere la mia uniforme… andrebbe fuori di
testa. Quasi quasi sono tentata di chiamarla per dirglielo.

Ma non lo farò. Non ho tempo per pensare a queste cose.
Devo fare il bucato.

Ci vogliono due viaggi per portare tutti i panni nel locale lavanderia. Mollo le ceste traboccanti sul pavimento piastrellato
e guardo la lavatrice supertecnologica. Dovrebbe essere abbastanza facile.

Non ho molta esperienza in questo settore. A casa mando tutto in lavanderia, a parte la biancheria intima. Ma questo non significa che io non possa farlo. Basta solo usare il cervello. Così, per provare, apro lo sportello e immediatamente un display elettronico inizia a lampeggiare. LAVAGGIO? LAVAGGIO?

Mi innervosisco immediatamente. Certo che voglio fare un lavaggio, vorrei ribattere. Dammi solo il tempo di infilare dentro questa maledetta biancheria.

Faccio un respiro profondo. Resta calma. Una cosa per volta. Primo: riempire il cestello. Prendo un fagotto di biancheria... e poi mi blocco.

No. Primo: separare la biancheria. Compiaciuta per averci pensato, comincio a dividere i panni sporchi in varie pile sul pavimento, consultando di volta in volta le etichette.

BIANCHI: 40°.

BIANCHI: 90°.

LAVARE IL CAPO A ROVESCIO.

LAVARE SEPARATAMENTE.

LAVARE CON CURA.

LAVARE CON MOLTA CURA.

Giunta in fondo alla prima cesta sono totalmente confusa. Ho fatto almeno venti pile diverse, la maggior parte delle quali è composta da un solo articolo. È assurdo. Non posso fare venti lavaggi. Ci vorrebbe una settimana.

Cosa devo fare? Come risolvo la questione? Sento la frustrazione montarmi dentro, insieme a un leggero panico. Sono qui da quindici minuti e non ho neppure cominciato.

Okay... cerchiamo di essere razionali. In tutto il mondo c'è gente che fa il bucato ogni giorno. Non può essere così difficile. Dovrò mescolare un po' i vari capi.

Prendo una pila di panni dal pavimento e li infilo nel cestello. Poi apro un mobiletto lì vicino e mi trovo davanti un assortimento di detersivi. Quale devo usare? Nella mente mi si affollano parole familiari solo grazie agli spot televisivi. "Per un bianco senza macchia. Più bianco del bianco. Per macchie non biologiche. La lavatrice dura di più con Calfort."

Io non voglio che questa lavatrice duri di più. Io voglio solo lavare questi maledetti panni.

Alla fine prendo una scatola coperta da immagini di T-shirt

bianche, ne verso un po' nella vaschetta e un po' anche nel cestello, per maggior sicurezza. Chiudo lo sportello con forza. E ora?

LAVAGGIO? Continua a lampeggiare sul display. LAVAGGIO? «Sì!» dico. «Lavali!» E premo un pulsante a caso.

SELEZIONARE PROGRAMMA risponde lampeggiando la macchina. Programma?

Mi guardo intorno alla ricerca di un'indicazione e mi cade l'occhio su un libretto di istruzioni infilato dietro una bomboletta spray. Lo prendo e comincio a sfogliarlo.

L'opzione mezzo carico per piccole quantità è disponibile soltanto per i programmi di prelavaggio A3-E2 e i programmi di super-risciacquo G2-L7, escluso H4.

... Come?

E dài! Mi sono laureata a Cambridge. Ho studiato latino... Devo farcela. Passo a un'altra pagina.

I programmi E5 e F1 escludono il ciclo di centrifuga a meno che non venga premuto il pulsante S per cinque secondi prima di iniziare il lavaggio o per dieci secondi durante il programma nel caso di E5 (non lana).

Non sono all'altezza. L'esame di diritto aziendale internazionale era mille volte più facile di questo. Okay, lasciamo perdere il manuale di istruzioni e limitiamoci a usare il buon senso. Premo decisa sulla tastiera con aria da governante esperta.

PROGRAMMA K3? domanda lampeggiando la macchina. PROGRAMMA K3?

Non mi piace il programma K3. Ha un suono sinistro. Tipo la parete nord dell'Himalaya o un complotto governativo supersegreto.

«No» dico a voce alta, pigiando sui pulsanti. «Ne voglio un altro.»

HAI SELEZIONATO IL PROGRAMMA K3 risponde la macchina lampeggiando. HAI SELEZIONATO IL PROGRAMMA K3.

«Io non voglio il programma K3!» esclamo, incavolata. «Ne voglio un altro!» Sto premendo tutti i pulsanti, ma la macchina mi ignora. Sento l'acqua che entra nel cestello, e poi vedo che si accende una luce verde.

INIZIO K3 lampeggia il display. LAVAGGIO RIVESTIMENTI MOLTO SPORCHI.

Molto sporchi? Rivestimenti?

«Ferma» dico, a mezza voce, e comincio a schiacciare tutti i pulsanti. «Fermati!» Disperata, mollo un calcio alla macchina. «Fermati!»

«Tutto bene?» domanda Trish dalla cucina. Mi allontano con un salto dalla lavatrice e mi sistemo i capelli.

«Ehm… sì! Tutto bene.» Quando compare sulla soglia la accolgo con un sorriso professionale. «Stavo solo… facendo partire la macchina.»

«Brava.» Mi porge una camicia a righe. «Il signor Geiger desidera che attacchi un bottone a questa. Se volessi essere così gentile…»

«Ma certo!» Prendo la camicia e mi sento svenire.

«E questo è l'elenco dei tuoi compiti!» dice, porgendomi un foglio. «Non è completo, ma come inizio dovrebbe bastare…»

Mentre scorro con gli occhi l'elenco interminabile, mi sento male.

Fare letti, scopare e lavare gradini d'ingresso, sistemare fiori, pulire tutti gli specchi, riordinare armadi, bucato, pulire i bagni ogni giorno…

«Non dovrebbe esserci niente che ti crei dei problemi, giusto?» aggiunge Trish.

«Ehm… no!» La voce mi esce un po' strozzata. «No, è tutto a posto.»

«Ma per prima cosa dovresti stirare» prosegue lei, implacabile. «Ce un mucchio di roba, come avrai visto. E la pila cresce…» Per qualche motivo Trish sta guardando in alto. Con un brutto presentimento seguo il suo sguardo. E lì, sopra di noi, c'è una montagna di camicie stropicciate appese a uno stendibiancheria di legno. Saranno almeno trenta.

Le guardo e mi sento vacillare. Io non so stirare le camicie. Non ho mai usato un ferro in vita mia. Come faccio?

«Immagino che sarai un fulmine!» aggiunge, tutta allegra. «L'asse da stiro è là.»

«Grazie!»

La cosa importante è sembrare convincenti. Prenderò l'asse da stiro, aspetterò che lei si allontani… e poi studierò un piano.

Prendo l'asse, con la massima efficienza possibile, come se fosse una cosa che faccio ogni giorno. Tiro con forza una delle gambe di metallo, ma non si muove. Provo con l'altra, stesso risultato. Tiro sempre più forte, finché divento paonazza per lo sforzo, ma la bastarda non vuole cedere. Come si fa ad aprirla?

«C'è una levetta» dice Trish, guardandomi sorpresa. «Sotto.»

«Ah, certo!» Le rivolgo un sorriso, e a tastoni mi metto a cercare, tirando e spingendo disperatamente, finché, senza alcun preavviso, l'affare assume la forma di un triangolo disarticolato. Mi sfugge dalle mani e scende fino a un metro da terra, dove si assesta con un *clic*.

«Bene!» faccio io con una risatina nervosa. «Ora la sistemo.»

La sollevo e cerco di far scorrere le gambe nelle guide... ma non si spostano. Con le guance in fiamme, ingaggio un corpo a corpo con l'asse, rivoltandola da tutte le parti. Come cazzo funziona questa cosa?

«Ripensandoci» dico, con naturalezza «preferisco l'asse bassa. La lascerò così.»

«Non puoi stirare così in basso!» ribatte Trish con una risata sorpresa. «Tira la leva! Devi fare un po' di forza, ora ti faccio vedere.»

Mi toglie l'asse dalle mani e con un paio di mosse la regola esattamente all'altezza giusta. «Immagino tu sia abituata a un modello diverso» aggiunge, con saggezza, bloccandola. «Ognuna ha il suo trucco.»

«Certo» dico, cogliendo al volo la scusa. «Io sono abituata alla... alla Nimbus 2000.»

Trish mi scruta perplessa. «Ma non è la scopa di Harry Potter?»

Merda.

Sapevo di averla già sentita da qualche parte.

«Sì... esatto» dico, alla fine, sempre più rossa in volto. «Ma è anche una nota asse da stiro. A dire il vero, credo che la scopa abbia preso il nome dall'asse da stiro.»

«Davvero?» Trish pare affascinata. «Non lo sapevo!» Con mio orrore si appoggia allo stipite della porta e si accende una sigaretta. «Non fare caso a me» aggiunge, bofonchiando. «Continua pure col tuo lavoro!»

Continua pure?

«Il ferro è lì» indica, con un gesto. «Dietro di te.»

«Ah... bene, grazie!» Prendo il ferro e lo inserisco nella presa, il più lentamente possibile, col cuore che mi batte forte per la paura. Non posso farlo. Devo trovare una via d'uscita. Ma non me ne viene in mente nessuna. Ho la mente vuota.

«Credo che il ferro sia abbastanza caldo, adesso!» dice Trish, disponibile.

«Bene» faccio io, con un sorriso poco convinto.

Non ho altra scelta. Devo iniziare a stirare. Prendo una delle camicie sopra di me e la stendo, maldestra, sull'asse, cercando di guadagnare tempo. Non so neppure da che parte cominciare.

«Al signor Geiger non piacciono i colletti troppo inamidati» osserva Trish.

Troppo cosa? Mi guardo intorno, disperata. Mi cade l'occhio su una bomboletta su cui c'è scritto: AMIDO SPRAY.

«D'accordo.» Deglutisco, cercando di nascondere il panico. «Bene, probabilmente arriverò alla fase di... inamidatura... fra un momento...»

Incapace di credere a ciò che sto facendo, prendo in mano il ferro. È molto più pesante di quanto immaginassi ed emette una spaventosa nuvola di vapore. Con molta cautela lo abbasso sul tessuto di cotone. Non so su quale parte della camicia lo sto puntando. Credo di avere gli occhi chiusi.

All'improvviso arriva un suono dalla cucina. Il telefono. Grazie a Dio... Grazie a Dio...

«Oh, chi è?» dice Trish, aggrottando la fronte. «Scusa, Samantha. Devo rispondere...»

«Non c'è problema!» La mia voce è stridula. «Non si preoccupi! Tanto io vado avanti...»

Appena lei esce dalla stanza, io poso il ferro con uno schianto e nascondo il volto fra le mani. Devo essere pazza. Non funzionerà mai. Io non sono capace di fare la governante. Il ferro mi manda uno sbuffo di vapore sul volto e io lancio un urlo spaventato. Lo spengo e crollo contro la parete. Sono solo le nove e venti e io sono già a pezzi.

E io che pensavo che fare l'avvocato fosse stressante!

## 11

Quando Trish rientra in cucina mi sono un po' ripresa. Posso farcela. Certo che posso. Non è fisica quantistica. Sono soltanto faccende domestiche.

«Samantha, temo proprio che oggi dovremo abbandonarti» annuncia Trish con aria preoccupata. «Il signor Geiger è al golf e io devo andare a vedere la nuova Mercedes di una mia carissima amica. Ti dispiace restare sola?»

«Niente affatto!» rispondo, cercando di non sembrare troppo contenta. «Non si preoccupi per me. Davvero. Io vado avanti col mio lavoro…»

«Hai già finito di stirare?» domanda, lanciando un'occhiata al locale lavanderia.

Finito? Per chi mi ha preso? Per Wonder Woman?

«A dire il vero, ho pensato di sospendere per adesso e di continuare col resto della casa» dico, cercando di sembrare pratica. «Abitualmente faccio così.»

«Certo» fa lei, annuendo convinta. «Come preferisci. Io sarò fuori, ma se ti serve qualcosa chiedi pure a Nathaniel.» Accenna col capo fuori dalla porta. «Hai già conosciuto Nathaniel, vero?»

«Oh» dico, mentre lui entra in cucina, con un paio di jeans sdruciti e i capelli scompigliati. «Ehm… sì. Ciao.»

È un po' strano vederlo questa mattina dopo gli avvenimenti drammatici di ieri sera. Quando incrocia il mio sguardo, sulle sue labbra compare l'ombra di un sorriso.

«Salve» dice. «Come va?»

«Benissimo! Splendidamente.»

«Nathaniel sa tutto quello che c'è da sapere su questa casa» ci interrompe Trish, dandosi il rossetto. «Quindi, se non trovi qualcosa… o vuoi sapere come si apre una porta, o per qualunque evenienza… lui è il tuo uomo.»

«Lo terrò presente. Grazie.»

«Ma, Nathaniel, non voglio che disturbi Samantha» aggiunge Trish, lanciandogli un'occhiata severa. «Ovviamente lei ha una sua routine ben collaudata.»

«Ovviamente» ripete Nathaniel, annuendo con aria seria. Quando Trish ci volta le spalle, lui mi lancia un'occhiata divertita e io arrossisco.

Cosa vorrebbe insinuare? Come fa a sapere che io non ce l'ho, una routine? Solo perché non so cucinare, questo non vuol dire che io non sappia fare niente.

«Allora pensi di cavartela?» dice Trish, prendendo la borsa. «Hai trovato tutto il necessario per le pulizie?»

«Ehm…» Mi guardo intorno, dubbiosa.

«Nel locale lavanderia!» Scompare e dopo un attimo ritorna con un'enorme vaschetta azzurra piena di prodotti per la pulizia della casa, e la molla sul tavolo. «Ecco qua! E non dimenticare i Marigold!» aggiunge, allegramente.

I cosa?

«Guanti di gomma» spiega Nathaniel. Ne prende un paio rosa, giganteschi, dalla vaschetta e me li porge con un piccolo inchino.

«Sì, grazie» dico, con aria sussiegosa. «Lo sapevo.»

Non ho mai messo un paio di guanti di gomma in vita mia. Cercando di vincere il ribrezzo, infilo lentamente le mani.

Oh, mio Dio. Non ho mai toccato niente di così appiccicaticcio, così gommoso, così… rivoltante. Devo tenerli tutto il giorno?

«Saluuuti!» grida Trish dall'atrio e la porta d'ingresso si richiude con un tonfo.

«Bene! Allora… io continuo.»

Aspetto che Nathaniel se ne vada, ma lui si appoggia al tavolo e mi guarda con aria interrogativa. «Hai una vaga idea di come si pulisca una casa?»

Adesso mi sta offendendo. Ho forse l'aria di una che non sa pulire una casa?

«Certo che so come si pulisce una casa» rispondo, alzando gli occhi al cielo.

«Ho raccontato a mia madre di ieri sera.» All'improvviso sorride, come se gli tornasse in mente la conversazione, e io lo guardo con sospetto. Cos'ha detto? «E comunque» prosegue, alzando gli occhi «lei è disposta a insegnarti a cucinare. Le ho detto che probabilmente avevi bisogno anche di qualche consiglio per le pulizie...»

«Io non ho bisogno di nessun consiglio per le pulizie!» ribatto. «Ho pulito case centinaia di volte. Anzi, ora devo mettermi al lavoro.»

«Non fare caso a me» dice lui, stringendosi nelle spalle.

Gli faccio vedere io. Con gesti esperti prendo un flacone spray e spruzzo il contenuto sul bancone. Ecco fatto. Chi ha detto che non so fare le pulizie?

«Dunque hai pulito molte case» dice Nathaniel, guardandomi.

«Sì. Migliaia di volte.»

Lo spray si è solidificato in minuscole gocce cristalline di colore grigio. Le frego velocemente con uno straccio... ma non vengono via. Merda.

Guardo meglio il flacone. "Non utilizzare sul granito." *Merda.*

«E comunque» dico, affrettandomi ad appoggiare lo straccio per nascondere le goccioline «mi intralci nel lavoro.» Prendo uno strofinaccio per spolverare e comincio a togliere le briciole dal tavolo della cucina. «Scusami...»

«Allora ti lascio» dice Nathaniel, con il sorriso sulle labbra. Guarda lo strofinaccio. «Non sarebbe meglio con uno scopino e una paletta?»

Osservo titubante lo strofinaccio. Perché questo non dovrebbe andare bene? E comunque, chi è lui? L'esperto mondiale di strofinacci?

«Io ho i miei metodi» rispondo, sollevando il mento. «Grazie.»

«Okay» dice lui con un ghigno. «Ci vediamo.»

Non mi lascerò suggestionare da quell'uomo. Sono perfettamente in grado di pulire questa casa. Ho solo bisogno di... un piano. Una tabella di marcia come in ufficio.

Appena Nathaniel se ne va, prendo carta e penna e comincio a scrivere il programma della giornata. Già mi vedo, passare con facilità da un compito all'altro, lo scopino in una mano, lo strofinaccio nell'altra, riportando l'ordine ovunque. Come Mary Poppins.

9.30-9.36 Rifare i letti.
9.36-9.42 Togliere i panni dalla lavatrice e metterli nell'asciugatrice.
9.42-10.00 Pulire i bagni.

Arrivo in fondo all'elenco e lo rileggo con rinnovato ottimismo. Così va meglio. Così si fa. Con questo ritmo per pranzo dovrei aver finito.

9.36 Cazzo. Non riesco proprio a rifare questo letto. Perché il lenzuolo non vuole saperne di restare liscio?

9.42 E perché fanno i materassi così pesanti?

9.54 È una tortura. Non ho mai avuto tanto male alle braccia in vita mia. Le coperte pesano una tonnellata, le lenzuola non hanno intenzione di stare dritte e non ho la minima idea di cosa fare con questi maledetti angoli. Come fanno le cameriere? Come fanno?

10.30 Finalmente. Un'ora di duro lavoro e ho rifatto un letto. Sono già in tremendo ritardo. Pazienza. L'importante è continuare a lavorare. Ora il bucato.

10.36 No, ti prego, no.

Non oso neppure guardare. È un disastro. Tutti i panni nella lavatrice sono diventati rosa. Tutti, dal primo all'ultimo.

Cos'è successo?

Con dita tremanti estraggo un cardigan di cachemire zuppo. Era color crema quando l'ho messo dentro. Ora è di un rivoltante color zucchero filato. Lo sapevo che K3 portava male. Lo sapevo...

Stai calma. Deve esserci una soluzione, deve esserci. Passo in rassegna la fila di prodotti allineati sopra lo scaffale. Smacchiatutto. Vanish. Dev'esserci un rimedio, basta riflettere.

10.42 Okay. Ho trovato la soluzione. Potrebbe non funzionare, ma è l'unica possibilità che ho.

11.00 Ho appena speso 852 sterline per rimpiazzare tutti gli indumenti che erano in lavatrice. Il servizio di personal shopping di Harrods mi è stato di grande aiuto: spediranno tutto domani, per corriere. Spero solo che Trish ed Eddie non si accorgano che il loro guardaroba si è magicamente rigenerato.

Ora devo soltanto disfarmi di tutte quelle cose rosa. E affrontare il resto del programma.

11.06 E... oh, no. La roba da stirare. Come faccio con questa?

11.12 Bene. Ho cercato sul quotidiano locale e ho trovato una soluzione. Una ragazza del paese verrà a prenderla, la stirerà per domani a 3 sterline la camicia, e attaccherà il bottone di Eddie.

Finora questo lavoro mi è costato quasi mille sterline. E non è neppure mezzogiorno.

11.42 Me la sto cavando bene. Anzi alla grande. Sono riuscita ad accendere l'aspirapolvere e procedo tranquilla...

Merda. Cos'era quello? Cosa si è infilato dentro il tubo? E perché fa questo rumore tremendo?

Che l'abbia rotto?

11.48 Quanto costa un aspirapolvere?

12.24 Le gambe mi fanno un male cane. Sono rimasta inginocchiata per terra a pulire il bagno per ore, o così mi è sembrato. Sulle ginocchia ho dei piccoli solchi che mi hanno lasciato gli spigoli delle piastrelle, scoppio dal caldo, e le esalazioni chimiche dei detersivi mi fanno tossire. Voglio solo riposare. Ma devo continuare. Non posso fermarmi neanche un attimo. Sono troppo in ritardo...

12.30 Cos'ha questa bottiglia di candeggina? Da che parte va il beccuccio? Continuo a girarlo, perplessa, guardando le frecce sulla plastica... perché non esce nulla? Okay, ora premo più forte...

Cazzo. Per poco non mi finiva in un occhio.

12.32 Cosa mi è successo ai capelli?


Alle tre del pomeriggio sono stanca morta. Sono solo a metà del programma e credo che non arriverò mai alla fine. Non so come facciano le persone normali a pulire la casa. È il lavoro più pesante che io abbia mai fatto.

Non sto passando con facilità da un compito all'altro come

Mary Poppins. Schizzo da un lavoro lasciato a metà a un altro come una gallina impazzita. In questo momento sono in piedi su una sedia e sto pulendo lo specchio del salotto. Ma è un incubo. Più lo frego, più si macchia.

Lancio continue occhiate fugaci alla mia immagine riflessa. Non sono mai stata così scompigliata in vita mia: i capelli dritti sulla testa con una grottesca ciocca biondo-verdastra dove mi sono spruzzata la candeggina, la faccia paonazza e lucida di sudore, le mani rosse e doloranti a furia di sfregare, gli occhi iniettati di sangue.

Perché non vuole venire pulito? Perché?

«Pulisciti!» urlo, praticamente singhiozzando per la rabbia. «Pulisciti, maledetto… maledetto…»

«Samantha.»

Smetto di colpo di fregare, e vedo Nathaniel fermo sulla soglia, che osserva lo specchio bisunto. «Hai provato con l'aceto?»

«Aceto?» Lo guardo, insospettita.

«Scioglie il grasso» mi spiega. «È ottimo per gli specchi.»

«Ah, giusto.» Poso lo straccio, cercando di ricompormi. «Sì, lo sapevo.»

Nathaniel scuote la testa. «No, non lo sapevi.»

Osservo la sua espressione risoluta. Non ha senso continuare a fingere. Lui ha capito che non ho mai pulito una casa in vita mia.

«Hai ragione» ammetto, alla fine. «Non lo sapevo.»

Scendendo dalla sedia mi sento barcollare per la fatica. Mi aggrappo alla mensola del camino per un attimo, aspettando che la testa smetta di girare.

«Dovresti fare una pausa» dice lui, deciso. «È tutto il giorno che lavori, ti ho visto. Hai pranzato?»

«Non ho avuto tempo.»

Mi lascio cadere su una sedia, di colpo troppo esausta per muovermi. Mi fanno male tutti i muscoli del corpo, anche quelli che non sapevo neanche di avere. Mi sento come se avessi corso una maratona. O attraversato la Manica a nuoto. E ancora non ho lucidato i mobili di legno intarsiato, né battuto i tappeti.

«È… più dura di quanto pensassi» dico, alla fine. «Molto più dura.»

«Eh, già.» Annuisce, osservandomi con attenzione. «Cosa ti è successo ai capelli?»

«Candeggina» rispondo brusca. «Mentre pulivo il gabinetto.»

Si lascia sfuggire una risata soffocata, ma io non alzo neppure lo sguardo. A essere sincera, non me ne frega niente.

«Tu sei una gran lavoratrice» dice. «Di questo devo dartene atto. E diventerà più facile…»

«Non posso farlo.» Le parole mi escono prima che riesca a fermarle. «Non posso fare questo lavoro. Sono… senza speranze.»

«Ma certo che puoi farcela.» Fruga dentro lo zaino e tira fuori una lattina di Coca-Cola. «Prendila. Non puoi lavorare senza carburante.»

«Grazie» dico, riconoscente. La apro e bevo un sorso, ed è la cosa più buona che io abbia mai bevuto. Faccio un altro avido sorso, e un altro ancora.

«L'offerta è sempre valida» dice lui dopo una pausa. «Mia madre ti può dare qualche lezione, se vuoi.»

«Davvero?» Mi asciugo la bocca, mi scosto i capelli sudati e lo guardo. «Davvero lo farebbe?»

«Mia madre ama le sfide.» Nathaniel sorride. «Ti insegnerà a muoverti in cucina. E tutto quanto devi sapere.» Lancia un'occhiata perplessa allo specchio bisunto.

Mi sento terribilmente umiliata e distolgo lo sguardo. Non voglio essere un'incapace. Non voglio avere bisogno di lezioni. Non sono così. Voglio riuscire a fare le cose da sola, senza dover chiedere aiuto a nessuno.

Ma… siamo sinceri. La verità è che ho bisogno di aiuto.

A parte tutto, se continuo come oggi, nel giro di due settimane sarò rovinata.

Mi volto verso Nathaniel.

«Sarebbe fantastico» dico, umilmente. «Te ne sono molto grata.»

## 12

Sabato mi sveglio col cuore che batte forte e schizzo in piedi pensando a tutte le cose che ho da fare...

E subito mi blocco, come una macchina che inchioda di colpo. Per un attimo non riesco a muovermi. Poi, con una certa esitazione, mi lascio ricadere all'indietro sul letto, sopraffatta dalla sensazione più strana, più straordinaria che abbia mai provato.

Non ho niente da fare.

Niente contratti da rivedere, niente e-mail a cui rispondere, niente riunioni d'emergenza in ufficio. Niente di niente.

Aggrotto la fronte, cercando di ricordare l'ultima volta in cui non ho avuto nulla da fare. Ma non sono sicura di riuscirci. Sembra che non mi capiti più da un'eternità. Scendo dal letto, vado alla finestra e osservo il cielo azzurro e luminoso del primo mattino, cercando di abituarmi alla nuova situazione. È il mio giorno libero. Nessuno può pretendere qualcosa da me. Nessuno può convocarmi e richiedere la mia presenza. Questo tempo è mio. Solo mio.

Mentre sto lì alla finestra a riflettere su questo fatto, comincio a sentire una strana sensazione dentro. Una sensazione di leggerezza, di stordimento, quasi. Come un pallone gonfio di elio. Sono libera. Un sorriso euforico compare sul mio viso quando incrocio lo sguardo riflesso dal vetro. Per la prima volta in vita mia posso fare tutto quello che voglio.

Guardo l'ora... sono solo le sette e un quarto. L'intera giornata mi si presenta davanti come una pagina ancora tutta da scrivere. Cosa faccio? Da dove comincio? Sento una nuova ondata di gioia nascermi dentro, finché mi viene voglia di ridere.

Nella testa sto già impostando una tabella di marcia per la giornata. Dimentica i segmenti di sei minuti, dimentica la fretta. Comincerò a misurare il tempo in *ore*. Un'ora per sguazzare nella vasca e vestirmi. Un'ora per la colazione. Un'ora per leggere il giornale, dalla prima all'ultima pagina. Mi concederò la mattinata più pigra, più indolente, più piacevole che abbia mai avuto nella mia vita adulta.

Mentre vado verso il bagno sento tutti i muscoli del corpo tendersi per il dolore. Dovrebbero trovare un modo per commercializzare le faccende domestiche come un nuovo tipo di ginnastica. Riempio la vasca di acqua tiepida e verso una generosa dose di olio da bagno di Trish, poi entro nell'acqua profumata e mi sdraio beata.

Delizioso. Ci resterò per ore.

Chiudo gli occhi, lasciando che l'acqua mi ricopra le spalle, lasciando che il tempo scorra lento. Ho persino l'impressione di essermi addormentata per un po'. Non ho mai passato tanto tempo nella vasca da bagno in vita mia.

Alla fine apro gli occhi, prendo un accappatoio ed esco. Comincio ad asciugarmi e allungo una mano verso l'orologio, così, per curiosità.

Le sette e mezzo.

Cosa?

Sono stata nella vasca soltanto quindici minuti?

Sono stupita. Com'è possibile che siano passati soltanto quindici minuti? Resto lì, gocciolante, indecisa se tornare dentro e rifare tutto da capo, più lentamente.

No. Sarebbe eccessivo. Non ha importanza. E va bene, ho fatto il bagno troppo in fretta. Cercherò di prendermela con più calma a colazione. E godermela davvero.

Se non altro ho qualcosa da mettermi. Ieri sera Trish mi ha accompagnato in un centro commerciale a pochi chilometri da qui, così ho fatto rifornimento di biancheria, calzoncini e vestiti estivi. Aveva detto che mi avrebbe lasciato fare e invece ha finito per scegliere lei al posto mio... e, non so come, mi sono ritrovata senza un solo vestito nero.

Indosso con un po' di esitazione un abito a sottoveste rosa e un paio di sandali, poi mi guardo. Non mi sono mai vestita di rosa in vita mia. Ma, con mia grande meraviglia, scopro di non stare affatto male! A parte quell'orribile ciocca sbiadita dalla candeggina. Dovrò fare qualcosa.

Mentre percorro il corridoio, non arriva alcun rumore dalla camera dei Geiger. Oltrepasso in silenzio la loro porta, sentendomi improvvisamente in imbarazzo. Sarà un po' strano stare in casa loro tutto il weekend senza fare niente. Sarà meglio uscire più tardi. Per togliermi dai piedi.

La cucina è silenziosa e luccicante come sempre, ma io comincio a sentirmi un po' meno intimorita. Ormai, se non altro, ho imparato a usare il bollitore e il tostapane, e ho trovato un vasto assortimento di marmellate nella dispensa. Per colazione mi preparerò pane con marmellata di arance e zenzero e una bella tazza di caffè. E mi leggerò il giornale dalla prima all'ultima pagina. Finirò verso le undici e poi penserò a cosa fare dopo.

Trovo una copia del "Times" sullo zerbino e la porto in cucina proprio mentre le fette di pane schizzano fuori dal tostapane. Sono pronte.

Questa sì che è vita.

Mi siedo accanto alla finestra, sgranocchiando pane tostato, sorseggiando caffè e sfogliando il giornale con tutta calma. Alla fine, dopo aver divorato tre fette di pane, due tazze di caffè e tutte le rubriche del sabato, stiro le braccia facendo un grande sbadiglio e lancio un'occhiata all'orologio.

Non posso crederci. Sono solo le 7.56.

Cosa c'è che non va in me? Dovevo metterci ore a fare colazione. Dovevo restare qui seduta tutta la mattina, non finire in venti minuti netti.

Okay... non importa. Non ci stressiamo. Mi rilasserò in qualche altro modo.

Infilo i piatti nella lavastoviglie e spazzo via le briciole. Poi torno a sedermi al tavolo e mi guardo intorno, domandandomi cosa fare dopo. È troppo presto per uscire.

Improvvisamente mi accorgo che sto tamburellando con le dita sul tavolo. Mi blocco e mi fisso le mani per un momento. È assurdo. Questo è il mio primo giorno libero in dieci anni.

Dovrei essere rilassata. Insomma, non è tanto difficile pensare a qualcosa di bello da fare.

Cosa fa la gente nel tempo libero? Con la mente passo in rassegna una serie di immagini televisive. Potrei prepararmi un'altra tazza di caffè. Ma ne ho già bevute due. Non ho voglia di una terza. Potrei rileggere il giornale. Ma ho la memoria fotografica. Rileggere le cose per me è inutile.

Il mio sguardo si sposta verso il giardino, dove uno scoiattolo, appollaiato su una colonna di pietra, si guarda intorno con occhietti vispi. Potrei uscire a godermi il verde e la natura nella rugiada del primo mattino. Ottima idea.

Il problema, con la rugiada del primo mattino, è che ti bagna i piedi. Mentre avanzo cauta nell'erba umida, mi pento di aver indossato dei sandali aperti in punta. O di non aver aspettato a fare la mia passeggiatina.

Il giardino è molto più grande di quanto pensassi. Scendo lungo il prato verso una siepe ornamentale dove sembra che tutto finisca, e invece mi rendo conto che dietro c'è un'altra parte, con un orto in fondo e una specie di giardino recintato alla mia sinistra.

È un posto magnifico. Me ne accorgo persino io. I colori dei fiori sono vivaci senza essere vistosi, ogni muro è coperto da un rampicante diverso e, mentre vado verso l'orto, vedo delle piccole pere dorate pendere dai rami delle piante. Non credo di aver mai visto una pera appesa a una pianta in vita mia.

Passo in mezzo agli alberi da frutto e arrivo in un ampio spazio di forma quadrata dove la vegetazione cresce in file serrate. Devono essere le verdure. Ne tocco una con la punta del piede. Potrebbe essere un cavolo o una lattuga. O forse sono soltanto le foglie di qualcosa che cresce sotto terra.

A essere sincera, potrebbe anche essere un alieno. Non ne ho idea.

Gironzolo ancora un po', poi mi siedo su una panchina di legno coperta di muschio e osservo un cespuglio lì vicino, pieno di fiori bianchi. Mmh, carino.

E ora? Cosa fa la gente quando sta in giardino?

Dovrei avere qualcosa da leggere. O qualcuno da chiamare.

Le mie dita sono impazienti. Guardo l'ora: sono solo le 8.16. Oh, Dio.

Forza, non posso arrendermi così. Resterò seduta qui a godermi un po' di pace. Mi appoggio allo schienale, mi metto comoda sulla panchina e osservo un uccellino becchettare il terreno.

Poi guardo di nuovo l'orologio. Le 8.17.

Non posso.

Non posso stare tutto il giorno senza fare niente. Impazzirò. Andrò a comperare un altro giornale all'edicola del paese. E se per caso dovessero avere *Guerra e pace*, compererò anche quello. Mi alzo e attraverso il prato diretta verso la casa quando un *bip* proveniente dalla tasca mi costringe a bloccarmi.

È il telefonino. Ho ricevuto un messaggio. Qualcuno mi ha appena scritto, di sabato mattina presto. Tiro fuori il cellulare e lo guardo, ansiosa. Non ho contatti col mondo esterno da più di un giorno.

So che sono arrivati altri messaggi, ma non li ho letti. So che ci sono dei messaggi sulla segreteria, ma non ne ho ascoltato neppure uno. Non voglio sapere. Voglio lasciare tutto fuori.

Giocherello col cellulare, dicendo a me stessa di metterlo via. Ma ormai la mia curiosità è stata stuzzicata. Qualcuno, da qualche parte, ha preso in mano il telefonino e mi ha inviato un messaggio. Improvvisamente mi passa davanti agli occhi l'immagine di Guy, in pantaloni sportivi e camicia azzurra, seduto al tavolo, che mi sta scrivendo.

Per scusarsi.

Per darmi notizie. Per informarmi di uno sviluppo imprevisto...

Non posso farci niente: nonostante tutto, avverto un improvviso fremito di speranza. In mezzo al prato umido di rugiada sento la mia mente trascinata fuori da questo giardino, verso Londra, verso l'ufficio. È trascorso un giorno intero senza di me. In ventiquattro ore possono accadere tante cose. Le cose possono cambiare. Potrebbe essersi risolto tutto per il meglio.

Oppure... la situazione potrebbe essere peggiorata. Intendono farmi causa. Mi hanno citato per danni.

La tensione sale. Stringo il telefono sempre più forte. Devo sapere. Che siano notizie buone o cattive, non importa. Apro il telefonino e trovo il messaggio. Viene da un numero che non conosco.

Chi sarà?

Con lo stomaco stretto premo OK per leggere.

ciao, samantha, sono nathaniel

Nathaniel?

*Nathaniel?*

Il sollievo è così grande che scoppio a ridere. Ma certo! Gli ho dato il mio numero di cellulare ieri, per sua madre. Faccio scorrere il messaggio per leggere il resto.

se sei interessata, la mamma potrebbe iniziare le lezioni di cucina oggi. nat

Lezioni di cucina. Avverto un lampo di gioia. Ecco! Il modo perfetto per passare la giornata. Premo RISPONDI e digito velocemente la risposta:

splendido. grazie. sam

Lo invio con un lieve sorriso. È divertente. Dopo un paio di minuti, il telefono emette un altro *bip*.

a che ora? alle 11 è troppo presto? nat

Guardo l'orologio. Mancano ancora due ore e mezza alle undici.

Due ore e mezza senza fare niente se non leggere il giornale ed evitare Trish ed Eddie. Premo RISPONDI.

facciamo alle 10? sam

Alle dieci meno cinque sono nell'atrio, pronta. A quanto pare la casa della madre di Nathaniel è un po' difficile da trovare perciò ci siamo messi d'accordo di incontrarci qui, così mi accompagnerà lui. Mi guardo allo specchio e sussulto. La ciocca sbiadita dalla candeggina è più evidente che mai. Sposto i capelli indietro e avanti più volte, ma non riesco a nasconderla. Potrei tenere una mano appoggiata alla testa come se stessi riflettendo. Provo qualche posa pensierosa davanti allo specchio.

«Ti fa male la testa?»

Mi volto di scatto, sorpresa, e vedo Nathaniel sulla soglia, in jeans e camicia a quadri.

«Oh... no» dico, sempre con la mano incollata alla testa. «Stavo solo...»

È inutile. Tanto l'ha già vista. Abbasso la mano e Nathaniel osserva la ciocca per qualche istante.

«È carina» dice. «Mi ricordi un tasso.»

«Un tasso?» ribatto, offesa. «Io non assomiglio a un tasso.»

Mi do un'occhiata veloce allo specchio, per tranquillizzarmi. No, non assomiglio a un tasso.

«I tassi sono creature magnifiche» osserva Nathaniel con una scrollata di spalle. «Io preferirei assomigliare a un tasso piuttosto che a un ermellino.»

Un momento. Da quando in qua devo scegliere se assomigliare a un tasso o a un ermellino? Non so neppure come siamo arrivati a questa conversazione.

«Sarà meglio andare» dico, con sussiego. Prendo la borsa e, mentre sto per aprire la porta, mi do un'ultima occhiata allo specchio.

Sì. Forse un pochino assomiglio a un tasso.

Fuori l'aria si sta già scaldando e mentre procedo sul vialetto di ghiaia inspiro a fondo, felice. C'è un delizioso profumo di fiori che conosco bene...

«Caprifoglio e gelsomino!» esclamo all'improvviso. A casa ho l'olio da bagno di Jo Malone.

«Il caprifoglio è sul muro.» Nat indica un groviglio di minuscoli fiori bianchi sul muro di pietra dorata. «L'ho piantato l'anno scorso.»

Osservo interessata i piccoli fiori delicati. È così che è fatto il caprifoglio?

«Ma qui intorno non ci sono gelsomini» prosegue, incuriosito. «Hai sentito il profumo?»

«Ehm...» Allargo le mani in un gesto vago. «Forse no.»

Non credo sia il caso di menzionare Jo Malone, adesso. Anzi, né adesso né mai.

Quando svoltiamo, uscendo dal vialetto, mi rendo conto che è la prima volta che lascio la proprietà dei Geiger da quando sono arrivata qui... a parte la puntata al centro commerciale con

Trish, ma ero troppo occupata a cercare il suo CD di Celine Dion per guardarmi intorno. Nathaniel ha girato a sinistra e procede svelto lungo la strada, io invece mi sono bloccata. Ammiro il panorama a bocca aperta. Questo paesino è assolutamente meraviglioso.

Non ne avevo idea.

Mi guardo intorno, osservando i vecchi muretti di pietra dorata, le file di antichi cottage coi loro tetti spioventi, il piccolo fiume fiancheggiato da salici. Più avanti c'è il pub che avevo notato la prima sera, con i cestini appesi. Sento un rumore lontano di zoccoli di cavallo. Non c'è una sola nota stonata. Tutto è tranquillo, rilassato, come se fosse qui da centinaia di anni.

«Samantha?»

Finalmente Nathaniel si è accorto che mi sono fermata.

«Scusami!» dico, affrettandomi a raggiungerlo. «È un posto così bello! Non me n'ero resa conto.»

«Sì, è carino.» Avverto una punta d'orgoglio nella sua voce. «Ci sono un po' troppi turisti, ma...» Si stringe nelle spalle.

«Non immaginavo.» Proseguiamo lungo la strada, ma io continuo a fermarmi, sempre più stupita. «Guarda il fiume! E la chiesetta!»

Mi sento come un bambino a cui hanno regalato un giocattolo nuovo. All'improvviso mi rendo conto che praticamente non ho mai visitato la campagna inglese. Siamo sempre stati a Londra, oppure all'estero. Sono stata così tante volte in Toscana che non le ricordo nemmeno più, e ho passato anche sei mesi a New York, quando la mamma era stata mandata in trasferta lì. Ma non sono mai stata nei Cotswolds in vita mia.

Attraversiamo il fiume su un vecchio ponte di pietra ad arco. Arrivata sul punto più alto mi fermo a guardare le anatre e i cigni.

«È... fantastico» dico. «Assolutamente fantastico.»

«Non hai visto nulla quando sei arrivata?» Nathaniel mi guarda con aria divertita. «Sei scesa da una nuvola?»

Ripenso al panico di quel viaggio disperato, allo straniamento. Ripenso a quando sono scesa dal treno con la vista annebbiata e la testa che mi scoppiava.

«Più o meno» rispondo. «Non ho fatto attenzione a dove andavo.»

Restiamo a guardare una coppia di cigni che scivola, regale, sotto il ponte. Poi do un'occhiata all'orologio. Sono già le dieci e cinque.

«Faremmo meglio ad andare» dico, sorpresa. «Tua madre ci starà aspettando.»

«Non c'è fretta» mi grida Nathaniel mentre percorro di corsa il ponte. «Abbiamo tutta la giornata.» Scende anche lui a grandi falcate e mi raggiunge. «È tutto a posto. Puoi rallentare.»

Comincia a camminare lungo la strada e io mi unisco a lui, cercando di adeguarmi al suo passo rilassato. Ma non sono abituata a questo ritmo tranquillo. Io sono abituata ai marciapiedi affollati, a farmi largo a spintoni e gomitate fra la gente.

«Hai sempre vissuto qui?» domando, cercando di rallentare il passo.

«Più o meno» risponde lui, annuendo. Imbocca un viottolo con i ciottoli sulla sinistra. «Mio padre è morto l'anno scorso. Io sono tornato per sistemare le cose e prendermi cura della mamma. È stata dura per lei. La situazione economica era un gran casino... era tutto un gran casino.»

«Mi dispiace» dico, imbarazzata. «Hai altri parenti?»

«Mio fratello Jake. È tornato per una settimana.» Nathaniel ha un attimo di esitazione. «Lui ha un'attività in proprio. Molto ben avviata.»

Il suo tono è tranquillo come sempre, ma mi pare di avvertire una nota di... qualcosa. Forse è meglio che non gli chieda altro della sua famiglia.

«Be', io qui ci vivrei» dico, con entusiasmo.

Nathaniel mi lancia un'occhiata un po' strana. «Tu ci vivi» mi rammenta.

Sento una fitta improvvisa di sorpresa. Suppongo abbia ragione. Tecnicamente è così.

Faccio qualche altro passo cercando di elaborare questo nuovo pensiero. Finora ho vissuto soltanto a Londra, a parte i tre anni di Cambridge. Ho sempre avuto un codice postale che cominciava con NW. E il prefisso telefonico 0207. Ecco chi sono. Ecco chi... ero.

Ma la vecchia versione di me è già lontana. Quando ripenso a me stessa, com'ero la settimana scorsa, è come se mi vedessi attraverso la carta carbone.

Tutto ciò a cui una volta davo valore è andato distrutto. E io ho ancora le ossa rotte. Ma allo stesso tempo sento di avere un sacco di possibilità, sono più viva di quanto sia mai stata. Inspiro a pieni polmoni l'aria della campagna, e vengo travolta da un'improvvisa ondata di ottimismo che assomiglia tanto all'euforia. D'impulso mi fermo sotto un albero enorme e guardo in su, fra i rami fitti di foglie.

«C'è una bellissima poesia di Walt Whitman che parla di una quercia.» Levo una mano e accarezzo delicatamente la corteccia fresca e ruvida. «Si intitola *I Saw in Louisiana a Live-Oak Growing*.»

Mi volto verso Nathaniel, aspettandomi di averlo stupito.

«Quello è un faggio» dice lui, indicando l'albero con un cenno della testa.

Ah.

Non conosco poesie sui faggi.

«Eccoci arrivati.» Spinge un vecchio cancello di ferro e mi fa segno di salire un sentiero lastricato che porta a un piccolo cottage con le tende azzurre a fiori alle finestre. «Vieni a conoscere la tua insegnante di cucina.»

La madre di Nathaniel non è affatto come me la immaginavo. Mi aspettavo un tipo dimesso, coi capelli grigi raccolti in uno chignon e gli occhialini a lunetta. Invece mi trovo davanti una donna forte, con un viso bello e intenso. Gli occhi sono di un azzurro brillante, appena segnati da qualche ruga. I capelli, non ancora completamente grigi, sono stretti in due trecce che le scendono ai lati del viso. Indossa un grembiule sopra i jeans, maglietta e scarpe di corda, e sta lavorando energicamente un impasto.

«Mamma.» Nathaniel sorride e mi fa entrare in cucina. «Eccola qui. Questa è Samantha. Samantha, questa è mia madre, Iris.»

«Benvenuta, Samantha.» Iris alza lo sguardo e vedo che mi studia da capo a piedi, continuando a impastare. «Un attimo che finisco questo.»

Nathaniel mi fa cenno di accomodarmi e io mi siedo con prudenza su una sedia di legno. La cucina si trova sul retro della casa, ed è inondata di luce e di sole. Ci sono fiori ovunque, in ciotole di terracotta. Vedo una cucina economica di quelle che si usavano un tempo e un tavolo di legno grezzo. Una porta aperta dà sull'esterno. Mentre sto pensando se sia il caso di dire qualcosa, un pollo entra in casa e comincia a raspare sul pavimento.

«Oh, un pollo!» esclamo, senza riflettere.

«Sì, un pollo.» Vedo che Iris mi guarda con un'espressione ironica e allo stesso tempo divertita. «Non hai mai visto un pollo?»

Solo nel banco frigo del supermercato. Il pollo avanza, continuando a becchettare, verso i miei sandali aperti, e io mi affretto a nascondere i piedi sotto la sedia, ostentando naturalezza.

«Ecco fatto.» Iris prende la pasta, con gesti esperti le dà una forma tondeggiante, la sistema in una teglia e la inforna. Si lava le mani sporche di farina nel lavandino e si volta verso di me.

«Così vuoi imparare a cucinare.» Il suo tono è cordiale ma spiccio. Capisco che questa è una donna che non ama sprecare le parole.

«Sì.» E poi aggiungo, con un sorriso: «Per favore».

«Roba chic da Cordon Bleu» aggiunge Nathaniel, che se ne sta appoggiato alla cucina economica.

«Che esperienza hai di cucina?» Iris si asciuga le mani in uno strofinaccio a scacchi rossi. «Nathaniel ha detto che non ne hai. Ma non può essere.» Piega lo strofinaccio e mi sorride per la prima volta. «Cosa sai fare? Che basi hai?»

I suoi intensi occhi azzurri mi rendono un tantino nervosa. Mi scervello cercando di pensare a qualcosa che so fare.

«Be', so fare… il pane tostato» rispondo. «Le mie basi sono il pane tostato.»

«Pane tostato?» Sembra sconcertata. «Solo il pane tostato?»

«E le focaccine imburrate» mi affretto ad aggiungere. «In realtà tutto quello che va nel tostapane…»

«Ma parlando di cucina…» Appende lo strofinaccio a una sbarra d'acciaio della cucina economica e mi osserva con attenzione. «Un'omelette… quella saprai cucinarla, vero?»

«Veramente no» rispondo, deglutendo.

Iris ha un'espressione così incredula che mi sento arrossire. «A scuola non ho mai frequentato corsi di economia domestica» spiego. «Non ho mai imparato a preparare un pasto.»

«Ma di certo tua madre, o tua nonna…» Lascia la frase in sospeso vedendo che scuoto la testa. «Nessuno?»

Mi mordo il labbro. Iris espira bruscamente come se afferrasse solo in quel momento la gravità della situazione.

«Dunque tu non sai cucinare per niente. E ai Geiger cos'hai detto che avresti preparato?»

Oh, Dio.

«Trish voleva un esempio di un buon menu per una settimana e così io le ho dato un'idea basandomi su questo.» Imbarazzata, tiro fuori dalla borsa il menu spiegazzato di Maxim's e glielo porgo.

«"Gâteau d'agnello brasato e cipolline in crosta di patate e formaggio di capra, accompagnato da purea di spinaci al cardamomo"» legge lei a voce alta, del tutto incredula.

Sento un sospiro, alzo gli occhi e vedo Nathaniel che ride di gusto.

«Non avevo altro!» esclamo, sulla difensiva. «Cosa dovevo dire, pesce fritto e patatine?»

«Gâteau è solo un parolone per fare colpo.» Iris sta ancora studiando il menu. «È un semplice pasticcio di carne con purè detto in maniera pomposa. Questo possiamo insegnartelo. E la trota brasata con le mandorle è piuttosto facile da preparare...» Fa scorrere il dito lungo il foglio e, arrivata in fondo, alza lo sguardo, con aria preoccupata. «Io posso insegnarti a preparare questi piatti, Samantha. Ma non sarà facile, se davvero non hai mai cucinato.» Poi lancia un'occhiata a Nathaniel. «Non sono sicura...»

Vedendo la sua espressione provo un brivido. Vi prego, non ditemi che sta facendo marcia indietro.

«Io imparo in fretta» dico, sporgendomi in avanti. «E sono una gran lavoratrice. Farò tutto quello che è necessario. Voglio riuscirci davvero.»

Le rivolgo uno sguardo sincero, cercando di trasmetterle il messaggio. "La prego. Ho bisogno di aiuto."

«D'accordo» dice Iris alla fine. «Ti insegnerò a cucinare.»

Prende una bilancia da una credenza e io ne approfitto per tirare fuori dalla borsa carta e penna. Quando Iris si volta e mi vede, sembra perplessa.

«E quello a cosa serve?» domanda, indicando con la testa il foglio.

«A prendere appunti» spiego. Scrivo la data e sotto "Lezione di cucina numero 1"; lo sottolineo e alzo lo sguardo. Iris sta scuotendo la testa, lentamente.

«Samantha, tu non prenderai appunti» dice. «Per cucinare non serve scrivere. Serve assaggiare. Sentire. Toccare. Odorare.»

«Giusto.» Annuisco con aria intelligente.

Devo ricordarmelo. Svito il cappuccio della stilografica e annoto: "Cucinare = assaggiare, sentire, odorare, ecc.". Richiudo la penna e alzo lo sguardo. Iris mi sta osservando incredula.

«Assaggiare» ripete, togliendomi di mano carta e penna. «Non scrivere. Devi usare i sensi. L'istinto.»

Solleva il coperchio di una pentola che borbotta piano sul fuoco e vi immerge un cucchiaio. «Assaggia questo.»

Guardinga, mi porto il cucchiaio alla bocca.

«Ragù» dico, immediatamente. «Delizioso» aggiungo, educata.

Iris scuote la testa. «Non dirmi cosa pensi che sia. Dimmi che gusto senti.»

La guardo, perplessa. Questa è sicuramente una domanda trabocchetto.

«Sento il gusto di… ragù.»

La sua espressione non cambia. Attende un'altra risposta.

«Carne?» azzardo.

«Cos'altro?»

Ho la testa vuota. Non mi viene in mente altro. Voglio dire, è ragù. Cos'altro si può dire?

«Assaggialo di nuovo» insiste Iris, inflessibile. «Devi sforzarti.»

Arrossisco mentre cerco qualcosa da dire. Mi sento come l'alunno deficiente dell'ultima fila che non sa la tabellina del due.

«Carne… acqua…» Cerco disperatamente di pensare a cos'altro c'è nel ragù. «Cipolla!» esclamo, colpita da un'improvvisa folgorazione.

«Samantha, non preoccuparti di identificare gli ingredienti. Dimmi solo che sensazione ti dà.» Iris mi porge il cucchiaio per la terza volta. «Assaggialo di nuovo… e questa volta chiudi gli occhi.»

Chiudere gli occhi?

«Okay.» Assaggio e chiudo gli occhi, obbediente.

«Adesso… che gusto senti?» dice la voce di Iris. «Concentrati sui sapori, solo sui sapori.»

Con gli occhi ben chiusi, mi isolo da tutto il resto e mi concentro su quello che ho in bocca. Avverto soltanto la sensazione della salsa tiepida e salata sulla lingua. Sale. Questo è un sapore. E dolce… e… sento anche un altro sapore quando deglutisco…

È come se apparissero dei colori. Prima quelli brillanti, più evidenti, e poi quelli più tenui, che quasi sfuggono…

«Sa di sale, di carne…» dico lentamente, senza aprire gli occhi. «E di dolce… e… di verdure? Di carote?»

Apro gli occhi, un po' disorientata. Iris mi sta guardando. Alle sue spalle Nathaniel sta osservando la scena. Nel vederlo mi innervosisco un po'. Assaggiare ragù con gli occhi chiusi è una cosa abbastanza intima. Non sono sicura di gradire che qualcuno mi osservi.

Iris sembra intuirlo.

«Nathaniel» dice, decisa «ci servono degli ingredienti per tutti questi piatti.» Scrive in fretta una lunga lista e gliela porge. «Fai una corsa a prenderli, tesoro.»

Mentre lui esce, lei mi guarda con un sorriso appena accennato sulle labbra. «Andava molto meglio.»

«Però… ce l'ho fatta?»

«Non ancora, cara. Proprio per niente. Tieni, mettiti un grembiule.» Me ne porge uno a righe bianche e rosse e io me lo lego in vita, un po' impacciata.

«È così gentile da parte sua aiutarmi» dico, imbarazzata, mentre lei tira fuori delle cipolle e una verdura arancione che non riconosco. «Le sono davvero grata.»

«Mi piacciono le sfide.» Mi lancia un'occhiata ammiccante. «Mi annoio. Nathaniel fa tutto per me. A volte persino troppo.»

«Ma lei… non mi aveva neppure mai visto…»

«Mi è piaciuto quello che ho sentito dire di te.» Iris tira giù un pesante tagliere di legno. «Nathaniel mi ha raccontato come ti sei tolta dai guai l'altra sera. Ci vuole un bel coraggio.»

«Dovevo fare qualcosa» dico, rivolgendole un sorriso mesto.

«E così ti hanno offerto un aumento. Fantastico.» Quando sorride, intorno agli occhi le compaiono delle rughe sottili simili a una miriade di raggi. «Trish Geiger è una donna molto sciocca.»

«A me è simpatica» dico, provando uno slancio di lealtà.

«Anche a me» annuisce Iris. «E ha aiutato molto Nathaniel. Ma di certo ti sarai accorta che è senza cervello.» Lo dice con un tono così spiccio che mi viene voglia di ridere. La osservo mettere una grande pentola luccicante sui fornelli, poi si gira e mi guarda, con le braccia incrociate sul petto. «E così li hai completamente conquistati.»

«Sì.» Sorrido. «Non hanno idea di chi sono.»

«E chi sei?»

La sua domanda mi coglie di sorpresa. Apro la bocca per rispondere, ma non esce una sola parola.

«Ti chiami davvero Samantha?»

«Sì!» rispondo, scioccata.

«Forse sono stata un po' brusca» ammette, sollevando una mano. «Ma una ragazza compare dal nulla in mezzo alla campagna e accetta un lavoro che non sa assolutamente fare…» Si interrompe, come se stesse scegliendo le parole. «Nathaniel mi ha detto che sei fuggita da una brutta relazione.»

«Sì» mormoro, a testa bassa. Sento su di me lo sguardo indagatore e penetrante di Iris.

«Non vuoi parlarne, vero?»

«Per la verità, no.»

Quando alzo lo sguardo, colgo una traccia di comprensione nei suoi occhi.

«Per me va bene» dice, afferrando un coltello. «Cominciamo. Tirati su le maniche, legati i capelli e lavati le mani. Ti insegnerò come si fa a tritare una cipolla.»

Passiamo tutto il weekend a cucinare.

Imparo ad affettare finemente una cipolla e a ricavarne dadini piccolissimi. Imparo a tritare le erbe aromatiche con una lama arrotondata. Imparo a infarinare e insaporire con lo zenzero la carne, e poi a metterla in una casseruola di ghisa caldissima. Imparo che la pasta va fatta velocemente, con le mani fredde, vicino a una finestra aperta. Imparo il trucco di sbollentare i fagiolini prima di rosolarli nel burro.

Una settimana fa non sapevo neppure cosa significasse il termine "rosolare".

Fra una lezione di cucina e l'altra siedo sui gradini del retro con Iris, a guardare i polli che razzolano nella terra e a sorseggiare caffè freddo accompagnandolo con un muffin alla zucca, o con un sandwich di pane fatto in casa farcito con lattuga e un formaggio salato e friabile.

«Mangia e goditelo» dice Iris ogni volta, porgendomi la mia parte, e poi scuote la testa, sgomenta, quando comincio a mangiare. «Non così in fretta. Con calma. Gusta quello che mangi!»

Domenica pomeriggio, sotto la tranquilla supervisione di Iris, preparo pollo arrosto ripieno con cipolle e salvia, broccoli al vapore, carote aromatizzate al cumino e patate arrosto. Quando estraggo l'enorme teglia dal forno, mi fermo un istante e mi lascio avvolgere dall'aria calda e profumata di pollo. Non ho mai sentito un profumo più casalingo di questo in vita mia. Il pollo è dorato: la pelle croccante punteggiata dai grani di pepe che ci avevo infilato prima, il sugo che sfrigola ancora nel tegame.

«È ora di preparare la salsa» annuncia Iris dall'altro lato della cucina. «Tira fuori il pollo e mettilo sul piatto da portata… e poi coprilo. Dobbiamo tenerlo in caldo… ora inclina il tegame. Vedi quelle goccioline di grasso che galleggiano sulla superficie? Bisogna prenderle col cucchiaio.»

Mentre parla finisce di preparare l'impasto per un crumble di prugne. Lo copre con fiocchetti di burro e lo infila in forno, poi, senza fermarsi, prende uno straccio e pulisce il piano di lavoro. È tutto il giorno che la osservo muoversi veloce e attenta in cucina, assaggiando le cose, sempre padrona della situazione. Non ha senso farsi prendere dal panico. Tutto va esattamente come deve andare.

«Va bene.» È al mio fianco e mi osserva mentre sbatto la salsa. «Continua così… fra un minuto si rapprenderà.»

Non riesco a crederci. Sto preparando una salsa.

E, come tutto il resto in questa cucina, funziona. Gli ingredienti obbediscono. L'intruglio di sugo di pollo, brodo e farina si sta trasformando in una salsa vellutata e profumata.

«Molto bene!» dice Iris. «Ora versala in questa bella brocchetta, elimina col setaccio i grumi… Vedi com'è stato facile?»

«Credo che lei sia magica» dico, sincera. «È per questo che funziona tutto qui. Lei è una maga della cucina.»

«Una maga della cucina!» ripete lei ridendo. «Mi piace. Su, vieni. Via il grembiule. È arrivato il momento di gustare quello che abbiamo preparato.» Si toglie il grembiule e allunga una mano per prendere anche il mio. «Nathaniel, hai finito di apparecchiare la tavola?»

Nathaniel ha continuato a entrare e uscire dalla cucina per tutto il weekend, e io mi sono abituata alla sua presenza. A dire il vero, ero così presa dal cucinare che quasi non mi sono accorta di lui. Ora sta apparecchiando la tavola con tovagliette di paglia, vecchie posate col manico di osso e morbidi tovaglioli a quadri.

«Vino per le cuoche» annuncia Iris, tirando fuori una bottiglia dal frigo e stappandola. Me ne versa un bicchiere, poi indica il tavolo. «Siediti, Samantha. Hai fatto abbastanza per questo weekend. Sarai distrutta.»

«Sto benissimo!» rispondo io, automaticamente. Ma, quando mi lascio cadere sulla sedia più vicina, mi rendo conto di quanto sono stanca. Chiudo gli occhi e, per la prima volta in tutto il giorno, mi rilasso. Mi fanno male le mani e le braccia a furia di tritare e mescolare. I miei sensi sono stati bombardati da odori, gusti, sensazioni nuove.

«Non ti addormentare!» La voce di Iris mi riporta bruscamente al presente. «Questa è la nostra ricompensa! Nathaniel, tesoro, porta il pollo arrosto di Samantha. Taglialo tu.»

Apro gli occhi e vedo Nathaniel che avanza col piatto di portata con sopra il pollo arrosto. Nel rivederlo, così dorato, croccante e succulento, provo una nuova sensazione d'orgoglio. Il mio primo pollo arrosto. Mi verrebbe quasi voglia di fotografarlo.

«Non mi dire che l'hai fatto tu?» dice Nathaniel, incredulo.

Ah, ah. Lo sa benissimo che l'ho fatto io. Ma non posso fare a meno di sorridere.

«Una cosetta che ho preparato prima in quattro e quattr'otto…» Mi stringo nelle spalle. «Sai, noi chef Cordon Bleu…»

Nathaniel taglia il pollo con gesti esperti, e Iris distribuisce le verdure. Quando siamo tutti serviti, si siede e solleva il bicchiere.

«Alla tua salute, Samantha. Te la sei cavata splendidamente.»

«Grazie.» Sorrido e sto per sorseggiare il vino quando mi rendo conto che gli altri due sono immobili.

«E a Ben» aggiunge Iris a bassa voce.

«La domenica ricordiamo sempre papà» mi spiega Nathaniel.

«Oh.» Dopo un attimo di esitazione, mi unisco al brindisi.

«Bene.» Iris ha gli occhi lucidi quando posa il bicchiere. «Il momento della verità.» Assaggia un boccone di pollo e io la guardo masticare. Cerco di nascondere il mio nervosismo.

«Ottimo» dice, alla fine. «Davvero ottimo.»

Non ce la faccio a trattenermi: un sorriso raggiante mi illumina il volto. «Davvero? È buono?»

Iris solleva il bicchiere verso di me. «Al tuo pollo arrosto.»

Me ne sto lì seduta nella calda luce della sera, quasi senza parlare, mangiando e ascoltando gli altri due chiacchierare. Mi raccontano aneddoti su Trish ed Eddie, di quella volta che volevano comperare la chiesa per trasformarla in un cottage per gli ospiti, e io non posso fare a meno di sorridere. Nathaniel ci spiega i suoi progetti per il giardino dei Geiger e fa uno schizzo del viale di alberi di lime che ha creato a Marchant House. Nella frenesia comincia a disegnare sempre più veloce, e nelle sue mani il mozzicone di matita sembra piccolissimo. Iris si accorge che lo guardo con ammirazione e mi indica l'acquerello di uno stagno, appeso alla parete.

«Quello l'ha fatto Ben.» Poi accenna con la testa a Nathaniel. «Ha preso da suo padre.»

L'atmosfera è serena e rilassata, molto diversa da quella che c'è sempre stata in casa mia. Nessuno che telefona. Nessuno che deve scappare in qualche altro posto. Potrei restare qui così per tutta la sera.

Quando la cena si avvia alla conclusione, mi schiarisco la voce.

«Iris, io voglio ringraziarla di nuovo.»

«Mi sono divertita» dice lei, prendendo una cucchiaiata di crumble di prugne. «A me è sempre piaciuto dare ordini.»

«No, davvero. Le sono molto grata. Non so cos'avrei fatto senza di lei.»

«Il prossimo weekend prepareremo le lasagne. E gli gnocchi!» Iris beve un sorso di vino e si asciuga la bocca. «Faremo un weekend italiano!»

«Il prossimo weekend?» La guardo, sorpresa. «Ma...»

«Non penserai di aver finito, vero?» Scoppia in una risata. «Con te ho appena cominciato!»

«Ma… io non posso occuparle tutti i fine settimana…»

«Io non ti ho ancora promosso» dice, con rude allegria «quindi non hai altra scelta. Dunque, in cos'altro ti serve aiuto? Pulizie? Bucato?»

Avverto una fitta d'imbarazzo. Evidentemente è al corrente del casino in cui mi sono cacciata l'altro ieri.

«Non sono sicura di saper usare la lavatrice» ammetto, infine.

«Provvederemo» annuisce lei. «Farò un salto da te quando i Geiger sono fuori e darò un'occhiata alla macchina.»

«E non sono capace di attaccare i bottoni…»

«Bottoni.» Prende una matita e un pezzo di carta e scrive, sempre masticando. «Sai fare un orlo?»

«Ehm…»

«Orlo» dice, prendendo appunti. «E stirare?» Solleva lo sguardo, improvvisamente in allarme. «Avrai pure avuto della roba da stirare. Come hai fatto finora?»

«L'ho data a Stacey Nicholson» confesso. «In paese. Prende tre sterline a camicia.»

«Stacey Nicholson?» Iris posa la matita. «Quella pettegola?»

«Sull'annuncio diceva di essere una stiratrice esperta.»

«Ma se ha quindici anni!» Iris scosta la sedia dal tavolo, sdegnata. «Samantha, tu non puoi pagare Stacey Nicholson perché stiri al posto tuo. Imparerai a farlo tu.»

«Ma io non ho mai…»

«Ti insegnerò io. Chiunque è in grado di stirare.» Va in una stanzetta vicina, tira fuori una vecchia asse da stiro coperta da un telo a fiori e la apre, quindi mi fa cenno con la testa di avvicinarmi. «Cosa devi stirare?»

«Principalmente le camicie del signor Geiger» rispondo, avvicinandomi nervosa all'asse da stiro.

«D'accordo.» Infila la spina e regola la temperatura. «Caldo, per il cotone. Aspetta che il ferro si scaldi. È inutile cominciare finché non ha raggiunto la temperatura giusta. Ora ti mostrerò come si stira una camicia…»

Si mette a frugare in una pila di biancheria pulita nella stanzetta. «Camicie… camicie… Nathaniel, togliti un momento la camicia.»

Mi irrigidisco. Lancio un'occhiata a Nathaniel e vedo che anche lui si è irrigidito.

«Mamma!» Ride, un po' a disagio.

«Non essere ridicolo, tesoro» dice Iris, spazientita. «Puoi toglierti la camicia per un momento. Non si scandalizza nessuno. Tu non ti scandalizzi, vero, Samantha?»

«Mmh...» Ho la voce un po' roca. «No, certo che no...»

«Allora, questo è il vapore.» Preme un pulsante sul ferro ed esce un getto di vapore. «Controlla sempre che il serbatoio dell'acqua sia pieno... Nathaniel! Sto aspettando!»

Attraverso la nuvola di vapore vedo che lentamente si sbottona la camicia. Scorgo un tratto di pelle liscia e abbronzata e abbasso lo sguardo.

Non essere infantile. Si sta togliendo la camicia. E allora? Cosa sarà mai...

Lancia la camicia alla madre, che l'afferra con abilità. Tengo gli occhi fissi davanti a me. Non ho intenzione di guardare verso di lui.

*Non ho intenzione di guardare verso di lui.*

«Comincia dal colletto...» Iris sta stendendo la camicia sull'asse. «Non serve che schiacci con troppa forza.» Mi guida la mano e il ferro scivola sul tessuto. «Tieni la mano leggera...»

È ridicolo. Sono una donna adulta e matura. Posso guardare un uomo a torso nudo senza andare nel pallone. Ecco cosa farò... gli lancerò un'occhiatina ogni tanto. Sì. E mi toglierò il pensiero.

«Ora il carré.» Iris gira la camicia sull'asse e io ricomincio a stirare. «Molto bene... e adesso i polsini...»

Sollevo l'estremità della camicia per girarla e così alzo gli occhi accidentalmente-di-proposito.

Oh, Gesù.

Non sono sicura che il mio piano per togliermi il pensiero stia funzionando.

«Samantha?» Iris mi strappa il ferro di mano. «Stai bruciando la camicia!»

«Oh!» Mi riprendo. «Mi dispiace... ho perso la concentrazione.»

«Sei tutta rossa.» Iris mi avvicina una mano alla guancia. «Ti senti bene, cara?»

«Dev'essere… ehm… il vapore.» Inizio di nuovo a stirare, con il viso in fiamme.

Iris ricomincia a darmi istruzioni, ma non sento più una parola. Mentre muovo il ferro avanti e indietro, alla cieca, tre pensieri mi ruotano ossessivi nella mente: a) Nathaniel, b) Nathaniel a torso nudo, c) chissà se Nathaniel ha una ragazza.

Alla fine scuoto la sua camicia perfettamente stirata, con tutte le pieghe al posto giusto.

«Molto bene!» esclama Iris, applaudendo. «Con un po' di pratica arriverai a stirare una camicia in quattro minuti netti.»

«A me sembra perfetta.» Nathaniel sorride, allungando la mano. «Grazie.»

«Figurati» rispondo con un gridolino soffocato e subito distolgo lo sguardo, col cuore che mi batte all'impazzata.

Fantastico. Davvero fantastico. È bastata una sola occhiata e mi sono presa una cotta da manuale.

Sinceramente, credevo di essere un po' meno superficiale di così.

## 13

Non ha una ragazza.

Sono riuscita a estorcere l'informazione a Trish ieri sera, con la scusa di chiederle notizie su tutti i vicini. A quanto pare ne aveva una a Gloucester, ma è finita mesi fa. Via libera. Ho solo bisogno di una strategia.

La mattina seguente, mentre faccio la doccia e mi vesto, i miei pensieri sono tutti per Nathaniel. Sono consapevole di essere regredita al comportamento di una quattordicenne; il prossimo passo sarà quello di riempire pagine e pagine di "Samantha ama Nathaniel" con un cuoricino al posto del puntino della i. Ma non mi interessa. Non è che quando mi comportavo da persona matura e professionale le cose andassero poi così bene.

Mi spazzolo i capelli osservando i campi verdi coperti di rugiada, e provo un'inspiegabile spensieratezza. Non ho nessun motivo per sentirmi così felice. Sulla carta, la mia situazione resta catastrofica. La carriera spaziale è finita. La mia famiglia non sa dove mi trovo. Guadagno un decimo di quello che guadagnavo prima, per un lavoro che mi obbliga a raccogliere da terra la biancheria sporca di qualcun altro.

Eppure, mentre rifaccio il mio letto mi scopro a canticchiare.

La mia vita è cambiata e anch'io sto cambiando con lei. È come se la vecchia, conformista, monocromatica Samantha fosse svanita in una bambola di carta. L'ho gettata nell'acqua e si sta dissolvendo. Al suo posto c'è una nuova Samantha. Con un sacco di opportunità.

Non sono mai andata dietro a un uomo, prima. Ma d'altro

canto, fino a ieri non avevo neppure mai cucinato un pollo al forno. Se sono riuscita a fare quello, potrò anche chiedere a un uomo di uscire, o no? La vecchia Samantha se ne sarebbe rimasta ferma ad aspettare che fosse lui a fare il primo passo. Be', la nuova Samantha no. Ho visto i programmi di incontri sentimentali alla tivù, conosco le regole. È una questione di immagine, linguaggio del corpo e conversazione seducente.

Vado allo specchio e, per la prima volta da quando sono arrivata qui, esamino il mio aspetto con occhio critico e onesto.

E subito me ne pento. Era meglio non sapere.

Tanto per cominciare, a chi donerebbe un'uniforme di nylon azzurra? Prendo una cintura, la stringo in vita e tiro su il vestito finché non diventa più corto di dieci centimetri, come facevamo a scuola.

«Ciao» dico alla mia immagine riflessa nello specchio, scuotendo i capelli con disinvoltura. «Ciao, Nathaniel. Ciao, Nat.»

Manca solo un quintale di eyeliner nero sbavato e sarò tornata in tutto e per tutto la quattordicenne di un tempo.

Prendo la trousse e per almeno dieci minuti non faccio che mettermi e togliermi il trucco, finché non ho un look naturale ma al tempo stesso seducente e deciso. O forse ho gettato via dieci minuti. Non saprei.

Adesso il linguaggio del corpo. Aggrotto la fronte, cercando di ricordare i consigli della tivù. Se una donna è attratta da un uomo, le sue pupille si dilateranno. Inoltre, si sporgerà inconsciamente verso di lui, riderà alle sue battute e mostrerà i polsi e i palmi delle mani.

Tanto per provare, mi sporgo in avanti verso lo specchio, tendendo le mani verso l'esterno.

Sembro un Cristo in croce.

Cerco di aggiungere una risata seducente. «Ah, ah, ah!» esclamo a voce alta. «Mi fai morire!»

Adesso sembro un Cristo in croce allegro.

Non sono sicura che tutto questo aumenti le mie possibilità.

Scendo al piano di sotto, apro le tende per far entrare la luce del mattino e ritiro la posta dallo zerbino. Sto sfogliando il "Cotswold Property Magazine" per vedere quanto costano le case da queste parti, quando suona il campanello. Mi trovo davanti un tizio in uniforme con un blocco di moduli in mano. Alle sue spalle, sul vialetto, è parcheggiato un furgone. «Devo fare una consegna da parte del Professional Chef's Equipment Direct» dice. «Dove devo mettere le scatole?»

«Ah, già» rispondo, subito nervosa. «In cucina, grazie.»

Professional Chef's Equipment. Sarà per me, la cuoca Cordon Bleu. Speravo che arrivasse fra qualche giorno.

«Che cos'è quel furgone, Samantha?» grida Trish, scendendo le scale con passo traballante, in vestaglia e zoccoli col tacco alto. «Sono fiori?»

«È l'attrezzatura da cucina che avete ordinato per me!» Cerco di mettere un po' di entusiasmo nelle mie parole.

«Oh, bene! Finalmente!» Trish mi rivolge un sorriso raggiante. «Adesso potrai stupirci con la tua cucina! Il menu di stasera prevede orata al forno con verdure julienne, giusto?»

«Ehm... sì! Credo di sì.»

«Fate attenzione!»

Ci scostiamo di lato con un salto per far passare due fattorini che ci sfilano davanti carichi di scatole. Li seguo in cucina e osservo sgomenta la pila di cartoni che sta crescendo. Quanta roba hanno ordinato i Geiger?

«Ti abbiamo comperato tutto!» dice Trish come se mi avesse letto nel pensiero. «Su, avanti! Puoi aprirle! Sono sicura che non stai più nella pelle!»

Prendo un coltello e comincio ad aprire la prima scatola, mentre Trish incide il nastro adesivo di un'altra con le unghie affilate come rasoi. Da un mare di patatine di polistirolo e plastica a bolle estraggo un oggetto di acciaio brillante. Cosa diavolo è questo? Lancio un'occhiata veloce all'etichetta sul lato della scatola. STAMPO PER SAVARIN.

«Uno stampo per savarin!» esclamo. «Fantastico! Proprio quello che desideravo.»

«Ne abbiamo solo otto» osserva Trish, preoccupata. «Basteranno?»

«Ehm...» Li guardo, disarmata. «Dovrebbero essere più che sufficienti.»

«E ora le padelle.» Trish ha sventrato una scatola di lucenti padelle d'alluminio e me ne porge una, tutta eccitata. «Ci hanno detto che queste erano le migliori. Sei d'accordo? Tu che sei una cuoca professionista...»

Guardo la padella. È nuova di zecca e splendente. Non saprei cos'altro dire.

«Vediamo un po'» esordisco, cercando di assumere un'aria professionale. Soppeso la padella, valutandola, poi la alzo per studiarne il fondo, quindi, per maggior sicurezza, le do un colpetto con l'unghia. «Sì, è una padella di ottima qualità» sentenzio, alla fine. «Avete scelto bene.»

«Oh, magnifico!» Raggiante, si mette a frugare dentro un altro scatolone. «Ah, guarda questo!» Sparpagliando patatine di polistirolo ovunque tira fuori un aggeggio dalla forma strana con un manico di legno. «Non ne avevo mai visto uno. Che cos'è, Samantha?»

Lo fisso in silenzio. Santo cielo, cos'è? Sembra una via di mezzo fra un setaccio, una grattugia e un frullino. Lancio un'occhiata veloce alla scatola sperando che possa fornirmi qualche indizio, ma l'etichetta è stata strappata.

«Cos'è?» ripete Trish.

E dài, sono una cuoca professionista. Naturale che so cos'è.

«Questo si utilizza per una tecnica di cottura molto speciale» rispondo, alla fine. «Molto speciale.»

«E come si usa?» Trish lo osserva con gli occhi sgranati. «Fammi vedere!» E me lo porge.

«Be'...» dico, prendendoglielo dalle mani. «Ci vuole una specie di... movimento circolare... come per frullare... con mano leggera...» Do qualche colpetto a vuoto frullando l'aria. «Più o meno così, ma è difficile farlo vedere bene senza... senza i tartufi.»

I tartufi? E questa da dove m'è uscita?

«La prima volta che lo uso, glielo faccio sapere» aggiungo, e mi affretto a posarlo sul bancone.

«Oh, sì, ti prego!» Trish pare estasiata. «Come si chiama?»

«Io l'ho sempre chiamato frullino da tartufo» dico, alla fine. «Ma potrebbe avere anche un altro nome. Desidera che le prepari una tazza di caffè?» aggiungo. «Il resto lo aprirò io più tardi.»

Metto la caffettiera sul fuoco, prendo il barattolo del caffè e lancio un'occhiata dalla finestra. Nathaniel sta attraversando il prato.

Oh, Dio. Allarme cotta. Cotta adolescenziale in piena regola, al cento per cento.

Non riesco a togliergli gli occhi di dosso. La luce del sole gioca con le punte dei suoi capelli castani. Indossa un vecchio paio di jeans sbiaditi. Mentre lo guardo, si china a raccogliere un enorme sacco, lo solleva senza sforzo e lo getta su quello che potrebbe essere un cumulo di concime.

All'improvviso me lo immagino che mi solleva e mi prende fra le sue braccia possenti facendomi volteggiare esattamente allo stesso modo. Voglio dire, non posso essere molto più pesante di un sacco di patate...

«Com'è andato il fine settimana, Samantha?» domanda Trish, interrompendo le mie fantasie. «Praticamente non ti abbiamo visto! Sei andata in città?»

«Sono andata a casa di Nathaniel» rispondo, senza riflettere.

«Nathaniel?» Trish pare sorpresa. «Il giardiniere? E perché?»

Immediatamente mi rendo conto dell'errore. Non posso certo rispondere: "Per prendere lezioni di cucina". La fisso come una stupida per qualche istante, cercando di inventarmi una scusa convincente.

«Ehm... così... per salutarlo...» dico, alla fine, consapevole di balbettare. E del fatto che le mie guance stanno diventando di un bel rosa acceso.

All'improvviso Trish si illumina in volto, come folgorata da una rivelazione, e spalanca gli occhi.

«Oh, capisco» dice. «Ma è magnifico!»

«No!» mi affretto a rispondere. «Non è così... davvero...»

«Non ti preoccupare» mi assicura lei con enfasi, interrompendo le mie proteste. «Non dirò una parola. Sono la discrezione fatta persona.» Poi si porta un dito alle labbra. «Puoi fidarti di me.»

Prima che io possa aggiungere altro, prende la sua tazza di caffè ed esce dalla stanza. Mi siedo in mezzo agli scatoloni e all'attrezzatura da cucina, giocherellando con il "frullino da tartufo".

Davvero imbarazzante. Ma suppongo che non abbia alcuna importanza. Purché lei non si metta a fare discorsi strani con Nathaniel.

E poi mi rendo conto di quanto sono stupida. È ovvio che si metterà a fare discorsi strani con Nathaniel. Farà delle allusioni. E allora chissà cosa penserà lui. Potrebbe essere davvero imbarazzante. Potrebbe rovinare tutto.

Devo assolutamente andare da lui e dirgli come stanno le cose. Spiegargli che Trish mi ha frainteso e che io non mi sono affatto presa una cotta per lui.

E nel frattempo, ovviamente, fargli capire l'esatto contrario.

Mi costringo ad aspettare finché non ho preparato la colazione per Trish ed Eddie, non ho riposto la nuova attrezzatura da cucina e preparato una marinata di olio d'oliva e succo di limone in cui mettere i filetti di orata per stasera, come mi ha insegnato Iris.

Quindi alzo ancora un po' di più l'uniforme, aggiungo un po' di eyeliner ed esco in giardino, portando con me un cestino che ho trovato in dispensa. Se Trish mi chiede cosa sto facendo, dirò che sono andata a raccogliere delle erbe aromatiche per cucinare.

Dopo aver girato dappertutto, trovo Nathaniel nell'orto dietro il vecchio muretto, su una scala a pioli, che sta passando una specie di corda intorno al tronco di un albero. Mentre vado verso di lui, mi coglie un'assurda agitazione. Ho la bocca asciutta e… sbaglio o mi stanno tremando le ginocchia?

Dio, ero convinta di avere un minimo di autocontrollo. Ero convinta che sette anni passati a fare l'avvocato mi avessero preparata un po' meglio. Ignorando per quanto possibile l'agitazione, vado verso la scala a pioli, getto indietro i capelli e gli sorrido, cercando di non stringere troppo gli occhi per difendermi dal sole.

«Ciao!»

«Ciao!» Nathaniel ricambia il mio sorriso. «Come va?»

«Bene, grazie. Molto meglio. Finora non ho combinato nessun disastro…»

Segue un momento di silenzio. All'improvviso mi rendo conto che sto fissando troppo intensamente le sue mani che stringono la corda. «Cercavo… del rosmarino» dico, indicando il cestino. «Ne hai?»

«Certo. Te ne taglio un po'.» Salta giù dalla scala e insieme ci avviamo per il sentiero che conduce al giardino delle erbe aromatiche.

Quaggiù, lontano dalla casa, il silenzio è totale, a parte il ronzio di un insetto e lo scricchiolio della ghiaia sotto i nostri passi. Mi sforzo di pensare a qualcosa di frivolo da dire, ma ho la testa vuota.

«Fa caldo» dico, alla fine.

Geniale.

«Ah, ah.» Nathaniel annuisce e scavalca senza sforzo il muretto di pietra che delimita il giardino delle erbe aromatiche. Cerco di imitarlo con un saltello, ma ci sbatto il piede contro. Ahi!

«Tutto bene?» Si volta verso di me.

«Benissimo!» Sorrido, nonostante il piede mi faccia un male da morire. «Oh, che belle erbe!» E indico in direzione del giardino, davvero colpita. È di forma esagonale, con piccoli sentieri fra una sezione e l'altra. «Hai fatto tutto da solo? È incredibile.»

«Grazie. Ne sono molto orgoglioso» dice Nathaniel con un sorriso. «Comunque... ecco il tuo rosmarino.»

Estrae un paio di cesoie da una vecchia custodia di pelle a forma di fondina e comincia a tagliare rametti da un cespuglio verde scuro.

Il mio cuore si mette a battere forte. Devo dire quello per cui sono venuta qui.

«Sai... è... è davvero strano» attacco, con la maggiore disinvoltura possibile, sfiorando le foglie profumate di una pianta a cespuglio «ma sembra proprio che Trish si sia fatta un'idea sbagliata su di noi! A quanto pare, lei pensa che... hai capito cosa intendo.»

«Ah» fa lui, annuendo, voltato dall'altra parte.

«Il che, ovviamente, è assurdo!» aggiungo con un'altra risata.

«Mmh, mmh.» Taglia qualche altro rametto di rosmarino e me lo porge. «Ti basta?»

Mmh, mmh? Tutto qui? È tutto qui quello che ha da dire sull'argomento?

«Veramente, ne vorrei ancora un po'» rispondo, e lui torna a voltarsi verso il cespuglio. «Allora... non lo trovi assurdo?» aggiungo, disperata, cercando di estorcergli una risposta appropriata.

161

«Be', certo.» Finalmente Nathaniel guarda verso di me, aggrottando la bella fronte abbronzata. «Non vorrai certo imbarcarti in altre storie per un po', visto che sei appena uscita da una brutta relazione.»

Lo guardo senza capire. Cosa diavolo…

Ah, sì. Quella.

«Giusto» dico, dopo un attimo. «Già.»

Accidenti.

Perché mi sono inventata la storia della brutta relazione? A cosa pensavo?

«Eccoti il rosmarino.» Nathaniel me ne mette un mazzo fragrante fra le braccia. «Vuoi altro?»

«Mmh… sì! Potrei avere della menta?»

Lo osservo mentre si muove con attenzione fra le file di erbe aromatiche finché non arriva ai grandi contenitori di pietra con la menta.

«A dire il vero…» dico, sforzandomi di apparire naturale «a dire il vero la relazione non era poi così brutta. In realtà credo di essermene ormai dimenticata.»

Nathaniel alza lo sguardo, schermandosi gli occhi con una mano per difendersi dalla luce del sole.

«In una settimana hai dimenticato una relazione durata sette anni?»

Messa in questi termini, non suona affatto plausibile. Cerco di pensare in fretta.

«Sai, ho grandi capacità di recupero» dico, alla fine. «Sono… elastica come la gomma.»

«Come la gomma» ripete lui, con espressione indecifrabile.

Forse il paragone con la gomma non è stata una scelta felice. Ma no, la gomma è sexy.

Nathaniel aggiunge la menta al rosmarino che tengo fra le braccia. Sembra quasi che stia cercando di leggermi dentro.

«La mamma ha detto…» comincia, e subito si blocca, come imbarazzato.

«Cosa?» faccio io, col cuore in gola. Hanno parlato di me?

«La mamma si chiedeva se tu sei stata trattata male» dice, e distoglie lo sguardo. «Sei così tesa. Così nervosa.»

«Io non sono affatto tesa e nervosa!» ribatto, immediatamente.

Forse la mia risposta è stata un po' tesa e nervosa.

«Io sono nervosa di natura» spiego. «Ma non sono stata maltrattata o cose del genere. È solo che ero... mi sentivo... in trappola.»

Le parole sorprendono anche me.

Ho un flash della mia vita alla Carter Spink. C'erano settimane in cui praticamente vivevo in ufficio. Mi portavo pile di lavoro a casa. Rispondevo alle e-mail a tutte le ore. Forse mi sentivo davvero un po' in trappola.

«Ma ora sto bene.» Scosto i capelli scuotendo la testa. «Sono pronta ad andare avanti con la mia vita, a cominciare una nuova relazione... o qualcosa di meno impegnativo...»

Anche l'avventura di una notte potrebbe andare bene...

Lo fisso, cercando di dilatare le pupille più che posso, e per maggior sicurezza sollevo anche una mano all'altezza dell'orecchio. C'è un silenzio teso, immobile, rotto solo dal ronzio degli insetti.

«Forse non dovresti gettarti a capofitto in una nuova relazione» osserva Nathaniel. Si allontana senza incrociare il mio sguardo e comincia a esaminare le foglie di un cespuglio.

C'è qualcosa di rigido nel suo atteggiamento. Di colpo capisco, e sento il sangue affluire alle guance. Mi sta respingendo senza colpo ferire. Non vuole uscire con me.

È orribile. Io me ne sto qui, con l'uniforme alzata e l'eyeliner nero, ricorrendo a tutto il linguaggio del corpo che conosco, e offrendomi praticamente a lui... e lui cerca di farmi capire di non essere interessato.

Sono umiliata. Devo andarmene da qui. Devo allontanarmi da lui.

«Hai ragione» dico, turbata. «È troppo presto per pensare a una cosa del genere. Anzi, sarebbe una pessima idea. Mi concentrerò sul mio nuovo lavoro. Sulla cucina e... su tutto il resto. Ora devo andare. Grazie per le erbe.»

«Figurati» dice Nathaniel.

«Bene. Ci vediamo.»

Stringendo al petto il mazzo giro sui tacchi, scavalco il muretto, riuscendo questa volta a non urtarlo col piede, e mi avvio a grandi passi lungo il vialetto che porta alla casa.

Sono molto più che imbarazzata. Lasciamo perdere la nuova Samantha.

Questa è l'ultima volta che ci provo con un uomo, l'ultima. La mia vecchia strategia di attendere educatamente, di essere ignorata e quindi scartata per un'altra, era mille volte meglio.

E, comunque, non m'importa. Meglio così. Davvero. Perché in effetti devo concentrarmi sul lavoro. Appena arrivo a casa apro l'asse da stiro, accendo il ferro e la radio e mi preparo una bella tazza di caffè. D'ora in poi sarà questo il mio interesse: portare a termine i compiti della giornata. Non un'assurda, stupida cotta per il giardiniere. Mi pagano perché io faccia un lavoro, e io lo farò.

A metà mattinata ho già stirato dieci camicie, fatto una lavatrice e passato l'aspirapolvere in veranda. Per l'ora di pranzo, ho spolverato e passato l'aspirapolvere nelle stanze del piano terra e pulito tutti gli specchi con l'aceto. Per l'ora del tè ho fatto un'altra lavatrice, tagliato le verdure, pesato il riso da cuocere al vapore e preparato quattro barchette di pasta filo per i miei dolcetti alla frutta, come mi ha insegnato Iris.

Per le sette ho buttato via quattro barchette bruciate, ne ho cotte altre quattro, le ho farcite con le fragole e ricoperte con marmellata di albicocche calda. Ho passato le verdure in olio d'oliva e aglio finché si sono ammorbidite. Ho sbollentato i fagiolini. Ho messo i filetti di orata in forno. Ho anche bevuto parecchi sorsi del vermut destinato alla salsa, ma non importa.

Sono tutta rossa in viso, il cuore mi batte forte e mi muovo per la cucina in una specie di frenesia... ma mi sento bene. Anzi, mi sento quasi euforica. Sto cucinando un pasto tutto da sola... e ci sto riuscendo! A parte il disastro con i funghi. Ma li ho occultati nel secchio della spazzatura.

Ho preparato la tavola con il servizio migliore che ho trovato e ho messo delle candele nei candelabri d'argento. La bottiglia di prosecco è pronta in frigo e i piatti riscaldati aspettano in forno, e ho persino messo nello stereo il CD di Trish con le canzoni d'amore di Enrique Iglesias. Mi sento come se stessi dando la mia prima cena.

Con una piacevole eccitazione allo stomaco, mi liscio il grembiule, apro la porta della cucina e chiamo: «Signora Geiger? Signor Geiger?».

Ho bisogno di un bel gong.

Riprovo. «Signora Geiger?»

Nessuna risposta. Ero sicura che a quest'ora stessero ciondolando qui in giro. Torno in cucina, prendo un bicchiere e una forchetta e li faccio tintinnare.

Niente. Ma dove sono?

Passo in rassegna le stanze al piano terra, ma sono tutte vuote. Con cautela comincio ad avanzare su per le scale.

Forse sono in un momento da *Gioia del sesso*. Forse dovrei battere in ritirata.

«Ehm... signora Geiger?» chiamo, esitante. «La cena è servita.»

Avanzo ancora di qualche passo e sento delle voci provenire dal fondo del corridoio. «Signora Geiger?»

Improvvisamente una porta si spalanca con violenza.

«A cosa serve il denaro?» La voce di Trish è stridula. «Dimmelo!»

«Non c'è nessun bisogno che te lo dica!» urla Eddie di rimando. «Non ce n'è mai stato bisogno.»

«Se tu capissi qualcosa...»

«Io capisco benissimo! Non dirmi che non capisco!»

D'accordo. Probabilmente non è un momento da *Gioia del sesso*. Comincio ad arretrare in punta di piedi, senza fare rumore... ma è troppo tardi.

«E cosa mi dici del Portogallo?» urla Trish. «Te lo ricordi?» Esce dalla stanza in un vortice di rosa, mi vede e si blocca.

«Ehm... la cena è pronta» mormoro, gli occhi fissi a terra. «Signora.»

«Se mi parli ancora una volta di quel maledetto Portogallo...» Eddie esce a grandi passi dalla stanza.

«Eddie!» Trish lo interrompe con violenza, accennando col capo verso di me. «*Pas devant...*»

«Come?» dice lui, facendo una smorfia.

«*Pas devant les... les...*» Si mette a roteare le mani, come se questo potesse richiamare la parola che le sfugge.

«*Domestiques?*» suggerisco, imbarazzata.

Trish mi lancia un'occhiata feroce, poi drizza la schiena con sussiego. «Io mi ritiro nella mia stanza.»

«È anche la mia, di stanza!» ribatte Eddie, furioso, ma la porta si è già richiusa con violenza.

«Ehm… io ho preparato la cena…» azzardo, ma Eddie si avvia a grandi passi verso le scale, ignorandomi.

Mi sento assalire dallo sgomento. Se non li mangeranno entro breve, i filetti di orata si asciugheranno.

«Signora Geiger?» dico, bussando alla porta. «Temo che la cena possa rovinarsi…»

«E allora?» risponde la sua voce attutita. «Non sono dell'umore adatto per mangiare.»

Resto lì a fissare la porta, incredula. Ho passato la giornata intera a preparare la cena per loro. È tutto pronto. Le candele accese, i piatti in caldo nel forno. Non possono decidere di non mangiare.

«Ma dovete mangiare!» esclamo, ed Eddie si blocca a metà delle scale. La porta della camera si apre, e Trish guarda fuori, stupefatta.

«Cosa?»

Okay. Andiamoci piano.

«Tutti devono mangiare» improvviso. «È una necessità. Perché non discutete delle vostre divergenze a tavola? O magari le mettete da parte? Bevete un bel bicchiere di vino, vi rilassate e convenite di non parlare più del… Portogallo.»

Appena pronuncio la parola, sento riaccendersi l'ostilità.

«Non sono stato io a cominciare» ringhia Eddie. «Io credevo che l'argomento fosse chiuso.»

«Io ne ho parlato soltanto perché ti sei dimostrato assolutamente privo di sensibilità…» Trish si asciuga una lacrima all'angolo dell'occhio. «Come credi che mi senta, a essere la tua… moglie trofeo?»

Trofeo?

Non posso ridere.

«Trish.» Con mio stupore, Eddie sta correndo su per le scale con tutta la velocità che la sua pancetta gli permette. «Non dire mai più così.» La afferra per le spalle e la guarda intensamente negli occhi. «Noi siamo sempre stati una coppia. Lo sai. Fin da Sydenham.»

Prima il Portogallo, adesso Sydenham. Un giorno devo far sedere Trish davanti a una bella bottiglia di vino e farmi raccontare la storia della sua vita.

«Lo so» sussurra lei.

Lo sta guardando negli occhi come se non esistesse nessun altro al mondo, e io provo una fitta improvvisa. Sono davvero innamorati. Vedo l'animosità dissolversi. È come assistere a una reazione chimica dentro una provetta.

«Andiamo a mangiare» dice Eddie alla fine. «Samantha ha ragione. Dovremmo fare una bella cena insieme. Sederci e parlare con calma.»

Mi lancia un'occhiata e io gli sorrido, sollevata. Grazie al cielo. L'orata dovrebbe essere cotta a puntino... devo soltanto mettere la salsa in una brocchetta...

«D'accordo. Andiamo» risponde Trish tirando su col naso. «Samantha, noi andiamo a cena fuori.»

Il sorriso mi si gela sulle labbra. Cosa?

«Non preoccuparti di cucinare per noi» aggiunge Eddie, dandomi una pacca cordiale. «Prenditi la serata libera!»

Cosa?

«Ma... ma io ho già cucinato!» dico. «È tutto pronto!»

«Oh. Be', pazienza.» Trish fa un gesto vago con la mano. «Mangialo tu.»

No, no. Non possono farmi questo.

«Ma è tutto pronto! Pesce al forno e julienne di verdure...»

«Dove andiamo?» domanda Trish, senza ascoltare una sola parola. «Proviamo a vedere se c'è posto alla Mill House?»

Scompare in camera da letto, seguita da Eddie, e io resto lì sul pianerottolo, sbalordita, a guardare la porta che si chiude.

La mia cena è rovinata.

Dopo che si sono allontanati rombando a bordo della Porsche di Eddie, vado in sala da pranzo e lentamente inizio a sparecchiare. Metto via i bicchieri di cristallo, ripiego i tovaglioli e spengo le candele. Poi torno in cucina e resto a guardare per un momento tutti i miei piatti, pronti per essere portati in tavola, la salsa che sta ancora bollendo piano sui fornelli, le guarnizioni fatte con la buccia di limone. Ero così orgogliosa.

E comunque, non c'è niente che io possa fare.

I miei filetti d'orata hanno un'aria triste, ma ne metto uno su un piatto e mi verso un bicchiere di vino. Mi siedo, ne taglio un pezzetto e me lo porto alla bocca. Ma poi appoggio le posate senza neppure assaggiarlo. Non ho fame.

Una giornata intera sprecata. E domani dovrò rifare tutto da capo. Il pensiero mi fa venir voglia di nascondere la testa fra le mani e non alzarla mai più.

Cosa ci faccio qui?

Davvero, dico sul serio. Cosa ci faccio? Perché non me ne vado, adesso, e salgo sul primo treno per Londra?

Mentre me ne sto lì, sconsolata, mi rendo conto che qualcuno sta bussando alla porta. Alzo lo sguardo e vedo Nathaniel appoggiato allo stipite, con lo zaino in mano. Provo una fitta di imbarazzo al pensiero dell'incontro di stamattina. Senza volere giro leggermente la sedia e incrocio le braccia sul petto.

«Ciao» dico, con un'impercettibile scrollata di spalle, che vorrebbe dire: "Se pensi che io sia interessata a te, ti sbagli di grosso".

«Ho pensato di venire a vedere se avevi bisogno di aiuto.» Il suo sguardo si sposta per la cucina, soffermandosi sui piatti di cibo intatti. «Cos'è successo?»

«Non hanno mangiato. Sono andati a cena fuori.»

Nathaniel mi guarda per un istante, poi chiude gli occhi e scuote la testa. «Dopo che hai passato tutto il giorno a cucinare per loro?»

«È il loro cibo. La loro casa. Possono fare quello che vogliono.»

Mi sforzo di apparire fredda e indifferente, ma dentro sento ancora il peso della delusione. Nathaniel posa lo zaino, va verso i fornelli e osserva i filetti di orata. «Sembrano invitanti.»

«Sembra pesce troppo cotto e freddo» lo correggo.

«Il mio preferito» dice con un sorriso, ma io non sono dell'umore adatto per sorridere.

«Prendine un po', allora.» E indico il piatto. «Tanto non lo mangia nessuno.»

«Allora è un peccato sprecarlo.» Se lo serve tutto, riempiendosi il piatto, poi si versa un bicchiere di vino e si siede di fronte a me.

Per un attimo restiamo entrambi in silenzio. Io non lo guardo neppure.

«Alla tua» dice, alzando il bicchiere. «Congratulazioni.»

«Già.»

«Davvero, Samantha.» Attende con pazienza che io sollevi lo sguardo da terra. «Che loro abbiano mangiato o meno, questo è un grosso risultato. Una vera conquista.» La sua bocca si storce in una smorfia divertita. «Ricordi l'ultima cena che hai preparato in questa cucina?»

Mi concedo un sorriso stentato. «L'agnello sacrificale, intendi.»

«I ceci. Quelli non me li dimenticherò mai.» Prende una forchettata di pesce, scuotendo la testa incredulo. «A proposito, è buono.»

Mi tornano in mente quei pallini neri e duri, io che correvo nel caos più totale, la meringa che colava a terra... e nonostante tutto mi viene voglia di ridere. Da allora ho imparato tante cose.

«Be', ovviamente me la sarei cavata benissimo quella sera» dico con disinvoltura «se tu non avessi insistito per aiutarmi. Avevo tutto sotto controllo finché non sei arrivato tu.»

Nathaniel posa la forchetta, continuando a masticare. Per qualche istante si limita a fissarmi, gli occhi azzurri increspati per qualcosa che potrebbe anche essere divertimento. Abbasso lo sguardo e vedo le mie mani appoggiate sul tavolo, col palmo all'insù.

E mi sto sporgendo in avanti, noto all'improvviso con orrore. Probabilmente ho anche le pupille dilatate. Non potrei essere più esplicita neppure se avessi scritto sulla fronte col pennarello: "Mi piaci".

Abbasso subito le mani in grembo, mi siedo dritta e assumo un'espressione gelida. Non ho ancora superato la vergogna di questa mattina. Anzi, potrei approfittare dell'occasione per dire qualcosa.

«Allora...» attacco, proprio mentre Nathaniel sta per parlare.

«Di' pure.» Fa un gesto verso di me e prende un'altra forchettata di pesce. «Prima tu.»

«Be'...» Mi schiarisco la gola. «Dopo la nostra... conversazione di questa mattina, volevo dirti che hai ragione a proposito delle relazioni. Ovviamente non sono ancora pronta per qualcosa di nuovo. Né tantomeno interessata.»

Ecco fatto. Gliel'ho detto. Non so quanto sia stata convincente, ma se non altro ho recuperato un minimo di dignità.

«Cosa stavi per dire?» domando, versandogli dell'altro vino.

«Volevo chiederti di uscire con me» risponde Nathaniel e io per poco non allago il tavolo.

Lui cosa?

Possibile che quella faccenda delle mani abbia funzionato?

«Ma non ti preoccupare» aggiunge, bevendo un sorso di vino. «Capisco.»

Marcia indietro. Devo fare una veloce marcia indietro. Ma pian piano, in modo che lui non si accorga che sto facendo marcia indietro...

Al diavolo la coerenza! Sono una donna, mi è concesso.

«Nathaniel» dico, sforzandomi di restare calma. «Io sarei felicissima di uscire con te.»

«Bene» fa lui, senza scomporsi. «Cosa ne pensi di venerdì sera?»

«Perfetto.»

Mentre ricambio il suo sorriso, mi rendo conto di avere fame. Avvicino il piatto col filetto di orata, prendo coltello e forchetta e comincio a mangiare.

## 14

Arrivo a venerdì mattina senza combinare grossi guai, o meglio, senza guai di cui i Geiger vengano a conoscenza.

C'è stato il disastro del risotto alle verdure, martedì, ma grazie al cielo sono riuscita a farmene mandare uno all'ultimo minuto dalla ditta di catering. C'è stata la camicetta color pesca che, col senno di poi, avrei dovuto stirare a temperatura più bassa. E il vaso di cristallo che ho rotto mentre cercavo di spolverarlo con l'aspirapolvere. Ma nessuno sembra essersi accorto della sua scomparsa, e quello nuovo dovrebbe arrivare domani.

Finora, questa settimana mi è costata soltanto duecento sterline, un enorme miglioramento rispetto alla precedente. Entro breve potrei anche cominciare a guadagnare qualcosa.

Sto appendendo le mutande bagnate di Eddie nel locale lavanderia, cercando di non guardarle, quando sento la voce di Trish che mi chiama.

«Samantha! Dove sei?» Non sembra contenta, e io provo un immediato timore. Cos'avrà scoperto? «Non voglio più che tu vada in giro conciata in questo modo.» Trish compare sulla soglia della lavanderia scuotendo la testa con decisione.

«Prego?» faccio io, scrutandola.

«I tuoi capelli» dice, con aria disgustata.

«Ah, già.» Sfioro la ciocca sbiadita con una smorfia. «Avevo intenzione di farmeli sistemare nel fine settimana.»

«Te li farai fare adesso» ordina, interrompendomi. «La mia superparrucchiera è qui.»

«Adesso? Ma… io devo passare l'aspirapolvere.»

«Non permetterò che tu te ne vada in giro in questo stato. Recupererai più tardi. E ti tratterrò i soldi dallo stipendio. Su, vieni. Annabel sta aspettando!»

Suppongo di non avere altra scelta. Mollo le mutande di Eddie sullo stendibiancheria e la seguo su per le scale.

«Ah, a proposito, volevo parlarti del mio cardigan di cachemire» aggiunge Trish con aria seria quando arriviamo in cima. «Sai, quello color crema?»

Merda. Merda. Ha scoperto che l'ho sostituito. Naturale. Avrei dovuto immaginarlo che non poteva essere così stupida da...

«Non so proprio cosa tu gli abbia fatto» prosegue lei, soffiando una nuvola di fumo e aprendo la porta della sua camera «ma è diventato fantastico. Quella macchietta di inchiostro è completamente scomparsa! È come nuovo!»

«Bene.» Mi concedo un sorriso di sollievo. «Be'... fa parte del servizio.»

Seguo Trish in camera da letto. Una donna magra con una gran massa di capelli biondi, jeans bianchi e una cintura di metallo dorato sta sistemando una sedia in mezzo alla stanza.

«Ciao!» Appena alza lo sguardo, sigaretta fra le dita, mi rendo conto che avrà almeno sessant'anni. «Samantha! So tutto di te!»

Ha la voce roca, la bocca segnata da rughe fitte per le tante sigarette, e pare che il trucco le sia stato saldato sulla pelle. Praticamente è Trish con quindici anni di più. Viene verso di me, mi ispeziona i capelli e fa una smorfia.

«E questa cos'è? Volevi farti le mèche?» Quindi si abbandona a una risata rauca.

«È stato un incidente... con la candeggina.»

«Un incidente!» Mi passa le dita fra i capelli, facendo schioccare la lingua. «Be', di questo colore non possono restare. Sarà meglio fare un bel biondo. A te non dispiace diventare bionda, vero, cara?»

Bionda?

«Io non sono mai stata bionda» ribatto, allarmata. «Non sono per niente sicura che...»

«Hai i colori giusti.» Mi sta già spazzolando i capelli.

«Be', purché non sia troppo biondo» aggiungo, in fretta. «Sa, non quel biondo platino, finto, da battona...»

Mi blocco rendendomi conto che tutt'e due hanno i capelli proprio di quel biondo platino, finto, da battona.

«O... ehm...» deglutisco, senza alzare lo sguardo. «Faccia come meglio crede.»

Mi siedo, mi metto un asciugamano sulle spalle e mi costringo a restare immobile mentre Annabel mi applica sulla testa un impasto che puzza di acido e mi fascia le ciocche in mille strisce di carta argentata.

Bionda. Capelli gialli. Da Barbie.

Oh, Dio. Cosa sto facendo?

«Credo che sia un errore» dico, all'improvviso, e faccio per alzarmi. «Io non credo di avere i colori di una bionda naturale...»

«Rilassati!» Annabel mi afferra per le spalle e mi costringe a rimettermi seduta, poi mi piazza in mano una rivista. Alle sue spalle, Trish sta aprendo una bottiglia di champagne. «Sei carina. Una ragazza come te non dovrebbe trascurare i capelli. Ora leggici i nostri segni.»

«Segni?» ripeto, sconcertata.

«L'oroscopo!» dice Annabel, spazientita. E poi aggiunge, con voce più bassa, rivolta a Trish: «Non è un genio, eh?».

«È un po' lenta» mormora lei di rimando, discreta. «Ma è bravissima a fare il bucato.»

Dunque è questo che significa fare la signora. Starsene seduta con la stagnola nei capelli, bevendo mimosa e sfogliando riviste patinate. Non ricordo di aver letto un giornale che non fosse il "Lawyer" da quando avevo tredici anni. Di solito quando sono dal parrucchiere ne approfitto per mandare e-mail o per esaminare contratti.

Io non riesco a rilassarmi e a godermela. Mentre do una scorsa a *Dieci modi per capire se il vostro bikini è troppo piccolo* comincio a sentirmi sempre più nervosa. Quando arrivo a *Storie d'amore di vita vissuta* e Annabel mi asciuga i capelli, sono rigida per la paura.

Io non posso essere bionda. Non sono il tipo.

«Ecco fatto!» Annabel dà un ultimo colpo di phon e poi lo spegne. C'è silenzio. Non riesco ad aprire gli occhi.

«Molto meglio!» dichiara Trish con tono di approvazione.

Apro lentamente un occhio. Poi l'altro.

I miei capelli non sono biondi.

Sono color caramello. Un bel caramello caldo con mèche color miele e qualche filo dorato qua e là. Quando muovo la testa luccicano.

Deglutisco più volte, cercando di controllarmi. Credo che potrei piangere.

«Non ti fidavi, eh?» Nello specchio vedo Annabel inarcare le sopracciglia con un sorriso soddisfatto sulle labbra. «Pensavi che non sapessi cosa stavo facendo.»

È evidente che l'ha capito. Mi sento terribilmente in imbarazzo.

«È magnifico» dico, quando riesco a ritrovare la parola. «Io… grazie. Grazie davvero.»

Sono rapita dalla mia immagine nello specchio. Non riesco a distogliere gli occhi da questa nuova me stessa, scintillante, color caramello, color miele. Sembro più viva. Più vivace.

Non tornerò più al mio look di prima. Mai più.

La mia soddisfazione non svanisce. Neppure quando scendo di nuovo al piano di sotto e mi metto a passare l'aspirapolvere in salotto. Sono completamente presa dai miei nuovi capelli. Ogni volta che mi avvicino a una superficie lucida mi fermo a specchiarmi, e li scuoto in modo che ricadano in una cascata color caramello.

Una passata sotto il tappeto. Scuoto i capelli. Una passata sotto il tavolino. Scuoto i capelli.

Non mi è mai venuto in mente di tingermi. Cos'altro mi sono persa?

«Ah, Samantha.» Alzo gli occhi e vedo Eddie che entra nella stanza, in giacca e cravatta. «Sto facendo una riunione in sala da pranzo. Vorrei che preparassi del caffè e ce lo portassi.»

«Subito, signore.» Faccio un inchino. «In quanti siete?»

«Quattro. E porta anche qualche biscotto. Qualcosa da mangiare. Quello che vuoi.»

«Certo.»

È rosso in viso, su di giri. Chissà di che riunione si tratta. Mentre vado in cucina lancio un'occhiata fuori dalla finestra e vedo una Mercedes classe s sconosciuta parcheggiata nel vialetto, accanto a una BMW decappottabile.

Mmh. Dunque non si tratta del parroco.

Preparo la caffettiera, la metto su un vassoio, aggiungo un piatto di biscotti e dei muffin che avevo comperato per il tè. Poi mi dirigo verso la sala da pranzo e busso.

«Avanti!»

Apro la porta e vedo Eddie seduto insieme ad altri tre uomini in giacca e cravatta intorno al tavolo, con dei documenti davanti.

«Il vostro caffè» mormoro, con aria deferente.

«Grazie, Samantha.» Eddie ha le guance incandescenti. «Ti dispiace servircelo?»

Poso il vassoio sul buffet e distribuisco le tazze. Non posso fare a meno di lanciare un'occhiata ai documenti, che immediatamente identifico come contratti.

«Ehm… nero o col latte?» domando al primo uomo.

«Col latte, grazie» risponde, senza neppure alzare la testa. Mentre verso il caffè, do un'altra occhiata a caso. Sembra un contratto per un investimento immobiliare. Eddie sta pensando di investire i suoi soldi?

«Biscotti?» chiedo.

«Sono già abbastanza dolce così.» L'uomo scopre i denti in un sorriso, che io ricambio cortesemente. Che stronzo.

«Allora, Eddie. Hai capito quel punto, adesso?» A parlare è stato un uomo con la cravatta rossa e la voce melliflua, suadente. «È piuttosto chiaro, una volta afferrato il linguaggio.»

Mentre parla ho come un flash. Non che lo conosca personalmente, ma conosco i tipi come lui. Ho lavorato con gente così per sette anni. E l'istinto mi dice che a quest'uomo non importa un fico secco che Eddie capisca o meno.

«Sì!» Eddie fa una risata cordiale. «Sì, sono sicuro che è così.» Scruta il contratto con aria incerta, poi lo posa.

«Noi siamo preoccupati per le garanzie quanto te» dice con un sorriso l'uomo con la cravatta rossa.

«Quando ci sono in ballo dei soldi, chi non lo è?» si intromette il primo tizio, lanciando una frecciata.

Okay. Cosa sta succedendo qui?

Quando passo a servire il caffè al tizio seguente, il contratto è chiaramente visibile e io lo scorro veloce con occhi esperti. È la costituzione di una società di sviluppo edilizio. Entrambe le parti ci mettono dei soldi... edilizia residenziale... fin qui tutto normale...

Poi vedo una cosa che mi fa rabbrividire. È formulata con molta attenzione, in una piccola clausola dall'apparenza innocua proprio in fondo alla pagina. In una sola riga, vincola Eddie a rifondere qualunque ammanco. Senza che la controparte sia obbligata a fare lo stesso, a quanto vedo.

Se le cose vanno male, Eddie deve pagare il conto. Se ne sarà accorto?

Sono sgomenta. La tentazione di prendere il contratto e strapparlo in mille pezzi è fortissima. Se fossimo alla Carter Spink questi tizi non durerebbero due minuti. Non solo ridurrei in briciole il loro contratto, ma raccomanderei al mio cliente di...

«Samantha?» Torno bruscamente alla realtà e vedo che Eddie mi lancia un'occhiata, indicandomi di servire i biscotti.

Non siamo alla Carter Spink. Indosso un'uniforme da governante e devo servire i dolci.

«Un biscotto al cioccolato?» Mi sforzo di assumere un tono gentile mentre offro il piatto al tizio coi capelli scuri. «O un muffin?»

Afferra un biscotto a caso senza neppure rispondermi, e io passo a servire Eddie; intanto rifletto velocemente. Devo metterlo in guardia, in qualche modo.

«Allora, basta discorsi. Diamo inizio all'avventura.» Il tizio con la cravatta rossa sta svitando il cappuccio della stilografica. «Dopo di te» dice, porgendola a Eddie.

Sta per firmare? Adesso?

No. No. Non può firmare questo contratto.

«Fa' pure con calma» aggiunge l'uomo con un sorriso perfetto. «Se desideri rileggerlo...»

Provo una rabbia improvvisa nei confronti di questi tizi con le macchine lussuose, le cravatte rosse e le voci mellifluose. Non rapineranno il mio capo. Io non lo permetterò. Mentre la penna di Eddie sfiora la pagina, mi sporgo in avanti.

«Signor Geiger» dico con tono urgente. «Posso parlarle un minuto, per favore? In privato?»

Eddie alza lo sguardo, seccato.

«Samantha» dice «sto concludendo un affare molto importante. Importante per me, per lo meno!» Si guarda intorno e i tre uomini scoppiano a ridere, servili.

«È urgente. Non ci vorrà molto.»

«Samantha...»

«La prego, signor Geiger. Devo assolutamente parlarle.»

Eddie sospira, esasperato, e posa la penna.

«D'accordo.» Si alza, mi conduce fuori dalla stanza e mi chiede: «Allora, cosa c'è?».

Lo guardo senza parlare. Adesso che l'ho convinto a uscire, non so come affrontare l'argomento. Cosa posso dire?

"Signor Geiger, le suggerisco di controllare la clausola 14."

"Signor Geiger, i suoi investimenti non sono debitamente tutelati."

È impossibile. Non posso dire nulla. Chi accetterebbe consigli legali dalla propria governante?

Ha la mano sulla maniglia della porta. È la mia ultima occasione.

«Lei mette lo zucchero?» domando, senza riflettere.

«Cosa?!» Eddie mi fissa a bocca aperta.

«Non riuscivo a ricordarlo» mormoro. «E non volevo attirare l'attenzione sul suo consumo di zucchero davanti a degli estranei.»

«Sì, una zolletta» risponde Eddie, stizzito. «È tutto?»

«Be'... veramente c'è dell'altro. Mi pare che lei stia per firmare dei documenti.»

«Esatto» risponde cupo. «Documenti riservati.»

«Certo.» Deglutisco. «Mi chiedevo se lei avesse un legale. Mi è venuto in mente... Ricordo che lei mi ha detto di leggere sempre molto attentamente i documenti legali.»

Lo guardo negli occhi, cercando di trasmettergli il messaggio con la forza del pensiero. Consulta un avvocato, coglione!

Eddie fa una risata allegra.

«È molto premuroso da parte tua, Samantha, ma non devi preoccuparti. Non sono uno stupido.» Apre la porta e rientra deciso nella stanza. «Signori, dov'eravamo rimasti?»

Lo osservo, sgomenta, mentre riprende in mano la penna. Non posso fermarlo. Quell'idiota sta per farsi pelare.

Ma forse riuscirò a evitarlo.

«Il suo caffè, signor Geiger...» mormoro, precipitandomi

nella stanza. Prendo la caffettiera, comincio a versare, e poi accidentalmente-di-proposito la lascio cadere sul tavolo.

«Ah!»

«Gesù!»

È il caos più totale mentre il caffè si spande come un lago marrone scuro sul tavolo, inzuppando i documenti e colando per terra.

«I contratti!» urla l'uomo con la cravatta rossa, arrabbiato. «Stupida!»

«Mi dispiace moltissimo» dico, tutta agitata. «Oh, quanto mi dispiace. La caffettiera… mi è scivolata di mano.» Comincio ad asciugare il caffè con un fazzolettino, accertandomi di spargerlo per bene sui restanti documenti.

«Abbiamo delle copie?» chiede uno degli uomini e io mi gelo.

«Erano tutte su questo maledetto tavolo» risponde l'uomo coi capelli scuri, esasperato. «Dovremo ristamparle.»

«Se dovete davvero stampare delle altre copie, vorrei che ne faceste una in più, se non vi dispiace.» Eddie si schiarisce la voce. «Credo che la passerò al mio avvocato perché ci dia un'occhiata. Non si sa mai.»

Gli uomini si scambiano un'occhiata. La loro costernazione è evidente.

«Ma certo» dice l'uomo con la cravatta rossa dopo una lunghissima pausa. «Non c'è problema.»

Ah. Qualcosa mi dice che dopotutto questo accordo potrebbe anche non farsi.

«La sua giacca, signore» dico con un sorriso, porgendogliela. «E la prego ancora di scusarmi. Sono davvero desolata.»

Il bello della pratica legale è che ti insegna a mentire.

Ti insegna anche a sopportare le urla del tuo capo. Cosa che si rivela di grande utilità perché, appena Trish sente quello che ho combinato, sono costretta a restarmene in piedi in cucina per venti minuti mentre lei mi dà una lavata di capo, camminando su e giù.

«Il signor Geiger sta cercando di concludere un affare molto importante!» Tira boccate furiose dalla sigaretta, e i capelli tinti di fresco rimbalzano sulle spalle. «Quell'incontro era importantissimo!»

«Sono terribilmente dispiaciuta, signora» dico, con gli occhi bassi.

«So che tu non capisci niente di queste cose, Samantha.» Il suo sguardo si posa su di me. «Ma sono in gioco un sacco di soldi! Talmente tanti che tu non riesci neppure a immaginarli.»

Resta calma. Sii rispettosa.

«Un sacco di soldi» ripete Trish, con aria solenne.

Muore dalla voglia di dirmi di più. Sul suo viso appare evidente la lotta fra il desiderio di ostentazione e la cautela.

«Parliamo di somme a sette cifre» precisa, alla fine.

«Gesù!» Faccio del mio meglio per sembrare debitamente intimorita.

«Noi siamo stati molto buoni con te, Samantha. Ce l'abbiamo messa tutta.» La sua voce freme di risentimento. «E ci aspettiamo che tu, in cambio, faccia altrettanto.»

«Sono terribilmente dispiaciuta» ripeto per la centesima volta.

Trish mi lancia un'occhiata indispettita. «Be', spero che questa sera tu sia molto più attenta.»

«Stasera?» ripeto, perplessa.

«A cena.» Trish inarca le sopracciglia in maniera esagerata.

«Ma io ho la serata libera!» esclamo, allarmata. «Aveva detto che andava bene, che potevo lasciarvi una cena fredda...»

Evidentemente Trish si è completamente dimenticata della nostra conversazione.

«Be'» dice, con tono lamentoso «questo prima che tu rovesciassi il caffè addosso ai nostri ospiti. E prima che tu passassi tutta la mattina seduta in poltrona a farti fare i capelli.»

Cosa? È talmente ingiusto che non riesco neppure a trovare una risposta adatta.

«Francamente, Samantha, da te mi aspettavo di meglio. Stasera resterai a casa e ci servirai la cena.» Mi lancia un'occhiata dura, prende una rivista ed esce a passo di marcia dalla cucina.

Resto a guardarla, assalita da una rassegnazione profonda e familiare. È successo tante volte. Ci sono abituata. Dovrò annullare il mio appuntamento con Nathaniel. Un altro appuntamento... un'altra rinuncia...

Ma le mie riflessioni si interrompono di colpo. Non sono più alla Carter Spink. Non è detto che io debba sopportare tutto questo.

Esco decisa dalla cucina e trovo Trish in soggiorno.

«Signora Geiger» dico, con tutta la fermezza possibile. «Mi dispiace molto per il caffè, mi sforzerò di stare più attenta. Ma questa sera non posso restare. Ho preso degli impegni... e ho intenzione di mantenerli. Uscirò alle sette come previsto.»

Dette queste parole, sento il cuore in tumulto. Non mi sono mai imposta in questo modo in vita mia. Se avessi parlato così alla Carter Spink sarei stata una donna morta.

Per un istante Trish sembra furiosa. Poi, con mio grande stupore, fa schioccare la lingua con aria seccata e volta una pagina.

«D'accordo. Se è così importante...»

«Sì» ammetto, deglutendo. «È importante. La mia vita personale è importante.»

Appena finisco di parlare, sento crescere ancora di più l'agitazione. Vorrei dirle quasi dell'altro. A proposito delle priorità, dell'equilibrio...

Ma Trish è tornata a immergersi in un articolo intitolato: *La dieta del vino rosso: come può funzionare anche per te*. Non credo che gradirebbe essere disturbata.

# 15

Per le sette di sera l'umore di Trish è inspiegabilmente mutato. O forse non è così inspiegabile. Arrivo nell'atrio e la vedo uscire dal soggiorno con un bicchiere da cocktail in mano, gli occhi iniettati di sangue e le guance colorite.

«E così stasera esci con Nathaniel» dice, amabile.

«Esatto.» Mi guardo di sfuggita nello specchio. Ho optato per un abbigliamento piuttosto informale. Jeans, un top semplice, sandali. E una testa nuova e lucente.

«È un giovane molto attraente» osserva, scrutandomi con aria curiosa da sopra gli occhiali. «Molto muscoloso.»

«Già. Suppongo di sì.»

«Esci così?» domanda, scorrendo lo sguardo sui miei vestiti. «Non sei molto appariscente, non ti pare? Ti presto io qualcosa.»

«Non voglio essere appariscente» ribatto, d'un tratto assalita dai dubbi, ma Trish è già scomparsa su per le scale. Riappare dopo qualche istante, portando un cofanetto.

«Ecco qua. Hai bisogno di un tocco di luce» dice, tirando fuori un fermaglio a forma di cavalluccio marino tempestato di strass. «Questo l'ho preso a Montecarlo!»

«Ehm... delizioso!» dico, osservandolo inorridita. Prima che io possa fermarla, mi sposta i capelli di lato e ce lo piazza sopra. Poi mi guarda con aria critica. «No... credo che tu abbia bisogno di qualcosa di più grosso. Ecco.» Estrae dal cofanetto uno scarabeo ornato di pietre preziose e me lo fissa sui capelli. «Oh, adesso sì che ci siamo! Vedi come gli smeraldi ti fanno risaltare gli occhi?»

Mi osservo nello specchio incapace di proferire parola. Non posso uscire con uno scarabeo luccicante sulla testa.

«E questa è molto trendy!» prosegue, sistemandomi una catena dorata intorno alla vita. «Aspetta che appendo dei ciondoli...»

Ciondoli?

«Signora Geiger...» azzardo, agitata, mentre Eddie esce dallo studio.

«Ho appena ricevuto il preventivo per il bagno» dice a Trish.

«Non è meraviglioso questo elefante?» chiede lei, agganciandolo alla cintura dorata. «E la rana!»

«La prego» dico, disperata. «Non sono sicura di aver bisogno di elefanti...»

«Settemila» prosegue Eddie, interrompendomi. «Mi sembra piuttosto ragionevole. Più IVA.»

«Be', quanto fa con l'IVA?» domanda Trish, frugando nel cofanetto. «Dov'è finita la scimmia?»

Mi sento come un albero di Natale. Continua ad appendere ciondoli scintillanti alla cintura, per non parlare dello scarabeo. E Nathaniel arriverà da un momento all'altro... e mi vedrà...

«Non lo so!» ribatte Eddie spazientito. «Quant'è il diciassette virgola cinque per cento di settemila?»

«Milleduecentoventicinque» rispondo, senza riflettere.

Segue un silenzio pieno di stupore.

Merda. È stato un errore.

Alzo gli occhi e vedo che Trish ed Eddie mi osservano a bocca aperta.

«O... giù di lì» aggiungo, con una risata, per alleggerire l'atmosfera. «Ho tirato a indovinare. Allora... ci sono degli altri ciondoli?»

Nessuno dei due mi presta la minima attenzione. Eddie tiene gli occhi fissi sul foglio di carta che ha in mano. Poi alza lentamente lo sguardo, muovendo la bocca senza emettere alcun suono.

«È giusto» dice alla fine, con voce strozzata. «È giusto, accidenti! È la risposta giusta.» Dà qualche colpo col dito sul foglio. «È scritto qui!»

«Ha ragione?» Trish fa un respiro profondo. «Ma come...»

«L'hai visto anche tu» dice Eddie, con un tono incredulo. «Ha fatto il calcolo a mente!»

Si voltano entrambi di scatto verso di me.

«Che sia autistica?» Trish sembra fuori di sé.

Oh, insomma! Se volete sapere come la penso, *Rain Man* ha delle belle responsabilità.

«Io non sono autistica!» ribatto. «Sono solo... sono solo brava coi numeri. Non è poi chissà che cosa...»

Con mio grande sollievo suona il campanello e vado ad aprire. Nathaniel è fermo sulla soglia, un po' più elegante del solito, in jeans beige e camicia verde.

«Ciao» dico, immediatamente. «Andiamo.»

«Aspetta!» Eddie mi blocca il passo. «Signorina, tu potresti essere molto più intelligente di quanto pensi.»

Oh, no.

«Cosa sta succedendo?» domanda Nathaniel.

«È un genio della matematica!» risponde Trish, tutta eccitata. «E noi l'abbiamo scoperto! Non è straordinario?»

Lancio un'occhiata disperata a Nathaniel, della serie "sta dicendo delle sciocchezze".

«Che scuole hai fatto, Samantha?» domanda Eddie. «A parte quella di cucina.»

Oh, Dio. Cos'ho detto durante il colloquio? Non riesco a ricordarlo.

«Ah... io... ho studiato varie cose.» Allargo le braccia in un gesto vago. «Sa...»

«Le scuole d'oggi!» Trish tira un'avida boccata dalla sigaretta. «Tony Blair bisognerebbe ammazzarlo.»

«Samantha» dice Eddie, con tono solenne «io mi farò carico della tua istruzione. E se sei disposta a lavorare sodo, e sottolineo sodo, sono certo che riuscirai a prendere un titolo di studio.»

No. Di male in peggio.

«Io non desidero alcun titolo di studio, signore» mormoro, con gli occhi bassi. «Sono contenta di ciò che sono. Ma la ringrazio comunque.»

«Non ammetto rifiuti» insiste Eddie.

«Punta in alto, Samantha!» dice Trish con improvvisa passione, afferrandomi per un braccio. «Concediti una possibilità nella vita! Cerca di arrivare alle stelle!»

Guardando i loro volti, non posso fare a meno di sentirmi commossa. Vogliono solo il meglio per me.

«Ehm… be'… vedremo.» Senza dare troppo nell'occhio, mi spoglio di tutti gli animali gioiello e li infilo nel cofanetto. Quindi guardo Nathaniel, che sta attendendo con pazienza sulla soglia. «Andiamo?»

«Allora, cos'è tutta questa agitazione?» domanda Nathaniel appena arriviamo sulla strada del paese. L'aria è dolce e tiepida e i miei capelli ondeggiano leggermente. A ogni passo vedo le unghie dei miei piedi, pitturate con lo smalto rosa di Trish. «Sei un genio della matematica?»

«No. Certo che no!» esclamo, e non posso fare a meno di ridere.

«Che scuole hai fatto, allora?»

«Oh… sono sicura che la mia storia non ti interesserebbe» rispondo, liquidando l'argomento con un sorriso. «È terribilmente noiosa.»

«Non ti credo.» Il tono non è grave, ma determinato. «Avevi un lavoro prima di venire qua?»

Faccio qualche passo senza rispondere, gli occhi fissi a terra, cercando di trovare qualcosa da dire. Sento lo sguardo di Nathaniel su di me, e volto la testa per sottrarmi al suo esame.

«Non vuoi parlarne» dice lui, alla fine.

«È… difficile.»

Nathaniel sospira. «È stato così brutto?»

Oh, Dio, è ancora convinto che io sia una donna maltrattata.

«No! Non è come pensi.» Mi passo le mani fra i capelli. «È solo… è una storia lunga.»

Nathaniel si stringe nelle spalle. «Abbiamo tutta la sera.»

Quando incrocio il suo sguardo avverto come uno strattone improvviso, come se avessi ingoiato un amo. Voglio raccontargli tutto. Voglio confidargli ogni cosa. Chi sono, cos'è successo, quanto è stata dura. Di tutti, è l'unico di cui mi posso fidare. Lui non lo dirà a nessuno. Lui capirà. E manterrà il segreto.

«Allora.» Si ferma in mezzo alla strada, i pollici agganciati alle tasche. «Hai intenzione di dirmi chi sei?»

«Può darsi» rispondo, alla fine, e mi scopro a sorridere. Nathaniel ricambia il mio sorriso con occhi divertiti.

«Ma non adesso.» Mi guardo intorno, osservando il paesaggio dorato. «È una serata troppo bella per rovinarla con una storia triste e dolorosa. Te la racconterò più avanti.»

Proseguiamo, passando davanti a un vecchio muretto di pietra coperto da un manto di rose rampicanti. Mentre ne odoro il profumo delizioso, avverto un'improvvisa leggerezza, un'euforia, quasi. Sulla strada si riflette la morbida luce della sera e io sento sulle spalle il tepore degli ultimi raggi di sole.

«A proposito, che bei capelli» dice.

«Oh, grazie» rispondo con un sorriso disinvolto. «Non sono poi granché.» Li scuoto.

Passiamo il ponte e io mi fermo a guardare il fiume. Le gallinelle d'acqua si tuffano alla ricerca di alghe e la luce del sole forma macchie ambrate sull'acqua. Un paio di turisti si fotografano a vicenda, e io avverto una calda sensazione d'orgoglio. Mi viene voglia di avvertirli che io non sono in visita in questo splendido posto, io ci vivo.

«Allora, dove andiamo?» dico, quando riprendiamo il cammino.

«Al pub. Ti va bene?»

«Perfetto.»

Mentre ci avviciniamo al Bell, vedo una piccola folla di persone fuori dal locale, alcune in piedi vicino alla porta, altre sedute ai tavolini di legno.

«Cosa stanno facendo?» domando, incuriosita.

«Stanno aspettando» risponde. «Il padrone è in ritardo.»

«Oh.» Mi guardo intorno, ma tutti i tavoli sono già occupati. «Be', pazienza. Possiamo sederci qui.»

Mi sistemo su un vecchio barile, ma Nathaniel si sta già dirigendo verso la porta del pub.

E... è strano: tutti si fanno da parte per farlo passare. Lo guardo stupita mentre si fruga in tasca e tira fuori un grosso mazzo di chiavi, poi si guarda intorno per cercarmi.

«Vieni» dice, con un sorriso, facendomi cenno di avvicinarmi. «È orario d'apertura.»

Nathaniel è proprietario di un pub?

«Sei proprietario di un pub?» domando, dopo la confusione iniziale.

Rimango un quarto d'ora a guardarlo, meravigliata, mentre serve pinte di birra, scherza coi clienti, dà istruzioni al personale del bar e si accerta che tutti siano serviti. Adesso la ressa si è calmata, e lui è venuto da me, che me ne sto seduta su uno sgabello al bar con un bicchiere di vino in mano.

«Di tre pub» mi corregge. «E non sono l'unico proprietario. È un'attività familiare. Il Bell, lo Swan a Bingley e il Two Foxes.»

«Ehi! C'è un sacco di gente!» Mi guardo intorno. Non c'è più un posto libero, e i clienti si sono riversati fuori nel piccolo giardino e nello spiazzo antistante. Il vociare è insopportabile. «Come fai a fare questo lavoro e anche il giardiniere?»

«Okay, confesso» dice lui, alzando le mani. «Non vengo spesso a servire. Abbiamo un ottimo personale. Ma stasera ho pensato che sarebbe potuto essere divertente.»

«Quindi in realtà tu non sei un giardiniere!»

«Io sono un giardiniere.» Abbassa lo sguardo un attimo, e raddrizza una tovaglietta sul bancone. «Questi sono... affari.»

La sua voce ha cambiato tono, come se avessi toccato un argomento delicato. Distolgo lo sguardo e mi cade l'occhio sulla foto di un uomo di mezza età appesa al muro. Ha la stessa mascella forte e gli occhi azzurri di Nathaniel, e l'identico modo di increspare gli occhi quando sorride.

«È tuo padre, quello?» dico, discreta. «È bellissimo.»

«Era l'anima di questo posto.» Gli occhi di Nathaniel si inteneriscono. «Qui gli volevano tutti bene.» Beve una lunga sorsata di birra, poi posa il bicchiere. «Senti, non dobbiamo per forza restare qui. Se preferisci andare in qualche altro posto più elegante...»

Mi guardo intorno nel locale affollato. Sopra il rumore di voci e risate stanno suonando della musica. Un gruppo di clienti abituali si saluta vicino al bancone scambiandosi insulti allegri. Una coppia di anziani turisti americani con magliette di Stratford si fa consigliare sulle birre del posto da un barman con i capelli rossi e gli occhi luccicanti. All'altro lato della sala è appena iniziata una partita a freccette. Non ricordo l'ultima volta che sono stata in un posto con un'atmosfera così amichevole e rilassata.

«Restiamo. Ti aiuterò!» Scendo dallo sgabello e mi sposto dietro il bancone.

«Hai mai spillato birra prima d'ora?» Nathaniel mi segue, con aria divertita.

«No, mai» rispondo, prendendo un bicchiere e mettendolo sotto una delle spine. «Ma posso imparare.»

«Okay.» Gira anche lui intorno al bancone. «Inclina il bicchiere così... e ora tira.»

Tiro la leva e schizza fuori un'esplosione di schiuma. «Oh, no!»

«Piano...» Si mette dietro di me e mi circonda con le braccia, guidando le mie mani. «Così va meglio...»

Mmh, che bello. Mi sta dicendo qualcosa, ma io non sento una sola parola. Sono in uno stato di meravigliosa, euforica confusione, avvolta nelle sue forti braccia. Fingerò di essere lenta a capire. Forse potremo restare così tutta la sera.

«Sai...» dico, voltando la testa verso di lui, ma poi mi blocco quando metto a fuoco un annuncio su un vecchio pezzo di legno appeso al muro. Dice: PER FAVORE NIENTE STIVALI SPORCHI DI FANGO NÉ ABITI DA LAVORO. Sotto è stato attaccato un altro annuncio, scritto a pennarello su un foglio di carta ingiallita. Dice: NIENTE AVVOCATI.

Lo guardo, confusa. Niente avvocati?

Ho letto giusto?

«Ecco qui.» Nathaniel tiene alzato il bicchiere pieno di un liquido ambrato.

«Ehm... fantastico!» E poi, dopo aver lasciato passare qualche istante, per sembrare più naturale, indico il cartello. «Quello cos'è?»

«Io non servo gli avvocati» risponde, senza battere ciglio.

«Nathaniel! Vieni qui!» grida qualcuno dall'altra parte del bar, e lui si lascia sfuggire un'esclamazione seccata.

«Ci metto un momento.» Mi sfiora la mano e si allontana. Bevo subito un sorso di vino. Non serve gli avvocati. Perché?

Okay... calmati, mi dico con fermezza. È solo uno scherzo. È evidente che è uno scherzo. Tutti odiano gli avvocati, come tutti odiano gli agenti immobiliari e gli esattori delle tasse. È un luogo comune.

Ma non espongono un cartello nel pub, giusto?

Mentre me ne sto lì seduta, il barman coi capelli rossi si avvicina per prendere del ghiaccio.

«Salve» dice, porgendomi la mano. «Io sono Eamonn.»

«Samantha.» Gli stringo la mano con un sorriso. «Sono qui con Nathaniel.»

«Me l'ha detto.» I suoi occhi scintillano. «Benvenuta a Lower Ebury.»

Mentre lo guardo servire, mi viene in mente che lui potrebbe sapere qualcosa a proposito del cartello.

«Ma…» dico, quando torna ad avvicinarsi «quel cartello sugli avvocati è uno scherzo, vero?»

«Veramente no» risponde Eamonn allegro. «Nathaniel non sopporta gli avvocati.»

«Ah!» In qualche modo riesco a continuare a sorridere. «Ehm… e come mai?»

«Da quando è morto suo padre.» Eamonn solleva una cassa di succhi d'arancia sul bancone e io mi sposto per vederlo meglio.

«Perché? Cos'è successo?»

«C'è stata una causa fra lui e il comune.» Eamonn si ferma un istante. «Nathaniel sostiene che non avrebbe mai dovuto iniziare, ma Ben si è lasciato convincere dagli avvocati. Non stava già bene, e la vicenda l'ha stressato ancora di più: non riusciva a pensare ad altro. E poi ha avuto un attacco di cuore.»

«Dio, è orribile!» esclamo inorridita. «E Nathaniel ha dato la colpa agli avvocati?»

«Secondo lui la causa non doveva essere intentata.» Eamonn riprende a sollevare le casse. «La cosa peggiore è stata che, dopo la morte di Ben, hanno dovuto vendere un pub per pagare le spese legali.»

Sono scioccata. Lancio uno sguardo a Nathaniel che, all'altro lato del bancone, sta ascoltando un tizio con aria preoccupata.

«L'ultimo avvocato che è entrato in questo pub…» Eamonn si sporge con aria cospiratrice sul bancone «Nathaniel l'ha preso a pugni.»

«L'ha preso a pugni?» La voce mi esce come uno squittio.

«Era il giorno del funerale di suo padre.» Eamonn abbassa la voce. «Uno degli avvocati della parte avversa è entrato qui e Nathaniel gli ha mollato un pugno. Adesso lo prendiamo in giro per questo.»

Si volta per servire una persona e io bevo un altro sorso di vino, col cuore che mi batte forte per l'agitazione.

Non facciamoci prendere dal panico. Non gli piacciono gli avvocati. Questo non significa che non gli piaccia io. Ovvio. Posso comunque essere sincera con lui, posso parlargli del mio passato. Non se la prenderà con me. Ne sono sicura.

Ma se lo facesse?

E se mi mollasse un pugno?

«Scusami.» All'improvviso mi ricompare davanti, con espressione cordiale e amichevole. «Tutto bene?»

«Benissimo!» rispondo, con esagerata vivacità. «Mi sto divertendo un sacco.»

«Ehi, Nathaniel» dice Eamonn, asciugando un bicchiere. Poi mi fa l'occhiolino. «Cosa sono cinquemila avvocati sul fondo dell'oceano?»

«Un inizio!» Le parole mi escono di bocca prima che io possa fermarle. «Dovrebbero... dovrebbero marcire tutti all'inferno.»

C'è un silenzio inaspettato. Vedo che Eamonn e Nathaniel si scambiano un'occhiata eloquente.

Okay. Cambiamo argomento.

«Allora...» Mi volto verso un gruppo in piedi davanti al bancone. «Chi posso servire?»

Alla fine della serata ho spillato circa quaranta pinte. Ho mangiato un piatto di merluzzo e patatine fritte, e metà porzione di pudding al caramello; e ho battuto Nathaniel a freccette, tra le urla di incitamento di tutti quelli che assistevano alla partita.

«Hai detto che non avevi mai giocato!» esclama, incredulo, dopo che io ho colpito il mio secondo otto vincente.

«Infatti è così» confermo, con aria innocua. Non è il caso di rivelare che a scuola ho fatto cinque anni di tiro con l'arco.

Alla fine Nathaniel fa suonare la campana che annuncia l'ultima ordinazione, e un'ora dopo i ritardatari si avviano verso la porta, fermandosi a salutare prima di uscire.

«Ciao.»

«Ciao, Nathaniel.»

Ho osservato quelli che sono usciti dal pub e, a parte i turisti, tutti hanno rivolto a Nathaniel un cenno di saluto. Deve conoscere ogni abitante del paese.

«Facciamo noi» dice Eamonn deciso, quando Nathaniel comincia a radunare i bicchieri, cinque alla volta. «Dammeli. Tu goditi il resto della serata.»

«Be'... d'accordo.» Nathaniel gli dà una pacca sulla schiena. «Grazie, Eamonn.» Poi mi guarda. «Pronta?»

Scendo dallo sgabello quasi con riluttanza. «È stata una serata fantastica» dico a Eamonn. «È stato un vero piacere conoscerti.»

«Anche per me» risponde lui con un gran sorriso. «Mandaci la fattura.»

Gli sorrido, ancora esaltata dall'atmosfera, dalla mia vittoria a freccette, dalla soddisfazione di aver passato una serata facendo qualcosa. Non ho mai passato momenti come questi in vita mia.

A Londra nessuno mi ha mai portato in un pub, per un appuntamento, e meno che mai dall'altra parte del bancone. La prima sera che sono uscita con Jacob mi ha portata a vedere *Les Sylphides* al Covent Garden, si è allontanato dopo soli venti minuti per rispondere a una telefonata dagli Stati Uniti, e non è più tornato. Il giorno dopo mi ha detto che era così preso dalla clausola di un contratto che si era dimenticato che ero là.

E la cosa peggiore è che, invece di dirgli: "Brutto bastardo!", e mollargli una sberla, gli ho chiesto di che articolo si trattava.

Dopo l'atmosfera calda e odorosa di birra del pub, l'aria estiva della sera è fresca e frizzante. Quando ci incamminiamo, sento le risate lontane delle persone che sono uscite dal locale prima di noi, e che ci precedono, e il rumore di un'auto che si avvia, in lontananza. Non ci sono lampioni: l'unica luce è quella che viene dalla luna piena e da dietro le tendine delle finestre dei cottage.

«Ti sei divertita?» Nathaniel sembra un po' ansioso. «Non era mia intenzione stare lì tutta la sera...»

«Mi è piaciuto moltissimo» dico, con entusiasmo. «È un bellissimo pub. Ed è incredibile quanto sia simpatico l'ambiente! Ti conoscono tutti! È lo spirito del paese. Tutti che si preoccupano per gli altri. L'ho capito.»

«Da cosa l'hai capito?» Nathaniel sembra divertito.

«Dal modo in cui si danno delle pacche sulla schiena» spiego. «Ti dà l'idea che se qualcuno fosse in difficoltà, tutti si stringerebbero intorno a lui, con altruismo. Lo si capisce subito.»

Sento che Nathaniel soffoca una risata. «L'anno scorso abbiamo vinto il premio per il "Paese più altruista"» dice.

«Tu puoi anche riderci sopra» ribatto «ma a Londra nessuno è così. Se cadi morto stecchito per strada, si limitano a spingerti sul ciglio. Dopo averti svuotato il portafoglio e portato via i documenti. Qui non succederebbe, no?»

«Be', no» ammette lui. Fa una pausa, pensieroso. «Se muori qui, tutti si radunano intorno al tuo letto e cantano il lamento funebre del paese.»

La mia bocca si storce in un sorriso. «Lo sapevo. E lanciano petali di fiori?»

«Naturalmente.» Annuisce. «E fanno bambole rituali con le pannocchie.»

Camminiamo in silenzio per qualche secondo. Un animaletto attraversa di corsa la strada, si ferma e ci guarda con due occhietti gialli e brillanti, poi scappa a nascondersi tra i cespugli.

«Come fa il lamento funebre?» domando.

«Fa più o meno così.» Nathaniel si schiarisce la gola, poi si mette a cantare con tono piatto e funereo: «Oooh, noooo. Se n'è andato».

Mi viene una gran voglia di ridere, ma in qualche modo riesco a trattenermi.

«E se è una donna?»

«Ottima osservazione. Allora si usa un canto diverso.» Fa un respiro profondo e inizia, esattamente con lo stesso tono: «Oooh, noooo. Se n'è andata».

Mi fa male lo stomaco per lo sforzo di non ridere.

«Be', a Londra non abbiamo lamenti funebri» dico. «Noi andiamo avanti. Siamo bravi ad andare avanti con la nostra vita, noi londinesi.»

«So tutto dei londinesi» dice lui con aria ironica. «Ho vissuto a Londra per un po'.»

Lo guardo a bocca aperta. Nathaniel ha vissuto a Londra? Cerco, senza riuscirci, di immaginarlo in piedi in una carrozza della metropolitana, che si regge alla maniglia mentre legge "Metro".

«Davvero?» chiedo alla fine, e lui annuisce.

«E l'ho odiata. Sinceramente.»

«Ma cosa... perché...»

«Ho fatto il cameriere l'anno prima di cominciare l'università. Avevo un appartamento di fronte a un supermercato aperto ventiquattr'ore su ventiquattro. Illuminato tutta la notte da forti luci al neon. E il rumore...» Fa una smorfia. «Nei dieci mesi che ho vissuto lì non ho mai avuto un momento di buio totale o di silenzio assoluto. Non ho mai sentito un uccello. Non ho mai visto le stelle.»

Senza pensarci piego la testa all'indietro verso il cielo sereno della notte. Lentamente, man mano che i miei occhi si adattano all'oscurità, minuscoli puntini di luce cominciano ad apparire tutto intorno, formando spirali e disegni che non riesco assolutamente a decifrare. Ha ragione. Neanch'io ho mai visto le stelle, a Londra.

«E tu?» La sua voce mi riporta sulla terra.

«Cosa intendi dire?»

«Dovevi raccontarmi la tua storia. Come sei arrivata qui.»

«Oh.» Mi sento un po' agitata. «Già. È vero.» Sebbene non possa vedermi nel buio distolgo lo sguardo, mentre il mio cervello si affanna a cercare di pensare meglio che può dopo tre bicchieri di vino.

Devo parlare. Potrei raccontare il minimo indispensabile. Dire la verità senza accennare al fatto che sono un avvocato.

«Be', ero a Londra. In questa...»

«Relazione» suggerisce lui.

«Ehm... sì.» Deglutisco. «Le cose sono andate male. Sono salita su un treno... e sono finita qui.» Segue un silenzio carico di aspettativa. «Tutto qui» aggiungo.

«Tutto qui?» Nathaniel sembra incredulo. «Sarebbe questa la lunga storia?»

Oh, Dio.

«Senti...» Mi volto verso di lui, alla luce della luna, col cuore che batte all'impazzata. «Lo so che ti aspettavi di più, ma i dettagli sono davvero così importanti? Ha importanza ciò che facevo... o ciò che ero? Il punto è che sono qui. E ho appena trascorso la più bella serata della mia vita. In assoluto.»

Vedo che vorrebbe ribattere. Apre la bocca per parlare. Poi la sua espressione cambia e si volta senza dire nulla.

Provo un'ondata di disperazione. Forse ho rovinato tutto. Forse avrei dovuto dirgli la verità, comunque. O inventarmi una storia complicata a proposito di un fidanzato odioso.

Riprendiamo a camminare senza parlare. La spalla di Nathaniel sfiora la mia. Poi sento la sua mano. All'inizio le sue dita toccano le mie quasi per caso, per errore... poi, lentamente, si intrecciano alle mie.

Mi sento rimescolare dentro mentre il mio corpo risponde, ma mi costringo a non trattenere il respiro. Nessuno dei due dice una parola. Non si sente altro suono a parte i nostri passi sulla strada e il chiurlare lontano di una civetta. La mano di Nathaniel stringe salda e decisa la mia. Sento i duri calli sulla sua pelle, il pollice che sfrega il mio.

Continuiamo a non parlare. Non so più nemmeno se riesco a farlo.

Ci fermiamo all'inizio del vialetto dei Geiger. Lui mi guarda in silenzio, con espressione quasi solenne. Sento il mio respiro farsi affannoso. Non mi importa se si accorge che lo desidero.

Tanto non sono mai stata brava a seguire le regole.

Nathaniel mi lascia andare la mano e mi prende per la vita. Mi attira lentamente verso di sé. Io chiudo gli occhi, pronta a lasciarmi andare.

«Allora!» dice una voce inconfondibile. «La baci o no?»

Faccio un salto e spalanco gli occhi. Nathaniel sembra scioccato quanto me e, automaticamente, fa un passo indietro. Mi volto di scatto e – con mio grande orrore – vedo Trish affacciata a una finestra del primo piano, che ci osserva, con una sigaretta in mano.

«Non sono una santarellina, sai» prosegue. «Puoi pure baciarla.»

Le lancio occhiate furiose. Ha mai sentito parlare di privacy?

«Avanti!» La punta della sigaretta luccica mentre lei gesticola. «Non fate caso a me!»

Non fare caso a lei? Mi dispiace tanto, ma non ho intenzione di starmene lì con Trish che mi guarda. Lancio un'occhiata incerta a Nathaniel, che sembra sconcertato quanto me.

«Cosa dici...» Mi interrompo. Non so neanch'io cosa stavo per suggerire.

«Non è una serata magnifica?» aggiunge Trish, per fare conversazione.

«Magnifica» conferma Nathaniel, con deferenza.

Incrocio il suo sguardo e sento crescere una risata incontrollabile. È un disastro. L'atmosfera è completamente rovinata.

«Ehm... grazie per la splendida serata» dico, cercando di mantenere un'espressione seria. «Mi sono divertita molto.»

«Anch'io.» I suoi occhi sono quasi color indaco nell'oscurità, la bocca incurvata in un sorriso divertito. «Allora, diamo soddisfazione alla signora Geiger? Oppure la lasciamo con un insopportabile senso di frustrazione?»

Entrambi alziamo lo sguardo verso di lei, che si sta sporgendo curiosa dalla finestra. Come se questo fosse un locale equivoco e stessi per esibirmi in una lap dance di fronte a Nathaniel.

«Oh... io credo che si meriti l'insopportabile senso di frustrazione» dico, con l'ombra di un sorriso.

«Allora ci vediamo domani?»

«Sarò da tua mamma alle dieci.»

«Ci vediamo alle dieci.»

Mi porge una mano e le nostre dita si sfiorano, poi lui si volta e si allontana. Resto a guardarlo finché scompare nell'oscurità, quindi mi avvio lungo il vialetto verso casa. Tutto il mio corpo sta ancora palpitando.

Va benissimo segnare un punto contro Trish. Ma come la mettiamo con il mio insopportabile senso di frustrazione?

## 16

Il mattino seguente vengo bruscamente svegliata da Trish che bussa forte alla porta. «Samantha! Devo parlarti! Adesso!»

È sabato mattina e non sono neanche le otto. Che sia scoppiato un incendio?

«Sì!» rispondo, confusa. «Un attimo!»

Mi alzo dal letto incespicando, la testa piena di deliziosi ricordi della sera precedente. La mano di Nathaniel nella mia... le braccia di Nathaniel che mi stringono...

«Sì, signora Geiger?» Apro la porta e mi trovo davanti Trish, in vestaglia, le guance rosse, gli occhi iniettati di sangue. Come mi vede, mette un palmo sul microfono del cordless che stringe nell'altra mano.

«Samantha.» Mi guarda stringendo gli occhi e nella sua voce c'è una strana nota di trionfo. «Tu mi ha detto delle bugie, vero?»

Mi sento morire. Come ha fatto... come è riuscita a...

«È vero o no?» Insiste, lanciandomi un'occhiata penetrante. «Sono sicura che sai di cosa sto parlando.»

Il mio cervello passa in rassegna tutte le bugie che ho raccontato a Trish, non ultima quella che "sono una governante". Potrebbe trattarsi di qualunque cosa. Potrebbe essere una cosa da niente, una cosa insignificante. Oppure potrebbe aver scoperto tutto..

«Non sono sicura di capire» dico con voce roca «signora.»

«Bene.» Trish viene verso di me, visibilmente irritata, facendo frusciare la vestaglia di seta. «Come puoi immaginare, sono piuttosto seccata che tu non mi abbia detto di aver cucinato una paella per l'ambasciatore spagnolo.»

Resto a bocca aperta. Quale ambasciatore spagnolo?

«L'altro giorno ti ho chiesto se avevi cucinato per qualche personaggio importante.» Trish inarca le sopracciglia con aria di rimprovero. «E tu non hai fatto parola di quel banchetto per trecento persone a Manor House.»

Che cosa? Ma è impazzita?

Okay. Che sia affetta da sindrome bipolare? Questo spiegherebbe un sacco di cose.

«Signora Geiger» dico, agitata «vuole sedersi?»

«No, grazie!» ribatte lei, secca. «Sono ancora al telefono con lady Edgerly.»

Ho l'impressione che il pavimento oscilli sotto i miei piedi. Freya è al telefono?

«Lady Edgerly...» Trish si porta il cordless all'orecchio. «Lei ha assolutamente ragione, troppo, troppo modesta...» Alza lo sguardo verso di me. «Lady Edgerly vorrebbe dirti due parole.»

Mi porge il telefono e io, incredula, me lo porto all'orecchio. «Pronto?»

«Samantha?» La voce stridula e familiare di Freya mi risuona nell'orecchio accompagnata da una serie di crepitii. «Stai bene? Cosa cavolo sta succedendo?»

«Sto... benissimo!» Lancio un'occhiata a Trish che se ne sta lì, a due metri da me. «Un attimo che vado... in un posto un po' più...»

Ignorando lo sguardo indagatore di Trish, mi ritiro nella mia stanza e chiudo la porta. Poi mi porto il telefono all'orecchio.

«Sto benissimo!» Sono troppo felice di parlare con Freya. «È incredibile sentirti!»

«Cosa diavolo sta succedendo?» mi domanda di nuovo. «Ho ricevuto un messaggio, ma non ha senso. Fai la governante? Cos'è, uno scherzo?»

«No.» Lancio un'occhiata alla porta, poi mi sposto in bagno e accendo la ventola. «Faccio la governante a tempo pieno» dico, abbassando la voce. «Ho lasciato il lavoro alla Carter Spink.»

«Ti sei licenziata?» dice Freya, incredula. «Così, su due piedi?»

«Non mi sono licenziata. Mi hanno licenziata. Ho commesso un errore e mi hanno cacciata.»

È ancora difficile dirlo. E anche solo pensarci.

«Ti hanno cacciata per un semplice errore?» Freya sembra indignata. «Cristo, ma questa gente...»

«Non si è trattato di un semplice errore» la interrompo. «È stato un grosso errore, molto grave. E comunque, è andata così. Allora ho deciso di fare qualcosa di diverso. Di diventare una governante per un po'.»

«Governante» ripete Freya, lentamente. «Samantha, sei fuori di testa?»

«Perché no?» ribatto, sulla difensiva. «L'hai detto anche tu che dovevo prendermi una pausa.»

«Ma... la governante? Tu non sai cucinare!»

«Lo so.»

«Voglio dire, non sei proprio capace!» Adesso sta ridendo. «Io ti ho vista cucinare. E anche fare le pulizie.»

«Lo so!» Mi sta venendo un attacco di risa isterico. «All'inizio è stato un incubo. Ma adesso sto imparando. Saresti sorpresa.»

«Devi portare un grembiule?»

«Ho un'orribile uniforme di nylon...» Sto tirando su col naso per il gran ridere. «Li chiamo signora e signore... e faccio l'inchino...»

«Samantha, questa è una follia» dice Freya gorgogliando. «Una vera follia. Non puoi restare lì. Verrò a salvarti. Domani salto su un aereo...»

«No!» dico, con più impeto di quanto volessi. «No! Mi sto divertendo. Davvero. Sto bene.»

Dall'altra parte cala un silenzio sospetto. No! Freya mi conosce troppo bene.

«Insieme a un uomo?» dice alla fine, con tono divertito.

«Forse.» Mio malgrado mi ritrovo a sorridere. «Sì.»

«Dettagli?»

«Siamo ancora all'inizio. Ma è... sai... è carino.» Sorrido come un'idiota alla mia immagine riflessa nello specchio del bagno.

«Be', comunque sia. Sai che basta una telefonata. Puoi stare a casa nostra...»

«Grazie, Freya» dico, provando un forte affetto per lei.

«Figurati. Samantha?»

«Sì?» Segue una lunga pausa, tanto che mi sembra che sia caduta la linea.

«E il lavoro?» dice Freya alla fine. «Il progetto di diventare socio? So che ti ho sempre criticato, ma era il tuo sogno. Hai intenzione di rinunciare?»

Provo un dolore profondo, a lungo soffocato.

«Quel sogno è finito» rispondo, decisa. «I soci non commettono errori da cinquanta milioni di sterline.»

«Cinquanta milioni?»

«Già.»

«Gesù» dice lei con un filo di voce, scioccata. «Non avevo idea. Non riesco a immaginare come tu sia riuscita ad affrontare una cosa del genere...»

«È tutto a posto» dico, interrompendola. «È passata. Davvero.»

Freya sospira. «Sai, me lo sentivo che c'era qualcosa che non andava. Ho cercato di mandarti un'e-mail attraverso il sito web della Carter Spink. Ma la tua pagina era sparita.»

«Davvero?» Provo una strana fitta.

«E allora ho pensato...» Si interrompe, e sento un po' di confusione in sottofondo. «Oh, merda! È arrivato il nostro mezzo di trasporto. Senti, ti chiamerò presto...»

«Aspetta!» esclamo. «Prima di mettere giù, cosa cavolo hai raccontato a Trish a proposito dell'ambasciatore spagnolo? E di Mansion House?»

«Ah, quello» fa lei, ridendo. «Be', continuava a farmi delle domande e io ho pensato di inventarmi qualcosa. Ho detto che eri capace di piegare i tovaglioli a forma di cigno... e di fare sculture di ghiaccio... e che una volta David Linley ha voluto la ricetta dei tuoi bastoncini di formaggio...»

«Freya...» Chiudo gli occhi.

«Me ne sono inventata, eh, di cose! E lei se l'è bevute tutte! Ora devo andare. Ti voglio bene!»

«Anch'io.»

La telefonata si interrompe e io resto lì, immobile, per un istante, nel bagno improvvisamente silenzioso senza la voce stridula di Freya e il vociare dell'India in sottofondo.

Guardo l'orologio. Le otto e quarantacinque. Ho il tempo di dare un'occhiata.


Tre minuti dopo sono seduta alla scrivania di Eddie. Tamburello sul ripiano mentre aspetto che il computer si colleghi a Internet.

Ho chiesto a Trish se potevo mandare una e-mail a lady Edgerly, e lei è stata felice di aprirmi lo studio e restare a sbirciare dietro la poltrona, finché le ho chiesto educatamente di allontanarsi.

La home page di Eddie si apre, e subito batto www.carter-spink.com.

Quando il logo familiare appare e compie un cerchio di trecentosessanta gradi sullo schermo, sento riaffiorare la vecchia tensione, come foglie che risalgono dal fondo di uno stagno. Salto velocemente l'introduzione e vado subito agli associati. Sullo schermo compare l'elenco e... Freya ha ragione: la lista prosegue dritta da Snell a Taylor. Nessun Sweeting.

Sospiro, convincendomi che devo essere razionale. Ovvio che mi hanno tolta. Sono stata licenziata. Cosa mi aspettavo? Questa era la mia vita precedente, e ora non mi riguarda più. Farei meglio a chiudere, andare a casa di Iris e non pensarci più. Questo è quello che dovrei fare.

Invece mi ritrovo ad allungare la mano verso il mouse e a battere "Samantha Sweeting" nella casella. "Nessun risultato" compare qualche momento dopo, e io resto a fissare lo schermo, sconcertata.

Nessun risultato? Da nessuna parte in tutto il sito web? Ma... e la sezione Media? E l'archivio dei comunicati stampa?

Clicco veloce sulla casella "Accordi conclusi" e cerco "Euro-Sal, fusione, DanCo". Era un grosso accordo europeo concluso l'anno scorso, e io mi sono occupata del finanziamento. Sullo schermo compare il rapporto, con il titolo *La Carter Spink fa da consulente per una fusione da venti miliardi di sterline.* I miei occhi scorrono il testo familiare. "La squadra della Carter Spink era guidata da Londra da Arnold Saville, con gli associati Guy Ashby e Jane Smilington."

Mi blocco, incredula, torno indietro e leggo il testo più attentamente, cercando le parole mancanti, "e Samantha Sweeting". Ma non ci sono. Il mio nome non c'è. Clicco veloce su un altro accordo, l'acquisizione Conlon. So per certo di essere citata in questo rapporto. L'ho letto, per la miseria. Facevo parte della squadra, ho persino una targa che lo attesta.

Ma non sono menzionata neanche qui.

Il cuore mi batte sempre più forte, mentre passo da un accordo all'altro, tornando indietro di un anno. Due anni. Cinque anni. Mi hanno cancellato. Qualcuno ha scrupolosamente passato in rassegna l'intero sito, togliendo il mio nome. Sono stata cancellata da ogni accordo a cui ho lavorato. È come se non fossi mai esistita.

Respiro a fondo, cercando di restare calma. Ma la rabbia è sempre più forte e cocente. Come osano cambiare la storia? Come osano cancellarmi? Io ho dato loro sette anni della mia vita. Non possono cancellarmi, fingere che non fossi neppure loro dipendente...

E poi un pensiero mi colpisce. Perché si sono preoccupati di fare una cosa simile? Altre persone hanno lasciato lo studio, ma non sono state completamente cancellate. Allora, lentamente, batto www.google.com e poi scrivo "Samantha Sweeting" nella casella. Aggiungo "avvocato" per maggior sicurezza, e premo INVIO.

Un attimo dopo lo schermo si riempie di testi. Come passo in rassegna i risultati, mi sento come se mi avessero dato una botta in testa.

... la débâcle di **Samantha Sweeting**...

... scoperta, **Samantha Sweeting** ha tagliato la corda, lasciando i colleghi a...

... saputo di **Samantha Sweeting**...

... barzellette su **Samantha Sweeting**. Come si chiama un avvocato che...

... **Samantha Sweeting** licenziata dalla Carter Spink...

Una dopo l'altra. Da siti di avvocati, servizi di informazioni legali, forum di studenti di giurisprudenza. È come se l'intera comunità legale avesse continuato a sparlare di me alle mie spalle. Stordita, vado alla pagina successiva, ed è piena. E poi un'altra. E un'altra ancora.

Mi sento come se stessi ispezionando un ponte distrutto, valutando i danni, realizzando per la prima volta quanto sia grave la devastazione.

Non potrò tornare mai indietro.

Quello lo sapevo.

No, non lo sapevo. Non lo sapevo dentro di me, nel profondo del cuore. Dove conta.

Sento qualcosa di umido sulla guancia e salto in piedi, chiudendo tutte le pagine web, e cancellando anche la memoria, nel caso Eddie si incuriosisse. Spengo il computer e mi guardo intorno nella stanza silenziosa. Io sono qui. Non là. Quella parte della mia vita è finita.

Quando arrivo di corsa alla porta d'ingresso di Iris, il cottage ha un'aria serena come al solito, anzi, più del solito, visto che oggi, insieme alle galline, razzola anche un'oca.

«Ciao» dice lei con un sorriso, levando lo sguardo dalla tazza di tè. «Come mai tutta questa fretta?»

«Volevo arrivare in orario.» Do un'occhiata in giardino, ma non vedo traccia di Nathaniel.

«Nathaniel è dovuto andare a controllare una tubatura che perdeva in uno dei pub» dice Iris, quasi mi avesse letto nel pensiero. «Ma tornerà. Nel frattempo, noi faremo il pane.»

«Splendido!» La seguo in cucina e indosso lo stesso grembiule a righe dell'ultima volta.

«Ho già cominciato, per portarci avanti» dice Iris, andando verso il tavolo, dove c'è una grossa ciotola per impastare. «Lievito, acqua tiepida, burro fuso e farina. Si mescolano e la pasta è pronta. Ora tu la impasterai.»

«Bene» dico, osservando con sguardo assente l'impasto.

Iris mi lancia un'occhiata incuriosita. «Ti senti bene, Samantha? Mi sembri un po'… abbattuta.»

«Sto bene» rispondo, sforzandomi di sorridere. «Scusi.»

Ha ragione. Non ci sono con la testa. Dài, avanti, concentrati.

«So che oggi la gente usa dei robot da cucina» dice, posando l'impasto sul tavolo. «Ma noi lo facciamo così, all'antica. Non c'è niente di più buono.»

Lo impasta vigorosamente un paio di volte. «Visto? Lo si piega, dando un quarto di giro. Ci vuole un po' di forza.»

Immergo cauta le mani nella pasta morbida e cerco di imitare quello che ha fatto lei.

«Così» dice Iris, osservando attentamente. «Prendi il ritmo e lavorala con decisione. Impastare aiuta moltissimo a sfogare la tensione» aggiunge con un mezzo sorriso. «Immagina di avere fra le mani tutti i tuoi peggiori nemici.»

«Ci proverò!» rispondo, sforzandomi di trovare un tono allegro.

Ma per quanto impasti, il nodo di tensione al petto non accenna a diminuire. Anzi, più piego e giro la pasta, più sembra peggiorare. Non riesco a distogliere la mente da quel sito web. Non riesco a scacciare quel senso di ingiustizia che sento dentro.

Ho fatto delle cose buone per quello studio. Ho acquisito dei clienti. Ho concluso contratti. Non ero una nullità.

Non ero una nullità.

«Più si lavora la pasta, migliore sarà il pane» dice Iris, avvicinandosi al tavolo con un sorriso. «Senti come diventa tiepida ed elastica tra le mani?»

Guardo la pasta, ma non riesco a collegarla a ciò che sta dicendo. È come se i miei sensi non fossero connessi. La mia mente schizza da tutte le parti come un uccello sul ghiaccio.

Riprendo a impastare, più forte di prima, cercando di catturare la sensazione. Voglio ritrovare lo spirito che ho provato l'ultima volta che sono stata qui, quella sensazione di semplicità e genuinità. Ma continuo a perdere il ritmo, imprecando ogni volta che le mie dita afferrano la pasta. Mi fanno male gli avambracci, mi suda la faccia. E l'agitazione che ho dentro sta solo peggiorando.

Come osano cancellarmi? Io ero un bravo avvocato.

Ero un ottimo avvocato.

«Vuoi riposare un po'?» Iris si avvicina e mi sfiora la spalla. «È faticoso se non si è abituati.»

«Che scopo ha?» Le parole mi escono dalla bocca prima che io possa fermarle. «Voglio dire, qual è lo scopo di tutto questo? Fare il pane. Lo si fa e lo si mangia. E poi è finito.»

Mi interrompo di colpo. Non capisco cosa mi sia preso. Ho il respiro corto e affannoso. Non mi sento molto bene.

Iris mi osserva con attenzione. «Si potrebbe dire la stessa cosa di tutto il cibo» mi fa notare con gentilezza. «O della vita stessa.»

«Esatto.» Mi asciugo la fronte col grembiule. «Appunto.»

Non so cosa dico. Perché me la sto prendendo con Iris? Devo calmarmi.

«Può bastare» dice, afferrando la pasta e compattandola fino a darle una forma rotonda.

«E adesso?» chiedo, cercando di parlare con un tono più normale. «Dobbiamo metterla in forno?»

«Non ancora.» Iris ripone la pasta nella ciotola e la posa sopra i fornelli. «Adesso aspettiamo.»

«Aspettiamo?» La guardo. «Come, aspettiamo?»

«Aspettiamo.» Copre la pasta con un canovaccio. «Mezz'ora dovrebbe bastare. Farò una tazza di tè.»

«Ma... cosa dobbiamo aspettare?»

«Che il lievito compia la sua magia nell'impasto» mi spiega con un sorriso. «Sotto quello strofinaccio sta avvenendo un piccolo miracolo.»

Guardo la ciotola cercando di pensare ai miracoli, ma non funziona. Non mi sento affatto calma né serena. Il mio corpo è troppo contratto, i miei nervi quasi saltano per la tensione. Io ero abituata a gestire il mio tempo fino al minuto. Fino al secondo. E adesso dovrei aspettare che il lievito "compia la sua magia"? Dovrei starmene qui, col mio bel grembiule, ad aspettare un... un fungo?

«Scusi» sento dire dalla mia voce «ma non posso farlo.» Mi dirigo verso la porta ed esco in giardino.

«Come?» Iris mi segue, pulendosi le mani nel grembiule. «Tesoro, cosa c'è?»

«Non posso farlo!» rispondo, voltandomi di scatto. «Non posso... restarmene qui seduta ad aspettare che il lievito si decida ad agire.»

«Perché no?»

«Perché è una perdita di tempo!» Mi stringo la testa fra le mani, frustrata. «Una tremenda perdita di tempo!»

«E secondo te cosa dovremmo fare, invece?» mi domanda, con interesse.

«Qualcosa... di importante.» Vado all'albero di melo e torno indietro. Non riesco a stare ferma. «Qualcosa di costruttivo.»

Lancio un'occhiata a Iris, ma non mi pare offesa. Anzi, direi che è divertita.

«Cosa c'è di più costruttivo di fare il pane?»

Oh, Dio. Avrei voglia di urlare. Per lei va tutto bene, con le sue galline, il suo grembiule e senza una carriera distrutta su Internet.

«Lei non capisce» grido, sull'orlo delle lacrime. «Mi dispiace, ma è così. Senta... io me ne vado.»

«Non te ne andare.» Il tono di Iris è sorprendentemente duro. Un attimo dopo viene davanti a me, mi afferra per le spalle e mi guarda con quei suoi occhi azzurri penetranti.

«Samantha, tu hai subito un trauma» dice, con voce calma e gentile. «Che ti ha condizionato molto…»

«Io non ho subito alcun trauma!» Mi giro di scatto, liberandomi dalla sua stretta. «È solo… è solo che non posso fare questo, Iris. Non posso fingere di essere così. Io non sono una che impasta il pane. Io non sono una regina della casa.» Mi guardo intorno nel giardino, disperata, quasi alla ricerca di un indizio. «Io non so più chi sono. Non ne ho la minima idea.»

Una lacrima solitaria mi scende sulla guancia e io la asciugo col braccio. Non ho intenzione di mettermi a piangere di fronte a Iris.

«Non so chi sono.» Faccio un sospiro, più calma. «Né quale sia il mio scopo… dove sto andando. Non so più nulla.»

Svuotata, mi lascio cadere sull'erba asciutta. Qualche istante dopo Iris viene a sedersi accanto a me.

«Non ha importanza» dice, con tono affettuoso. «Non ti colpevolizzare perché non conosci tutte le risposte. Non sempre è necessario sapere chi sei. Non è necessario avere il quadro completo, né sapere dove stai andando. A volte è sufficiente anche solo sapere cosa si farà dopo.»

Per un istante non dico nulla. Lascio che le sue parole mi scorrano nella mente, come acqua fresca su un mal di testa.

«E cosa farò, dopo?» domando, alla fine, stringendomi nelle spalle, disperata.

«Mi aiuterai a sgusciare le fave per il pranzo.» Lo dice con un tono così pratico che non posso fare a meno di fare un mezzo sorriso.

Seguo Iris in casa, docile, prendo una grossa ciotola di fave e comincio a sgusciarle come mi mostra lei. I baccelli in un cesto posato per terra, il contenuto in una bacinella. Una dopo l'altra.

Man mano che mi immergo nel lavoro comincio a calmarmi. Non sapevo che le fave venissero da baccelli come questi.

A essere sincera, la mia unica esperienza con le fave risale alla volta in cui le ho acquistate in un pacchetto di plastica da

Waitrose, messe in frigorifero, tirate fuori una settimana dopo la data di scadenza e gettate via.

Queste sono fave vere. E questo l'aspetto che devono avere, appena estratte dal terreno... o raccolte dalla pianta, non so.

Ogni volta che ne apro una è come trovare una fila di gioielli verde pallido. E quando me ne metto una in bocca è come...

Che schifo!

Okay. Vanno cotte.

Finito di sgusciare le fave, lavoriamo di nuovo il pane. Lo dividiamo in pagnotte, che sistemiamo in stampi di metallo, e poi aspettiamo un'altra mezz'ora che lievitino. Questa volta non mi dispiace l'attesa. Mi siedo al tavolo con Iris a pulire fragole e ad ascoltare la radio finché non è l'ora di mettere gli stampi in forno. Poi Iris prepara un vassoio con formaggio, insalata di fave, biscotti e fragole, che portiamo fuori, a un tavolo apparecchiato all'ombra di un albero.

«Ecco qua» dice lei, versando del tè freddo in un bicchiere di vetro a bolle. «Va meglio?»

«Sì, grazie» rispondo, imbarazzata. «Mi dispiace per prima. Io...»

«Samantha, è tutto a posto.» Mi lancia un'occhiata veloce mentre taglia il formaggio. «Non devi scusarti.»

«Sì, invece.» Faccio un respiro profondo. «Io le sono molto grata, Iris. Lei è stata così gentile con me... e anche Nathaniel...»

«Ho sentito che ti ha portata al pub.»

«È stato fantastico!» esclamo, con entusiasmo. «Sarete orgogliosi che sia proprietà di famiglia.»

Iris annuisce. «Quei pub sono gestiti dai Blewett da generazioni.» Si siede e serve l'insalata di fave, condita con olio ed erbe aromatiche. Ne prendo una forchettata, ed è squisita.

«Dev'essere stata dura quando è morto suo marito» azzardo.

«C'era una gran confusione» dice lei, con tono pratico. Un pollo si avvicina al tavolo e lei lo scaccia. «Abbiamo avuto difficoltà economiche. Io non stavo bene. Se non fosse stato per Nathaniel, avremmo rischiato di perdere i pub. Ma lui li ha rimessi in piedi. In ricordo di suo padre.» Vedo che è turbata. Esita un attimo con la forchetta alzata. «Non sai mai come vanno a finire le cose, per quanto le abbia pianificate. Ma tu questo lo sai.»

«Ho sempre pensato che la mia vita sarebbe andata in un certo modo» dico, fissando il piatto. «Avevo pianificato tutto.»

«Ma non è andata come previsto?»

Per qualche istante non riesco neppure a rispondere. Mi torna in mente il momento in cui ho saputo che sarei diventata socio, quell'istante di gioia pura, radiosa, in cui ho pensato che la mia vita era finalmente compiuta, che tutto era perfetto.

«No» rispondo, cercando di mantenere un tono di voce calmo. «Non è andata come previsto.»

Iris mi sta osservando con una partecipazione così sincera, così evidente, che mi viene il dubbio che possa leggermi nella mente.

«Non essere troppo dura con te stessa, piccola. Tutti noi ci facciamo prendere dallo sconforto.»

Non riesco a immaginare Iris che si lascia prendere dallo sconforto. Sembra così calma, così composta.

«Oh, anch'io sono rimasta sconvolta» dice, leggendomi negli occhi. «Dopo che Benjamin è morto. È stato tutto così improvviso. Tutto quello che credevo di avere è sparito da un giorno all'altro.»

«E lei... lei cosa...» Allargo le mani, senza sapere cosa dire.

«Ho trovato un altro modo. Ma c'è voluto del tempo.» Mi guarda negli occhi per un po', poi dà un'occhiata all'orologio. «E a proposito di tempo, vado a fare un po' di caffè e a vedere come va il nostro pane.»

Mi alzo per seguirla, ma lei mi fa risedere.

«Resta comoda. Rilassati.»

Rimango lì nella luce screziata del sole, a sorseggiare tè freddo, cercando di rilassarmi, di godermi il bel giardino, ma le mie emozioni continuano a guizzare come pesci spaventati.

Un altro modo.

Ma io non conosco un altro modo. Non ho idea di cosa sto facendo, non ho idea di quale sia il quadro completo della situazione. Mi sento come se fosse andata via la luce e io stessi avanzando a tentoni, un passo alla volta. L'unica cosa che so è che non posso tornare a essere quella che ero.

Stringo gli occhi, cercando di schiarirmi la mente. Non avrei mai dovuto guardare quel sito web. Non avrei mai dovuto leggere quei commenti. Adesso il mondo è diverso.

«Allunga le mani, Samantha.» All'improvviso sento la voce di Iris alle mie spalle. «Non aprire gli occhi e allunga le mani.»

Non ho idea di cosa abbia in mente, ma chiudo gli occhi e allungo le mani. Un attimo dopo sento che lei vi posa qualcosa di tiepido da cui si leva un odore di lievito. Apro gli occhi e vedo una pagnotta.

La guardo, incredula. Sembra proprio pane vero. Pane vero, reale, come quello che si vede nelle vetrine dei fornai. Bello grosso e gonfio, dorato, con qualche striatura sulla crosta croccante. Emana un profumo così delizioso che mi viene l'acquolina in bocca.

«Vuoi dirmi che questo non è niente?» dice Iris, stringendomi appena il braccio. «L'hai fatto tu, cara. E dovresti essere orgogliosa di te stessa.»

Non posso rispondere. Qualcosa di caldo mi chiude la gola mentre stringo a me la pagnotta tiepida. Questo pane l'ho fatto io. L'ha fatto Samantha Sweeting, che non sapeva neppure scaldare una porzione di zuppa nel microonde. Che ha rinunciato a sette anni della propria vita per ritrovarsi senza niente in mano, cancellata dall'esistenza. Che non sa più chi è.

Io ho fatto il pane. In questo momento mi sembra che sia l'unica cosa a cui aggrapparmi.

Con mio grande orrore, una lacrima mi scende sulla guancia, subito seguita da un'altra. È ridicolo. Devo controllarmi.

«Ha un'aria invitante» dice la voce disinvolta di Nathaniel alle mie spalle e io mi volto di scatto, scioccata. È lì, accanto a Iris, col sole che brilla sui suoi capelli.

«Ciao» dico, subito agitata. «Credevo stessi… aggiustando una tubatura.»

«Non ho ancora finito» risponde, annuendo. «Ho solo fatto un salto a casa.»

«Vado a togliere l'altro pane dal forno» dice Iris, dandomi un colpetto sulla spalla, e si allontana in direzione della casa.

Mi alzo in piedi e guardo Nathaniel. La sua sola vista aggiunge ogni sorta di emozioni al tumulto: altri pesci che mi guizzano nel corpo.

Anche se, ora che ci penso, sono principalmente varianti dello stesso pesce.

«Ti senti bene?» domanda, vedendo le mie lacrime.

«Sto bene. È stata una giornata un po' strana» rispondo, asciugandomi le guance, imbarazzata. «Solitamente non mi emoziono per un po' di pane.»

«La mamma mi ha detto che eri un po' giù.» Inarca le sopracciglia. «È per il fatto di aver dovuto impastare?»

«È per via del lievito» rispondo, con un sorriso mesto. «Dover aspettare. Non sono mai stata brava ad aspettare.»

«Ah, ah.» Gli occhi azzurri e fermi di Nathaniel incontrano i miei. Per qualche motivo sembra che mi stia avvicinando a lui, non so perché.

«Io le cose le devo avere subito.»

«Ah. ah.»

Siamo a pochi centimetri l'uno dall'altra. Quando alzo gli occhi verso di lui, col respiro affannoso, tutta la frustrazione e gli shock delle ultime due settimane sembrano raccogliersi dentro di me. Sento crescere la pressione, un blocco enorme, finché diventa insopportabile. Devo sfogarla. Senza riuscire a fermarmi, allungo le mani, afferro il suo viso e lo abbasso verso il mio.

Non baciavo qualcuno in questo modo dai tempi della scuola. Le braccia avvinghiate all'altro, dimenticando ogni altra cosa al mondo. Completamente persa. Trish potrebbe essere qui con una videocamera a gridare ordini, e io non me ne accorgerei.

Sembrano passate ore quando apro gli occhi e ci allontaniamo l'uno dall'altra. Mi sento le labbra gonfie, le gambe molli. Nathaniel sembra sconvolto quanto me. Ha lo sguardo velato e il respiro più veloce.

Improvvisamente mi accorgo che il pane è tutto schiacciato. Cerco di ridargli una forma come posso, appoggiandolo sul tavolo come fosse un oggetto in ceramica, destinato a una mostra, e intanto riprendo fiato.

«Non ho molto tempo» dice Nathaniel. «Devo tornare al pub.» Le sue mani corrono leggere sulla mia schiena e io sento il mio corpo avanzare verso il suo.

«Io non ho bisogno di molto tempo» dico, con voce roca per il desiderio.

Con esattezza, quando sono diventata così sfacciata?

«Davvero non ho molto tempo.» Lancia un'occhiata all'orologio. «Ho circa sei minuti.»

«Io ci metto esattamente sei minuti» mormoro, lanciandogli un'occhiata seducente, e Nathaniel mi sorride, come se stessi scherzando.

«Parlo sul serio.» Cerco di sembrare pudica e al tempo stesso sexy. «Sono veloce. Sei minuti, più o meno.»

Per qualche istante c'è silenzio. Sul volto di lui compare un'espressione incredula. Non sembra colpito come pensavo.

«Be'... da queste parti noi ce la prendiamo un po' più comoda» conclude, alla fine.

«Giusto» ribatto, cercando di non sembrare delusa. Cosa sta cercando di dirmi? Che ha qualche problema? «Ehm... be'... sono sicura che...» Lascio la frase in sospeso.

Non avrei mai dovuto iniziarla.

Lui guarda di nuovo l'orologio. «Devo andare. Stasera ho un appuntamento a Gloucester.»

Provo una forte delusione sentendo il suo tono pratico. Adesso mi guarda appena. Non avrei mai dovuto parlare di tempo, mi rendo conto, sgomenta. Lo sanno tutti che non bisogna mai parlare di numeri o di misure con un uomo durante il sesso. È la regola base. La seconda è che non bisogna mai prendere il telecomando della tivù, a meno che non si abbia la certezza che il volume è azzerato.

«Allora... ci vediamo» dico, cercando di assumere un tono disinvolto e al tempo stesso incoraggiante. «Cosa fai domani?»

«Non lo so ancora.» Si stringe nelle spalle. «Tu sei da queste parti?»

«Credo di sì. Forse.»

«Be'... allora magari ci vediamo.»

E con questo si allontana a grandi passi sull'erba, lasciandomi lì con una pagnotta sformata e una gran confusione in testa.

## 17

Come ho detto, dovrebbe esserci un sistema diverso, una specie di accordo universalmente riconosciuto che non lasci spazio a malintesi. Potrebbe basarsi su gesti convenzionali, oppure su piccoli, discreti adesivi appiccicati al bavero della giacca, con colori differenti per i differenti messaggi:

LIBERO/OCCUPATO

RELAZIONE IN CORSO/RELAZIONE FINITA

SESSO IMMINENTE/SESSO ANNULLATO/SESSO MOMENTANEAMENTE RIMANDATO

In quale altro modo si può capire cosa sta succedendo?

La mattina seguente, dopo aver riflettuto a lungo, non sono giunta ad alcuna conclusione certa. I casi sono due: a) Nathaniel si è sentito offeso dalle mie allusioni al sesso e non è più interessato; b) va tutto bene, la cosa fra noi continua, ma lui voleva fare l'uomo e non ha detto molto, e io dovrei smetterla di torturarmi.

Oppure una via di mezzo fra le due cose.

O qualche altra possibilità che non ho preso in considerazione. O...

A dire il vero, credo che non ci siano altre possibilità. In ogni caso... mi sento totalmente confusa già solo a pensarci.

Verso le nove scendo in vestaglia al piano di sotto e trovo Eddie e Trish nell'atrio, tutti eleganti. Eddie indossa un blazer con i bottoni d'oro, Trish un tailleur bianco di shantung di seta con il più grosso corpetto di rose rosse finte che io abbia mai visto. Sembra anche che abbia qualche problemino ad abbottonarsi la giacca. Alla fine, infilato l'ultimo bottone nell'asola, fa un passo indietro e si rimira nello specchio, ansimando leggermente.

Adesso sembra che non possa più muovere le braccia.

«Cosa ne dici?» domanda a Eddie.

«Sì, molto bene» risponde lui, studiando assorto un atlante stradale dell'Inghilterra risalente al 1994. «È la A347 o la A367?»

«Mmh... io credo che stia meglio con la giacca sbottonata» azzardo. «È più... disinvolta.»

Trish mi lancia uno sguardo torvo, quasi sospetti che io voglia deliberatamente sabotare il suo aspetto.

«Sì» conviene alla fine «forse hai ragione.» Fa per sbottonare la giacca ma è così impedita nei movimenti che non riesce neppure ad avvicinare le mani. E adesso Eddie è andato nel suo studio.

«Posso?»

«Sì.» Diventa tutta rossa. «Se vuoi essere così gentile.»

Mi avvicino e sbottono la giacca con la maggior delicatezza possibile, cosa non facile data la rigidità del tessuto. Quando ho finito, Trish fa un passo indietro e si guarda di nuovo, non del tutto soddisfatta, sistemandosi il corpetto.

«Ascolta, Samantha» dice, fingendo indifferenza «se mi vedessi adesso per la prima volta, che parola useresti per descrivermi?»

Oh, no... questo però non rientra nelle mie competenze. Mi arrovello alla ricerca dell'aggettivo più lusinghiero.

«Ehm... elegante» rispondo, alla fine, annuendo come per sottolineare con maggior convinzione ciò che sto dicendo. «Direi che lei è elegante.»

«Elegante?» Si volta di scatto verso di me. Qualcosa mi dice che ho fatto la scelta sbagliata.

«Anzi, magra!» mi correggo, comprendendo all'improvviso.

Com'è che non mi è venuto in mente "magra"?

«Magra.» Si osserva per qualche istante, girandosi da un lato all'altro. «Magra.»

Ma non sembra ancora soddisfatta. Cosa c'è di male nell'essere magra ed elegante, santo cielo?

Non che lei sia l'una o l'altra cosa, a essere sinceri.

«E che ne dici di...» Scuote i capelli, evitando deliberatamente di incrociare il mio sguardo. «Che ne dici di giovane?»

Per un attimo sono troppo disorientata per rispondere.

Giovane rispetto a cosa?

«Ehm... certo!» esclamo alla fine. «Questo è sottinteso.»

Ti prego, non chiedermi: "Quanti anni mi...".

«Quanti anni mi daresti, Samantha?»

Muove la testa da un lato all'altro, togliendosi qualche pelucco dalla giacca, come se non fosse realmente interessata alla risposta. Ma io so che le sue orecchie sono tese, in agguato, come due giganteschi microfoni pronti a cogliere il più piccolo rumore.

Mi sento avvampare. E ora cosa dico? Dirò... trentacinque. No. Non siamo ridicoli. Non può essere così illusa. Quaranta? No. Non posso dire quaranta. È troppo vicino alla verità.

«Trentasette?» azzardo, alla fine. Trish si volta e dalla sua espressione compiaciuta capisco di aver colpito nel segno.

«In realtà ne ho trentanove!» esclama, e sulle guance le compaiono due pomelli rossi.

«No!» esclamo, cercando di non fissare lo sguardo sulle sue zampe di gallina. «Ma è incredibile!»

Che bugiarda! Ha compiuto quarantasei anni lo scorso febbraio. Se non vuole che la gente lo sappia, non dovrebbe lasciare il passaporto sulla toletta.

«Dunque» continua, palesemente sollevata «noi staremo fuori tutto il giorno, alla festa di mia sorella. Nathaniel verrà a fare dei lavori in giardino, ma immagino che questo tu lo sappia già...»

«Nathaniel?» Sento una scossa. «Viene qui?»

«Ha chiamato questa mattina. Deve legare i piselli odorosi... o avvolgerli... non ho capito bene.» Tira fuori una matita per le labbra e si mette a rifare il contorno alle labbra già truccate.

«Ah. Non avevo capito.» Sto cercando di restare calma, ma sento i tentacoli dell'eccitazione insinuarsi dentro di me. «E così... lavora di domenica?»

«Oh, lo fa spesso. Si dedica molto al suo lavoro.» Fa un passo indietro per guardarsi, poi comincia a mettersi dell'altro rossetto sulle labbra. «Ho sentito che ti ha portata nel suo piccolo pub.»

Il suo piccolo pub.

«Ehm, sì.»

«Sono contenta, davvero.» Tira fuori un mascara e aggiunge

strati alle ciglia già rigide. «C'è mancato poco che dovessimo cercarci un altro giardiniere. Te lo immagini? Anche se, ovviamente, è stata una grossa umiliazione per lui, dopo tutti quei progetti.»

«Perché un'umiliazione?»

La guardo, sconcertata. Sento un tuffo al cuore. Di che cosa sta parlando?

«Nathaniel. Il suo vivaio di piante.» Aggrotta la fronte e si toglie un grumo di mascara da sotto l'occhio. «Quelle cose organiche, sai. Ci ha fatto vedere il preventivo. In realtà, stavamo persino pensando di finanziarlo. A noi piace dare una mano ai nostri dipendenti, sai, Samantha.» Mi pianta addosso i suoi occhi azzurri quasi per sfidarmi a dire il contrario.

«Ma certo!»

«Pronta?» Eddie esce dallo studio con un panama in testa. «Farà un caldo boia, lo so.»

«Eddie, non cominciare» ribatte secca Trish, infilando il mascara nel tubetto. «Noi andremo a questa festa. Punto. Ce l'hai il regalo?»

«E cosa ne è stato dei progetti di Nathaniel?» domando, cercando di riportare la conversazione al punto in cui eravamo rimaste.

Trish fa una piccola smorfia di rammarico all'indirizzo della propria immagine.

«Be', suo padre è morto improvvisamente e c'è stata quella brutta vicenda dei pub. E lui ha cambiato idea. Non ha più comperato la terra.» Si rivolge un'altra occhiata insoddisfatta. «Dite che dovrei mettere il tailleur rosa?»

«No!» rispondiamo Eddie e io, insieme. Lancio un'occhiata all'espressione esasperata di lui e soffoco una risata.

«Sta benissimo, signora Geiger, davvero.»

In qualche modo, Eddie e io riusciamo ad allontanarla dallo specchio, a farla uscire e a condurla alla macchina. Eddie ha ragione: sarà una giornata caldissima. Il cielo è già di un azzurro terso, il sole una palla di fuoco.

«A che ora sarete di ritorno?» domando, mentre salgono sulla Porsche di Eddie.

«Stasera tardi» dice Trish. «Eddie, dov'è il regalo? Ah, Nathaniel, eccoti qui.»

Alzo lo sguardo oltre il tetto della macchina, un po' in apprensione. Eccolo lì, che avanza lungo il vialetto, in jeans e scarpe di corda e una vecchia T-shirt grigia, con lo zaino su una spalla. Ed eccomi qui, in vestaglia, tutta spettinata.

E ancora non so come stanno le cose fra noi.

Per quanto alcune parti del mio corpo stanno reagendo alla vista di Nathaniel. Loro non sembrano affatto confuse.

«Ciao» dico, quando si avvicina alla macchina.

«Ciao.» I suoi occhi si socchiudono, cordiali, ma lui non fa alcun tentativo di baciarmi, e neppure mi sorride. Si ferma e mi guarda. C'è qualcosa, nel suo sguardo diretto e intento, che mi fa tremare le ginocchia.

O le cose sono rimaste più o meno com'erano ieri, a metà del bacio, oppure è destino che io lo trovi terribilmente sexy, qualunque siano le vibrazioni che lui emana.

«Allora...» Mi costringo a distogliere lo sguardo e fisso la ghiaia per qualche istante. «Oggi... lavori sodo.»

«Mi farebbe comodo una mano» dice lui, con naturalezza «se non hai niente da fare.»

Provo un guizzo di felicità, che cerco di mascherare con un colpetto di tosse.

«Bene.» Mi stringo appena nelle spalle, quasi imbronciata. «Be'... magari.»

«Ottimo.» Fa un cenno di saluto ai Geiger e si avvia a passo spedito verso il giardino.

Trish ha seguito questa conversazione con crescente disappunto.

«Non siete molto affettuosi l'uno con l'altra, vero?» dice. «Sai, l'esperienza...»

«Lasciali in pace, per amor del cielo!» ribatte Eddie, avviando il motore. «Togliamoci questo peso e andiamo.»

«Eddie Geiger!» strilla Trish, voltandosi verso di lui sul sedile. «È della festa di mia sorella che stai parlando! Ti rendi conto che...»

Eddie manda il motore su di giri, coprendo con il rumore la sua voce, e la Porsche scompare lungo il vialetto, schizzando ghiaia e lasciandomi sotto il sole cocente e silenzioso.

Bene.

Restiamo Nathaniel e io. Soli. Fino alle otto di stasera. Questo è lo scenario.

Da qualche parte dentro di me, qualcosa comincia a pulsare. Come un direttore d'orchestra che dà il ritmo. Come un'ouverture.

Con studiata indifferenza mi volto e torno verso la casa. Passando accanto a un'aiuola mi fermo un istante a osservare una pianta a caso, prendendo le foglie verdi fra le dita.

Forse potrei fare un salto da lui e offrirmi di dargli una mano. Sarebbe cortese.

Mi impongo di fare le cose con calma. Mi infilo sotto la doccia, poi mi vesto, faccio colazione: mezza tazza di tè e una mela. Poi vado di sopra e mi trucco un po'. Non molto. Quel tanto che basta.

Mi sono vestita senza troppi fronzoli: una T-shirt, una gonna di cotone, un paio di ciabattine. Quando mi guardo allo specchio provo un brivido di aspettativa. Ma a parte questo, la mia mente è stranamente vuota. Sembra che non sia più in grado di pensare. Il che, probabilmente, non è un male.

Dopo il fresco della casa, il giardino è torrido, l'aria immobile e quasi scintillante. Resto all'ombra, scendendo lungo il vialetto laterale, senza sapere dove lui sta lavorando, senza sapere dove sto andando. E poi lo vedo, in mezzo a una fila di fiori color lavanda e lilla, la fronte corrugata nella luce del sole, mentre lega un pezzo di spago.

«Ciao» dico.

«Ciao.» Lui alza lo sguardo e si asciuga la fronte. Mi aspetto quasi che molli ciò che sta facendo, venga verso di me e mi baci. Ma non lo fa. Continua a legare, poi taglia lo spago con un coltello.

«Sono venuta a darti una mano» dico, dopo un po'. «Cosa dobbiamo fare?»

«Legare i piselli odorosi.» Fa un cenno in direzione delle piante, che si arrampicano lungo quelle che sembrano capanne indiane di canne. «Hanno bisogno di sostegno, altrimenti cadono.» Mi lancia un gomitolo di spago. «Prova. Legali con delicatezza.»

Non scherzava. Lo sto veramente aiutando con il giardino.

Srotolo un pezzo di spago con cura, e imito quello che sta facendo lui. Le foglie e i petali morbidi mi fanno il solletico e riempiono l'aria di un profumo sorprendentemente dolce.

«Come va?»

«Vediamo.» Nathaniel si avvicina per controllare. «Bene. Puoi legarli anche un po' più stretti.» La sua mano sfiora la mia per un istante mentre si volta. «Fammi vedere come fai il prossimo.»

La mano mi pizzica al suo tocco. L'ha fatto apposta? Nel dubbio, lego la pianta successiva, stringendo di più il nodo.

«Sì, così va bene.» Improvvisamente la voce di Nathaniel si è spostata alle mie spalle, e io sento le sua dita sulla nuca, che seguono il contorno del lobo del mio orecchio. «Devi legare tutta la fila.»

Questo l'ha fatto apposta. Non c'è dubbio. Mi volto, con l'intenzione di fare altrettanto, ma lui è già sull'altro lato del filare, concentrato su una pianta, come se niente fosse successo.

E poi, di colpo, capisco che è una tattica.

Okay, adesso sono davvero eccitata.

Mentre passo da una pianta all'altra, sento il mio cuore pulsare sempre più forte. C'è silenzio, a parte il fruscio delle foglie e i colpi secchi di quando taglio lo spago. Lego altre tre piante e arrivo in fondo al filare.

«Fatto» dico, senza voltarmi.

«Ottimo. Vediamo.» Si avvicina per controllare i nodi. Sento la sua mano che sale lungo la mia coscia e solleva la gonna, le sue dita che mi cercano. Non riesco a muovermi. Sono pietrificata. E poi, all'improvviso, lui si allontana, per fare altro, e prende un paio di cestini.

«Cosa…» Non riesco neppure a formulare una frase di senso compiuto.

Mi dà un bacio breve e intenso sulla bocca. «Andiamo. Dobbiamo raccogliere i lamponi.»

Le serre dei lamponi si trovano più in basso, sono come piccole stanze di reticolato verde, con il fondo di terra asciutta e file di piante di lamponi. Quando entriamo non si sente alcun rumore, a parte il ronzio degli insetti e il battito delle ali di un uccello rimasto in trappola, che Nathaniel si affretta ad allontanare.

Ci mettiamo al lavoro nella prima fila senza dire una parola, occupati a raccogliere i frutti dalle piante. Alla fine ho in bocca il sapore forte dei lamponi, le mani graffiate e doloranti, e sono tutta sudata. Sembra che qui dentro faccia più caldo che in qualunque altra parte del giardino.

Ci incontriamo al termine della prima fila e Nathaniel mi guarda per una frazione di secondo, col sudore che gli cola sul viso.

«Caldo, eh?» dice. Posa il cesto e si toglie la maglietta.

«Sì.» C'è un attimo di silenzio. Poi, quasi per provocarlo, faccio lo stesso. Resto lì, in reggiseno, a pochi centimetri da lui, la mia pelle di un biancore latteo in confronto alla sua.

«Ne abbiamo raccolti abbastanza?» Indico il cestino, ma Nathaniel non abbassa neppure lo sguardo.

«Non ancora.»

Qualcosa nella sua espressione mi fa venire un prurito dietro le ginocchia. Incrocio il suo sguardo ed è come se stessimo giocando a sfidarci.

«A quelli non ci arrivo» dico, indicando un gruppo di lamponi troppo in alto per me.

«Ti aiuto io.» Si sporge oltre le mie spalle, pelle contro pelle, e sento la sua bocca sfiorarmi il lobo dell'orecchio mentre raccoglie i frutti. Tutto il mio corpo risponde. Non posso sopportarlo. Ho bisogno che la smetta, ma ho anche bisogno che continui.

Ma lui va avanti. Ci muoviamo avanti e indietro lungo le file come due ballerini impegnati in un minuetto, in apparenza concentrati sulle nostre mosse, ma consapevoli soltanto l'uno dell'altra. In fondo a ogni fila mi sfiora una parte del corpo con le dita o con le labbra. Una volta mi mette in bocca un lampone e io gli sfioro le dita coi denti. Ho voglia di accarezzarlo, ho voglia di toccarlo, ma ogni volta lui se ne va prima che ci possa essere qualche sviluppo.

Sto cominciando a tremare per il desiderio. Lui mi ha slacciato il reggiseno due file fa. Io mi sono tolta le mutandine. Lui si è aperto la cintura. Eppure, eppure continuiamo a raccogliere lamponi.

I cestini sono pieni e pesanti e mi fanno male le braccia, ma quasi non me ne rendo conto. L'unica cosa di cui mi accorgo è che tutto il mio corpo sta palpitando, anzi il palpitare è diventato un pulsare deciso, che non riuscirò a sopportare ancora per molto. Quando arrivo in fondo all'ultima fila, poso il cestino e lo affronto, incapace di nascondere oltre il mio desiderio disperato.

«Abbiamo finito?»

Ho il respiro affannoso. Devo avere Nathaniel. Lui l'avrà capito. Non so cos'altro potrei fare.

«Abbiamo fatto parecchio.» Il suo sguardo si sposta verso le altre serre. «Ma ci sono ancora...»

«No» mi scopro a dire. «Ora basta.»

Resto lì, nella calura, sul terreno polveroso, ansimante e ardente di desiderio. E proprio quando penso che potrei esplodere, lui fa un passo avanti e abbassa la bocca sul mio capezzolo. Mi sento svenire. E questa volta lui non si allontana. Questa volta fa sul serio. Le sue mani si muovono sul mio corpo, la mia gonna cade a terra, i suoi jeans gli scivolano ai piedi. E io tremo, stretta a lui, urlando. E i lamponi sono abbandonati al suolo, schiacciati, spiaccicati sotto di noi.

Restiamo lì sdraiati a terra per un tempo interminabile. Mi sento tutta intorpidita. Ho dei sassolini conficcati nella schiena, nelle ginocchia e nelle mani, e macchie di lampone su tutto il corpo. Ma non mi importa. Non ho neppure la forza di sollevare una mano per togliere la formica che mi cammina sulla pancia.

Ho la testa appoggiata sul petto di Nathaniel e il battito del suo cuore ricorda il ticchettio profondo e confortante di un orologio. Il sole mi batte forte sulla pelle. Non ho idea di che ora sia. E non mi interessa. Ho perso la nozione dei minuti e delle ore.

Alla fine lui sposta leggermente la testa. Mi dà un bacio sulla spalla, poi sorride. «Sai di lampone.»

«È stato...» Mi interrompo, troppo stupefatta per mettere insieme una frase sensata. «Sai... normalmente io...» All'improvviso mi sfugge un enorme sbadiglio e mi porto la mano alla bocca. Ho voglia di dormire. Per qualche giorno.

Nathaniel solleva una mano e lentamente mi traccia del cerchi sulla schiena.

«Sei minuti non è sesso» gli sento dire, mentre mi si chiudono gli occhi. «Sei minuti è un uovo sodo.»

Quando mi sveglio, le serre dei lamponi sono metà in ombra. Nathaniel si è staccato da me, e mi ha improvvisato un cuscino con la gonna. Si è rimesso i jeans ed è andato a prendere qualche bottiglia di birra dal frigo dei Geiger. Mi tiro su, ancora stordita, e lo vedo seduto a terra, la schiena appoggiata contro un albero, che beve dalla bottiglia.

«Scansafatiche» gli dico. «I Geiger credono che tu stia legando i piselli odorosi.»

Lui si volta verso di me, e sul suo viso passa un'ombra divertita. «Hai dormito bene?»

«Quanto ho dormito?» Mi porto una mano al viso per togliere una pietruzza. Mi sento completamente disorientata.

«Un paio d'ore. Ne vuoi un po'?» mi chiede, indicando la bottiglia. «È fredda.»

Mi alzo in piedi, mi ripulisco un po', indosso gonna e reggiseno come soddisfacente compromesso di abbigliamento, e vado a sedermi accanto a lui sull'erba. Mi passa la bottiglia e io bevo un sorso, cauta. Non ho mai bevuto birra prima d'ora. Ma così, fredda e spumeggiante, è la cosa più buona che abbia mai assaggiato.

Mi abbandono contro il tronco dell'albero, i piedi nudi sull'erba fresca.

«Dio, mi sento così...» Sollevo una mano e la lascio ricadere con un tonfo.

«Non sei più nervosa come una volta» osserva Nathaniel. «Prima, quando ti rivolgevo la parola, facevi dei salti alti così.»

«No!»

«Sì, sì» fa lui, annuendo. «Come un coniglio.»

«Credevo di essere un tasso.»

«Sei un incrocio fra un tasso e un coniglio. Una specie rarissima.» Mi sorride e beve un altro sorso dalla bottiglia. Per un po' restiamo in silenzio. Osservo un minuscolo aereo che passa sopra di noi lasciando una scia bianca nel cielo.

«Anche la mamma dice che sei cambiata.» Nathaniel mi rivolge un'occhiata veloce e indagatrice. «Dice che secondo lei, la persona da cui sei fuggita... qualunque cosa sia successa... ha meno presa su di te.»

La domanda è lì, nel tono con cui pronuncia le parole, ma io non rispondo. Sto pensando a Iris, ieri, che ha lasciato che sfogassi tutta la mia frustrazione contro di lei. Neppure lei ha avuto una vita facile.

«Tua madre è fantastica» osservo, alla fine.

«Già.»

Poso la bottiglia e rotolo sull'erba, fissando il cielo azzurro. Sento l'odore della terra sotto la testa, i fili d'erba contro l'orecchio e un grillo che canta lì vicino.

Sono cambiata. Lo sento dentro. Sono più tranquilla.

«Chi vorresti essere?» domando, avvolgendomi un filo d'erba intorno al dito. «Se potessi scappare e diventare una persona diversa?»

Nathaniel resta in silenzio per qualche istante, e osserva il giardino.

«Vorrei essere me stesso» risponde, alla fine, scrollando le spalle. «Io sono felice così. Mi piace vivere dove vivo. Mi piace fare quello che faccio.»

Mi giro a pancia in giù e alzo gli occhi verso di lui, stringendoli per difenderli dalla luce del sole. «Dev'esserci qualcos'altro che ti piacerebbe fare. Avrai pure un sogno.»

Lui scuote la testa, sorridendo. «Io sto facendo esattamente quello che desidero.»

All'improvviso mi torna in mente ciò che mi ha raccontato Trish, e mi tiro su a sedere sull'erba.

«E il vivaio che volevi avviare?»

Il viso di Nathaniel ha uno scatto, sorpreso. «Come fai a...»

«Me l'ha raccontato Trish questa mattina. Mi ha detto che avevi già progettato tutto. Cos'è successo?»

Per un attimo resta in silenzio, lo sguardo perso lontano. Non saprei dire cosa gli sta passando per la mente.

«Era solo un'idea» dice, alla fine.

«Ci hai rinunciato per tua madre. Per gestire i pub.»

«Forse.» Allunga la mano verso un ramo basso e comincia a strappare le foglie. «È cambiato tutto.»

«Ma tu vuoi davvero gestire i pub?» Mi avvicino a lui, cercando di intercettare il suo sguardo. «L'hai detto anche tu che non sei un barista ma un giardiniere.»

«Non è questione di volere.» La voce di Nathaniel assume un tono improvvisamente irritato. «Sono gli affari della famiglia. Qualcuno deve gestirli.»

«Perché proprio tu?» insisto. «Perché non tuo fratello?»

«Lui è… diverso. Lui ha la sua attività.»

«Anche tu potresti avere la tua attività!»

«Io ho delle responsabilità.» La sua espressione è sempre più seccata. «Mia madre…»

«Lei vorrebbe che tu facessi quello che desideri» insisto. «Lo so. Vorrebbe che tu fossi felice della tua vita, e non che ci rinunciassi per lei.»

«Io sono felice. È assurdo dire…»

«Ma non potresti essere più felice?»

C'è silenzio. Nathaniel guarda lontano, le spalle curve quasi a voler prendere le distanze da ciò che sto dicendo.

«Non ti viene mai voglia di mollare tutto?» chiedo, allargando le braccia in uno slancio improvviso. «Andartene e vedere cosa succede?»

«È quello che hai fatto tu?» domanda, girandosi verso di me, con tono improvvisamente aggressivo.

Lo guardo, incerta.

«Io… non stiamo parlando di me» dico, alla fine. «Stiamo parlando di te.»

«Samantha.» Fa un sospiro e si sfrega la fronte. «So che non desideri parlare del tuo passato, ma voglio che tu mi dica una cosa. E devi essere sincera.»

Provo un fremito profondo di allarme. Cosa vorrà sapere?

«Ci proverò» rispondo, alla fine. «Cosa vuoi sapere?»

Nathaniel mi guarda negli occhi e fa un respiro profondo. «Tu hai figli?»

Sono così stupita che per un attimo non riesco neppure a parlare. Pensa che io abbia dei figli? Una risata di sollievo mi esce di colpo prima che io possa fermarla.

«No, non ho figli! Cosa pensavi, che mi fossi lasciata alle spalle cinque bocche da sfamare?»

«Non lo so.» Ha un'espressione pensierosa, imbarazzata, ma è anche sulla difensiva. «Perché no?»

«Perché… voglio dire, ho l'aria di una che ha avuto cinque figli?» Il mio tono è indignato, e lui comincia a ridere.

«Magari non cinque, ma…»

«Cosa vorresti insinuare?» Sto per colpirlo con la sua camicia, quando una voce trafigge il silenzio.

«Samantha?»

È la voce di Trish. Viene dalla casa. Sono tornati?

Io e Nathaniel ci scambiamo un'occhiata incredula.

«Samantha?» strilla di nuovo la voce. «Sei fuori?»

Oh, cazzo. Il mio sguardo si posa frenetico su di noi. Io sono nuda, a parte la gonna e il reggiseno, coperta di terra e di macchie di lamponi. Nathaniel è più o meno nelle mie stesse condizioni, con la differenza che indossa i jeans.

«Presto! I miei vestiti!» sussurro, alzandomi in piedi.

«Dove sono?» dice Nathaniel, scrutando intorno.

«Non lo so!» Lo guardo e sento una risata sciocca salire da dentro. «Qui finisce che ci licenziano.»

«Samantha?» Sento il colpo sordo della porta della veranda che viene aperta.

«Merda!» esclamo. «Sta venendo qui!»

«Non ti preoccupare» dice Nathaniel, recuperando la sua T-shirt dalla serra dei lamponi. La infila e subito ha un aspetto normale. «Li terrò occupati. Tu svignatela passando di lato, dietro i cespugli, entra dalla porta della cucina, corri di sopra e cambiati. Okay?»

«Okay» dico, senza fiato. «E qual è la nostra versione?»

«La nostra versione...» Si interrompe, come se riflettesse. «La nostra versione è che non abbiamo fatto sesso in giardino e non abbiamo fregato la birra dal frigo.»

«Giusto» rispondo. «Ottimo piano.»

«Va', corri, Coniglio Marrone.» Mi bacia e io scappo via, attraversando il prato di corsa per andare a nascondermi dietro un grosso cespuglio di rododendri.

Me la svigno lungo l'estremità laterale del giardino, tenendomi sempre dietro ai cespugli e cercando di non fare troppo rumore. I miei piedi nudi volano sulla terra umida e fresca, poi appoggio il piede su un sasso appuntito e mi lascio sfuggire un lamento silenzioso. Mi sembra di essere tornata a quando avevo dieci anni e giocavo a nascondino, e la stessa miscela di divertimento e paura mi fa battere forte il cuore.

Quando arrivo a una decina di metri dalla casa, mi accuccio dietro a un cespuglio e aspetto. Dopo circa un minuto vedo Nathaniel che accompagna risoluto i Geiger verso lo stagno delle ninfee.

«Temo che si tratti di mal bianco» sta dicendo. «Ho pensato fosse meglio che vedeste di persona.»

Aspetto che si siano allontanati, poi corro leggera verso la veranda, entro in casa e salgo le scale. Quando sono nella mia stanza, con la porta ben chiusa, crollo sul letto, provando una gran voglia di ridere per lo scampato pericolo, per l'assurdità e la comicità della situazione. Poi mi alzo e guardo fuori dalla finestra. Li vedo tutti e tre giù allo stagno. Nathaniel sta indicando qualcosa con un bastone.

Sfreccio in bagno, apro al massimo il rubinetto della doccia e resto sotto il getto per trenta secondi. Poi indosso biancheria e jeans puliti e una pudica maglietta a maniche lunghe. Aggiungo persino un tocco di rossetto. Poi mi infilo un paio di scarpe di corda e scendo in giardino.

Nathaniel e i Geiger stanno tornando verso la casa. I tacchi di Trish affondano nel prato. Sia lei che Eddie sembrano infastiditi e accaldati.

«Salve» dico con naturalezza, quando si avvicinano.

«Ah, eccoti qui» dice Nathaniel. «Non ti ho vista per tutto il pomeriggio.»

«Stavo studiando delle ricette» ribatto, con aria innocente, e poi mi rivolgo a Trish con un sorriso gentile. «Si è divertita alla festa, signora Geiger?»

Vedo Nathaniel che mi fa strani gesti alle loro spalle, passandosi il dito di traverso sulla gola, ma ormai è troppo tardi.

«Grazie per avermelo chiesto, Samantha» risponde Trish, inspirando bruscamente «ma preferirei non parlare della festa.»

Eddie si lascia sfuggire un'esclamazione ironica ed esasperata insieme. «Non vuoi proprio arrenderti, eh? Io ho solo detto...»

«È stato il modo in cui l'hai detto!» urla Trish. «A volte penso che il tuo unico scopo nella vita sia quello di mettermi in imbarazzo!»

Eddie sbuffa, infuriato, e si allontana a grandi passi verso la casa, col panama di traverso sulla testa.

Oh, oh. Guardo Nathaniel inarcando le sopracciglia, e lui mi sorride da dietro la capigliatura fremente di Trish.

«Gradisce una bella tazza di tè, signora Geiger?» domando, cercando di consolarla. «O... un Bloody Mary?»

«Grazie, Samantha» risponde lei, alzando il mento con aria stizzosa. «Un Bloody Mary andrà benissimo.»

Quando raggiungiamo la veranda, Trish sembra un po' più calma. Addirittura si prepara il Bloody Mary da sola, invece di farlo fare a me sotto la sua direzione, e ne prepara uno anche per me e Nathaniel.

«Dunque» dice, quando abbiamo bevuto un sorso dei nostri drink e ci siamo seduti fra le piante rigogliose «c'è una cosa di cui devo parlarti, Samantha. Avremo un'ospite.»

«Oh, bene» dico, sforzandomi di non ridere. Nathaniel è seduto accanto a me e sta cercando di sfilarmi una scarpa con il piede sotto il tavolino.

«Mia nipote arriverà domani e si fermerà per qualche settimana. Viene da noi in campagna perché ha bisogno di pace e tranquillità. Ha del lavoro da fare ed è molto importante che non venga disturbata, quindi il signor Geiger e io ci siamo offerti di ospitarla qui. Vorrei che le preparassi la stanza degli ospiti.»

«Molto bene.» Annuisco, compita.

«Avrà bisogno del letto e di una scrivania... credo porti con sé un portatile.»

«Sì, signora Geiger.»

«È una ragazza molto intelligente, Melissa.» Trish si accende una sigaretta con l'accendino di Tiffany. «Estremamente motivata. Una di quelle ragazze della City.»

«Oh» faccio io, soffocando una risata quando Nathaniel finalmente riesce a sfilarmi la scarpa. «E che lavoro fa?»

«L'avvocato» dice Trish e io alzo gli occhi, a corto di parole. Un avvocato?

Un avvocato verrà a stare in questa casa?

Nathaniel mi sta facendo il solletico alla pianta del piede, ma io reagisco con un timido sorriso. Potrebbe essere un problema. Anzi, potrebbe essere un disastro.

E se la conoscessi?

Mentre Trish si prepara un altro Bloody Mary, io comincio a lambiccarmi il cervello. *Melissa.* Potrebbe essere Melissa Davis della Freshwater. O Melissa Christie della Clark Forrester. O magari Melissa Taylor, quella che ha lavorato alla fusione della DeltaCo. Abbiamo passato ore insieme nella stessa stanza. Mi riconoscerebbe subito.

«E... è nipote sua, signora Geiger, o di suo marito?» domando, con indifferenza, quando Trish torna a sedersi. «Anche lei si chiama Geiger?»

«No, si chiama Hurst.»

Melissa Hurst. Il nome non mi dice niente.

«E dove lavora?» Ti prego, fa che lavori all'estero...

«Oh, in uno di quei posti molto in vista di Londra.» Trish fa un gesto vago col bicchiere.

Okay, non la conosco. Ma non c'è da stare tranquilli. Un avvocato molto in vista di Londra. Se lavora in uno dei grossi studi legali non può non aver sentito parlare di me. Non può non aver sentito di quell'avvocato della Carter Spink che ha fatto perdere cinquanta milioni di sterline a un cliente ed è scappato. Conoscerà ogni umiliante dettaglio della mia disgraziata vicenda.

Al pensiero mi sento gelare. È sufficiente che lei riconosca il mio nome, faccia due più due... e tutta la storia uscirà fuori. Verrò umiliata qui come lo sono stata a Londra. Tutti verranno a conoscenza dei miei precedenti e scopriranno le mie bugie. Lancio un'occhiata a Nathaniel e provo una fitta di terrore.

Non posso permettere che vada tutto a monte. Non adesso.

Lui mi fa l'occhiolino e io bevo una generosa sorsata di Bloody Mary. La risposta è semplice. Dovrò fare tutto il possibile per tenere nascosto il mio segreto.

## 18

Non c'è motivo per cui questo avvocato dovrebbe riconoscere la mia faccia. Ma per maggior sicurezza opto per un semplice travestimento. Il pomeriggio seguente, dopo aver preparato la stanza degli ospiti, corro in camera mia e mi raccolgo i capelli, lasciando ricadere qualche ciocca qua e là. Poi aggiungo un paio di vecchi occhiali da sole che ho trovato nel cassetto della toletta. Sono degli anni Ottanta e hanno una vistosa montatura verde che mi nasconde completamente il viso. Mi fanno assomigliare a Elton John, ma pazienza. Il punto è che non assomiglio per niente a com'ero prima.

Quando scendo, Nathaniel sta uscendo dalla cucina. Ha l'aria seccata. Alza lo sguardo verso di me e si blocca, sorpreso.

«Samantha... cos'hai fatto?»

«Oh, ti riferisci ai capelli?» Li sfioro con gesto disinvolto. «Volevo cambiare un po'.»

«Quegli occhiali sono tuoi?» domanda, osservandomi perplesso.

«Ho un po' di mal di testa. Allora, cos'è successo?» chiedo, affrettandomi a cambiare argomento.

«Trish» risponde lui, con aria torva. «Mi ha appena fatto una predica sul rumore. Non posso tagliare l'erba fra le dieci e le due. Non posso usare il potatore senza prima avvertire. E vorrebbe che camminassi in punta di piedi sulla ghiaia. In punta di piedi!»

«Perché?»

«Per colpa di questa maledetta ospite. Dobbiamo tutti ballarle intorno. Uno stramaledetto avvocato.» Scuote la testa, incredulo. «Il suo lavoro è importante: ma anche il mio lo è!»

«È arrivata!» urla Trish dalla cucina e si precipita fuori. «Siamo pronti?» Spalanca la porta d'ingresso e io sento il rumore di una portiera che si apre, fuori, sul vialetto.

Il cuore comincia a martellarmi nel petto. Eccoci. Mi tiro ancora qualche ciocca sul viso e stringo i pugni. Se dovessi conoscere questa donna, mi limiterò a tenere lo sguardo basso, mormorare qualche parola e interpretare il mio ruolo. Io sono una governante. Non sono mai stata altro che una governante.

«Avrai tutta la tranquillità che vuoi qui da noi, Melissa» sta dicendo Trish. «Ho dato istruzioni al personale perché si occupi di te con particolare attenzione...»

Scambio un'occhiata con Nathaniel e lui alza gli occhi al cielo.

«Eccoci qui! Aspetta che ti apro la porta...»

Trattengo il fiato. Un attimo dopo Trish entra in casa, seguita da una ragazza in jeans e maglietta bianca aderente, che trascina una valigia.

Questa sarebbe il grande avvocato?

La osservo, sconcertata. Ha capelli lunghi e scuri, un viso grazioso e vivace. Non può avere molto più di vent'anni.

«Melissa, questa è Samantha, la nostra splendida governante...» Trish si interrompe, sorpresa. «Samantha, cosa diavolo ti sei messa? Sembri Elton John!»

Stupendo. Sono riuscita ad attirare l'attenzione su di me.

«Salve» dico, imbarazzata, togliendomi gli occhiali da sole, ma tenendo il viso abbassato. «È un piacere conoscerla.»

«È fantastico essere qui.» Melissa ha un marcato accento da collegio di lusso e una gestualità perfettamente in tono. «Non ne potevo proprio più di Londra!»

«La signora Geiger ha detto che lei fa l'avvocato in un... importante studio di Londra...»

«Già.» Mi rivolge un sorriso compiaciuto. «Frequento la Chelsea Law School.»

Cosa?

Non ha neppure l'abilitazione. È una studentessa. È una bambina! Sollevo il capo con cautela e incrocio il suo sguardo… ma non sembra che mi abbia riconosciuta. Santo cielo! Non ho niente da temere da questa ragazza. Avrei quasi voglia di mettermi a ridere.

«E questo chi è?» Melissa sbatte con fare seducente le ciglia cariche di mascara all'indirizzo di Nathaniel, il quale si adombra ancora di più.

«È Nathaniel, il nostro giardiniere» spiega Trish. «Ma non ti preoccupare, ha ricevuto l'ordine tassativo di non disturbarti. Gli ho detto che hai bisogno di tranquillità assoluta per il tuo lavoro.»

«Ho una montagna di roba da fare» dice Melissa, con un sospiro da donna di mondo, e si passa una mano fra i capelli. «Non hai idea di quanto lavoro abbiamo, zia Trish. Sono così stressata!!»

«Non so proprio come tu faccia!» Trish le mette un braccio intorno alle spalle e la stringe forte. «Ora, cosa vorresti fare per prima cosa? Siamo tutti a tua disposizione.»

«Potresti disfarmi le valigie?» dice Melissa voltandosi verso di me. «I vestiti saranno tutti stropicciati, quindi bisognerà stirarli.»

Sono scioccata. Non se li disfa lei i bagagli? Sono diventata la cameriera personale di questa ragazza?

«Magari mi porto i libri in giardino» aggiunge, vivace. «Il giardiniere potrebbe sistemarmi un tavolo all'ombra.»

Trish osserva rapita mentre Melissa si mette a frugare in uno zaino pieno di libri di testo.

«Guarda quanti libri, Samantha!» esclama, mentre la ragazza tira fuori i *Primi elementi di diritto processuale*. «Guarda quanti paroloni!»

«Ehm… accidenti!» faccio io, rispettosa.

«Perché non ci prepari prima un bel caffè?» dice Trish, rivolgendosi a me. «Lo prenderemo in terrazza. Porta anche qualche biscotto.»

«Subito, signora Geiger» rispondo, inchinandomi automaticamente.

«Il mio potresti farlo metà normale e metà decaffeinato?» aggiunge Melissa, allontanandosi. «Non vorrei che mi facesse diventare troppo nervosa.»

No che non posso, stupida stronza presuntuosa.

«Certo» rispondo, con un sorriso a denti stretti. «Con piacere.»

Qualcosa mi dice che questa ragazza e io non andremo d'accordo.

Quando cinque minuti dopo porto il caffè fuori in terrazza, Trish e Melissa sono sprofondate nelle sdraio sotto un ombrellone insieme a Eddie.

«Hai conosciuto Melissa, vero?» dice lui, mentre poso il vassoio su un tavolino in ferro battuto. «La nostra piccola star. La nostra Perry Mason.»

«Sì. Il suo caffè» aggiungo, porgendo la tazza a Melissa. «Esattamente come l'ha chiesto.»

«Melissa è terribilmente sotto pressione» spiega Eddie. «Dobbiamo renderle la vita più facile.»

«Non potete immaginare cosa sia la tensione» dice Melissa, seria. «Lavoravo anche di sera. La mia vita sociale è praticamente inesistente.» Beve un sorso di caffè, poi si volta verso di me. «A proposito, volevo dire...» Si blocca e aggrotta la fronte. «Com'è che ti chiami?»

«Samantha.»

«Sì, Samantha. Stai molto attenta col mio top di perline rosso, okay?» Getta i capelli all'indietro e beve un altro sorso di caffè.

«Farò del mio meglio» rispondo, con tono cortese. «È tutto, signora Geiger?»

«Aspetta!» Eddie posa la tazza. «Ho una cosa per te. Non ho dimenticato la nostra conversazione dell'altro giorno.» Si china a prendere qualcosa sotto la sedia e tira fuori una busta di carta marrone. Vedo spuntare un paio di libri dalle copertine vivaci. «Da questo non puoi scappare, Samantha. Sarà il nostro piccolo progetto.»

Ho un brutto presentimento. Oh, no. Ti prego, fa' che non sia quello che penso.

«Signor Geiger, è molto gentile da parte sua, ma...»

«Non voglio sentire un'altra parola!» mi interrompe lui con una mano alzata. «Un giorno mi ringrazierai!»

«Di cosa state parlando?» Melissa arriccia il naso a patata, curiosa.

«Samantha prenderà un diploma!» Con uno svolazzo, Eddie tira fuori due libri di esercizi dalla busta. Entrambi hanno la copertina vistosa, con grosse lettere sgargianti e illustrazioni pacchiane. Vedo le parole "Matematica", "Inglese" e "Apprendimento per adulti".

Ne apre uno e mostra l'allegra caricatura di una mucca. Dalla bocca dell'animale esce un fumetto con le parole: "Cos'è un pronome?".

Lo fisso, incapace di proferire parola.

«Visto?» prosegue Eddie, tutto orgoglioso. «Vedrai come ti divertirai! Ci sono anche delle stelle adesive dorate per marcare i progressi.»

«Sono sicura che Melissa sarà felice di darti una mano negli esercizi più difficili» aggiunge Trish. «Vero, tesoro?»

«Certo» conferma lei con un sorriso di sufficienza. «Brava, Samantha! Non è mai troppo tardi.» Mi porge la tazza di caffè ancora piena. «Ti dispiace farmene un altro? Questo era troppo leggero.»

Rientro in casa e getto i libri sul tavolo della cucina. Riempio di nuovo il bollitore, quindi sbatto con violenza la caffettiera nel lavabo.

«Tutto bene?» Nathaniel mi osserva con aria divertita dalla porta. «Com'è la ragazza?»

«Orrenda! Non ha un minimo di educazione. Mi tratta come una serva. Devo disfarle i bagagli… e farle questo stupido caffè mezzo decaffeinato…»

«C'è un unico rimedio a questo» dice Nathaniel. «Sputale nel caffè.»

«Ehi!» Faccio una smorfia. «Io una cosa del genere non la faccio.» Metto il caffè nella caffettiera, poi aggiungo un cucchiaio di decaffeinato. Non riesco a credere che sto davvero soddisfacendo i suoi stupidi capricci.

«Non lasciarti innervosire da lei.» Nathaniel si avvicina, mi circonda con le braccia e mi bacia. «Non ne vale la pena.»

«Lo so.» Poso il caffè e mi rifugio nel suo abbraccio con un sorriso, sentendomi subito più rilassata. «Mmh. Mi sei mancato.»

Lui mi fa correre le mani sulla schiena e io provo un formicolio di piacere. La notte scorsa sono rimasta al pub con Nathaniel e sono tornata a casa dei Geiger alle sei del mattino. Qualcosa mi dice che potrebbe diventare un'abitudine.

«Anche tu mi sei mancata.» Mi sfiora il naso e mi guarda con un'espressione curiosa. «E, a proposito, Samantha, non credere che io non sappia.»

Mi irrigidisco fra le sue braccia. «Sappia cosa?» dico con tono indifferente.

«So che hai i tuoi piccoli segreti.» Mi studia. «Ma uno si è saputo. E tu non puoi più farci niente.»

Uno si è saputo? Di cosa sta parlando?

«Nathaniel, cosa intendi dire?» Cerco di sembrare rilassata, ma il mio sistema di allarme è in all'erta.

«Dài» fa lui, divertito «non dirmi che non sai a cosa mi riferisco. Samantha, tu puoi anche fare la finta tonta, ma noi sappiamo.»

«Sapete cosa?» domando, allibita.

Nathaniel scuote la testa come se volesse ridere. «Ti darò un indizio. Domani.» Mi bacia di nuovo, e si avvia verso la porta.

Non so di cosa stia parlando. Domani? Perché domani?


L'indomani, a metà giornata, non ho ancora capito. Forse è perché non ho avuto un solo momento per sedermi e pensare. E questo perché ho dovuto correre dietro a Melissa per tutto il tempo.

Le ho fatto almeno cinquanta tazze di caffè, e metà non le ha neppure assaggiate. Le ho portato dell'acqua fredda, preparato dei sandwich, lavato tutta la biancheria sporca che aveva in valigia. Le ho stirato una camicia bianca che voleva mettersi a tutti i costi questa sera. Ogni volta che stavo per dedicarmi alle mie solite mansioni, la sua voce stridula mi chiamava.

Nel frattempo, Trish se ne va in giro per la casa in punta di piedi, come se in giardino avessimo T.S. Eliot in persona immerso nella stesura della sua ultima fatica epica. Mentre spolvero il soggiorno, lei guarda fuori, rapita, verso il tavolo sul prato dove è seduta Melissa.

«Lavora talmente tanto» dice, tirando una profonda boccata dalla sigaretta. «È una ragazza così intelligente, Melissa.»

«Mmh» grugnisco senza sbilanciarmi.

«Sai, non è facile entrare in una facoltà di legge, Samantha. Specialmente se è la migliore!» Mi lancia un'occhiata eloquente. «Melissa ha dovuto fare meglio di centinaia di altre persone, solo per essere ammessa!»

«Fantastico.» Passo nervosamente lo straccio sul televisore. «Davvero fantastico.»

E comunque non frequenta la scuola migliore, tanto per essere precisi.

«Quanto si fermerà?» Cerco di formulare la domanda con naturalezza.

«Dipende.» Trish esala una nuvola di fumo. «Gli esami sono fra qualche settimana, e io le ho detto che può fermarsi quanto vuole!»

Qualche settimana? È trascorso soltanto un giorno e già mi sta facendo impazzire.

Passo il pomeriggio in cucina, fingendo di essere colpita da una forma di sordità selettiva. Ogni volta che Melissa mi chiama, accendo il frullatore, alzo il volume della radio, oppure mi metto a sbattere tegami e padelle. Se mi vuole, sa dove trovarmi.

Alla fine compare sulla porta della cucina, le guance rosse per l'irritazione.

«Samantha, ti ho chiamata!»

«Davvero?» Alzo gli occhi con aria innocente dal burro che sto tagliando per preparare un impasto. «Non ho sentito.»

«Qui c'è bisogno di un campanello o di qualcosa» dice lei, sbuffando spazientita. «È assurdo che io debba interrompere quello che sto facendo.»

«Cosa desiderava?»

«La brocca dell'acqua è vuota. E ho assolutamente bisogno di mangiare qualcosa. Ho un calo di zuccheri.»

«Poteva portare la brocca qui in cucina» suggerisco, calma. «O prepararsi qualcosa da mangiare.»

«Senti, io non ho tempo per prepararmi da mangiare, okay?» ribatte lei, seccamente. «Al momento sono sottoposta a un'incredibile pressione. Ho una montagna di lavoro da fare, gli esami si stanno avvicinando… tu non hai idea di cosa sia la mia vita.»

La guardo in silenzio e faccio un respiro profondo, cercando di controllare la rabbia.

«Le porterò un sandwich» dico, alla fine.

«Grazie» fa lei, sarcastica, poi se ne resta lì a braccia conserte, come se aspettasse qualcosa.

«Cosa c'è?» domando.

«Su, avanti.» Fa un cenno con la testa. «L'inchino.»

Cosa? Non può parlare sul serio. «Io non ho intenzione di inchinarmi davanti a lei!» esclamo, quasi ridendo.

«Ma davanti a mio zio e mia zia ti inchini.»

«Loro sono i miei datori di lavoro» rispondo, tesa. «È diverso.» E, credimi, se potessi tornare indietro, l'inchino sarebbe escluso dal nostro rapporto.

«Io vivo in questa casa» precisa lei, gettando indietro i capelli «quindi sono anch'io la tua datrice di lavoro. Dovresti portarmi lo stesso rispetto.»

Avrei voglia di darle uno schiaffo. Se lavorasse con me alla Carter Spink la annienterei.

«Bene.» Poso il coltello. «Vado a chiederlo alla signora Geiger, d'accordo?» Prima che lei possa replicare esco dalla cucina. Non posso tollerarlo. Se Trish prende le sue parti, è finita. Io me ne vado.

Non la trovo da nessuna parte e così salgo al piano superiore, col cuore che va a mille. Arrivo davanti alla sua camera e busso. «Signora Geiger? Gradirei chiederle una cosa.»

Qualche istante dopo, Trish socchiude appena la porta e mette fuori la testa. È un po' scompigliata.

«Samantha! Cosa vuoi?»

«Non sono contenta dell'attuale situazione» dico, cercando di mantenere un tono calmo e civile. «Vorrei discuterne con lei.»

«Quale situazione?» chiede lei aggrottando la fronte.

«Di Melissa e delle sue continue richieste. Mi distolgono dai miei compiti. Se devo continuare a occuparmi di lei, la gestione della casa potrebbe risentirne.»

Sembra che Trish non abbia udito neppure una parola.

«Oh, Samantha… non adesso.» Mi liquida con un cenno distratto della mano. «Ne parleremo più tardi.»

Sento Eddie che mormora qualcosa da dentro la stanza. Fantastico. Probabilmente stavano facendo sesso. Probabilmente Trish vuole solo tornare nella sua posizione alla turca.

«Bene.» Cerco di controllare la frustrazione. «Allora, continuo così, giusto?»

«Aspetta.» Improvvisamente Trish riesce a mettermi a fuoco. «Samantha, fra mezz'ora prenderemo lo champagne in terrazza con alcuni... ehm... amici. Mettiti qualcosa di diverso da quell'uniforme.» La osserva con leggero disgusto. «Non è certo il vestito più bello che hai.»

"L'hai scelta tu!" vorrei urlare. Invece mi limito a fare un inchino, girare sui tacchi e andare in camera mia, furiosa.

Maledetta Trish. Maledetta Melissa. Se sta aspettando il sandwich, che aspetti pure.

Chiudo la porta, mi getto sul letto e mi guardo le mani, rosse e gonfie a furia di lavare gli indumenti delicati di Melissa.

Cosa ci faccio io, qui?

Sento la delusione e il disappunto farsi strada dentro di me. Forse sono stata un'ingenua... ma sinceramente pensavo che Trish ed Eddie avessero un po' più di rispetto per me. Non solo come governante, ma come persona. Invece, dal modo in cui si è appena comportata Trish... è evidente che per loro sono soltanto una domestica. Una specie di oggetto utile, un gradino sopra l'aspirapolvere. Mi verrebbe quasi voglia di fare le valigie e andarmene.

Mi vedo precipitarmi giù per le scale, spalancare la porta e urlare a Melissa, prima di lasciare la casa: "A proposito, anch'io ho una laurea in legge, e la mia è decisamente meglio della tua".

Ma sarebbe inopportuno. No, peggio. Sarebbe patetico.

Mi massaggio le tempie, e sento il battito del cuore che si calma; pian piano comincio a vedere le cose nella giusta prospettiva.

Ho scelto io di fare questo. Nessuno mi ha costretta. Forse non è stata la mossa più razionale del mondo, e forse non resterò in questo posto per sempre. Ma sta a me trarne il massimo vantaggio finché sono qui. Sta a me comportarmi in modo professionale.

O, per lo meno, più professionale che posso, considerando che non ho ancora capito cosa sia uno stampo per savarin.

Alla fine faccio appello a tutte le mie forze e mi alzo dal letto. Mi tolgo l'uniforme e indosso un vestito, poi mi spazzolo i capelli. Aggiungo anche un tocco di rossetto per maggior sicurezza. Poi prendo il cellulare e mando un messaggio a Nathaniel:

ciao! dove 6? sam

Aspetto la risposta, ma non arriva. Improvvisamente mi rendo conto che è tutto il pomeriggio che non lo vedo. E ancora non ho capito a cosa si riferisse, ieri. Si è saputo uno dei miei segreti? Quale? Incrocio il mio sguardo nello specchio e mi sento un po' inquieta. Non può...

Voglio dire, come avrebbe potuto...

No. Non è possibile. Non è assolutamente possibile. Dev'esserci una spiegazione. C'è sempre una spiegazione.

Quando arrivo nell'atrio, la casa è silenziosa. Non so a che ora arrivino questi amici di Trish, ma per il momento di loro non c'è traccia. Forse ho il tempo di finire di impastare. Potrei persino riuscire a pelare le verdure.

Sto andando veloce verso la cucina quando compare Nathaniel.

«Ah, sei qui.» Mi abbraccia e mi bacia, attirandomi sotto le scale che, abbiamo scoperto, è un posto molto utile dove nascondersi. «Mi sei mancata.»

«Nathaniel...» dico, protestando, ma lui mi stringe ancora più forte. Dopo qualche istante riesco a liberarmi.

«Nathaniel, devo impastare. Sono già in ritardo e devo anche servire da bere a delle persone...»

«Aspetta.» Lui mi attira nuovamente a sé, lanciando un'occhiata all'orologio. «Ancora un minuto. Poi possiamo andare.»

Lo guardo perplessa, colpita da uno strano presentimento.

«Nathaniel... cosa stai dicendo?»

«Continui a fare la finta tonta, eh?» Scuote la testa, divertito. «Pensavi davvero di farcela? Tesoro, non siamo degli stupidi! Te l'ho detto, noi sappiamo.»

Sento un tuffo al cuore. Sanno. Cosa sanno? Cosa diavolo hanno scoperto?

Deglutisco a fatica, con la bocca improvvisamente asciutta. «Cosa...»

«No, no, no.» Nathaniel mi posa un dito sulle labbra. «Troppo tardi. Ti beccherai la tua sorpresa, che ti piaccia o no.»

«Sorpresa?» ripeto, balbettando.

«Ora vieni fuori. Ti stanno aspettando. Chiudi gli occhi...» Mi mette una mano intorno alla vita e con l'altra mi copre gli occhi. «Da questa parte... ti faccio io strada...»

Mentre avanzo alla cieca, guidata soltanto dal braccio di Nathaniel, mi sento male per la paura. La mia mente schizza ovunque come impazzita, cercando di immaginare cosa possa essere successo a mia insaputa. Chi mi sta aspettando là fuori?

Ti prego, non dirmi che stanno cercando di mettere ordine nella mia vita. Ti prego, non dirmi che hanno organizzato una riconciliazione. Ho una fugace visione di Ketterman sul prato, con la montatura metallica degli occhiali che scintilla, colpita dai raggi del sole. O Arnold. O mia madre.

«Eccola!» Nathaniel mi conduce fuori dalla portafinestra e giù per i gradini che portano al giardino. Sento il calore del sole sul viso, un rumore che assomiglia allo sbattere di una vela e... della musica? «Okay! Ora puoi aprire gli occhi!»

Non posso aprire gli occhi. Qualunque cosa sia, non voglio sapere.

«È tutto a posto!» dice Nathaniel, ridendo. «Nessuno vuole mangiarti! Dài, apri gli occhi!»

Col cuore in tumulto li apro. Li sbatto parecchie volte, chiedendomi se per caso non sto sognando.

Cosa... cosa sta succedendo?

Fra due alberi è legato un enorme striscione con: BUON COMPLEANNO, SAMANTHA! È questo che fa quel rumore che ho sentito. Il tavolo del giardino è apparecchiato con una tovaglia bianca, un mazzo di fiori e parecchie bottiglie di champagne. A una sedia sono legati dei palloncini argentati su cui c'è scritto SAMANTHA. Da un lettore CD viene della musica jazz. Eddie e Trish sono sul prato, insieme a Iris, Eamonn e Melissa... e tutti mi sorridono, tutti a parte Melissa, che ha il broncio.

Mi sento come se fossi stata bruscamente proiettata in un universo parallelo.

«Sorpresa!» urlano in coro. «Buon compleanno!»

Apro la bocca, ma non esce alcun suono. Sono troppo stordita per parlare. Perché i Geiger pensano che sia il mio compleanno?

«Guardatela» dice Trish. «È rimasta di sasso! Vero, Samantha?»

«Ehm... sì.»

«Non se l'aspettava» conferma Nathaniel, con un grande sorriso.

«Buon compleanno, cara.» Iris si avvicina, mi abbraccia forte e mi dà un bacio.

«Eddie, stappa lo champagne!» ordina Trish, impaziente, alle mie spalle. «Su, avanti!»

Sono sbalordita. Cosa faccio? Cosa dico? Come si fa a dire alle persone che hanno organizzato una festa a sorpresa per te che in realtà... oggi non è il tuo compleanno?

Perché pensano che sia il mio compleanno? Che abbia dato una falsa data di nascita durante il colloquio di assunzione? Non ricordo di averlo fatto...

«Champagne per la festeggiata!» Eddie stappa una bottiglia e il vino si riversa spumeggiante in un bicchiere.

«Cento di questi giorni!» Eamonn viene verso di me con un gran sorriso. «Avresti dovuto vedere la tua faccia, un momento fa!»

«Impagabile!» conviene Trish. «Su, brindiamo!»

Non posso permettere che questa cosa vada avanti.

«Ehm... signor Geiger... signora... è bellissimo, e io sono sinceramente commossa...» Deglutisco, cercando il coraggio per dirlo. «Ma... non è il mio compleanno.»

Con mia grande sorpresa, tutti scoppiano a ridere.

«Ve l'avevo detto che sarebbe successo!» esclama Trish, divertita. «Lei mi aveva avvertito che avresti negato!»

«Non è così grave invecchiare di un anno» dice Nathaniel, con un sorriso irritante. «Devi affrontare la realtà. Noi sappiamo. Quindi bevi il tuo champagne e goditi la festa.»

Sono totalmente confusa. «Chi ha detto che avrei negato?»

«Lady Edgerly, naturalmente!» risponde Trish, raggiante. «È lei che ci ha rivelato il tuo piccolo segreto!»

Freya? C'è Freya dietro tutto questo?

«Cosa... cosa vi ha detto, esattamente?» Mi sforzo di apparire naturale. «Lady Edgerly.»

«Mi ha detto che si stava avvicinando il giorno del tuo compleanno» risponde Trish, compiaciuta. «E mi ha avvertito che avresti cercato di tenerlo segreto. Birbantella!»

Freya è incredibile. Davvero incredibile.

«Mi ha detto anche…» e qui Trish abbassa la voce con aria comprensiva «che il tuo ultimo compleanno è stato piuttosto deludente. Ha aggiunto che avremmo dovuto rimediare. Anzi, è stata lei a suggerire di farti una sorpresa!» Trish leva il bicchiere. «Allora, a Samantha! Buon compleanno!»

«Buon compleanno!» fanno eco gli altri, levando i bicchieri.

Non so se piangere o ridere. O entrambe le cose. Mi guardo intorno, guardo lo striscione, i palloncini argentati che ballonzolano mossi dal vento, le bottiglie di champagne, i volti sorridenti. Non c'è niente che io possa dire. Non posso far altro che stare al gioco.

«Be'… grazie. Lo apprezzo molto.»

«Mi dispiace essere stata un po' brusca questo pomeriggio» dice Trish, tutta allegra, bevendo un altro sorso. «Stavamo litigando con i palloncini. Ne avevamo già fatti scoppiare un bel po'.» Lancia un'occhiata torva all'indirizzo di Eddie.

«Hai mai provato a infilare palloncini pieni di elio nel portapacchi di una macchina?» ribatte lui, secco. «Vorrei vedere te! Non ho tre mani, sai?»

Mi vedo davanti l'immagine di Eddie che lotta con un carico di palloncini luccicanti, cercando di infilarli nella Porsche, e mi mordo il labbro per non ridere.

«Non abbiamo messo la tua età sui palloncini, Samantha» aggiunge Trish, sottovoce. «Come donna, pensavo che avresti apprezzato il gesto.» Leva il bicchiere e mi strizza appena l'occhio.

Guardo il suo volto vivace ed esageratamente truccato e poi la faccia carnosa e rosea di Eddie, e di colpo mi sento così commossa che non so più cosa dire. Hanno organizzato tutto questo. Preparato lo striscione, ordinato i palloncini.

«Signor Geiger, signora Geiger… sono così confusa…»

«Non è ancora finita!» dice Trish facendo un cenno oltre le mie spalle.

«Tanti auguri a te…» Una voce dietro di me si mette a cantare, subito seguita dalle altre. Mi giro di scatto e vedo Iris venire avanti sul prato con un'enorme torta di compleanno a due piani. È ricoperta da una glassa color rosa pallido, con rosette di zucchero e lamponi, sormontata da un'unica, elegante candelina bianca, e sopra c'è scritto a lettere d'argento BUON COMPLEANNO ALLA CARA SAMANTHA DA TUTTI NOI.

È la cosa più bella che io abbia mai visto. La osservo, stupita, con la gola stretta, incapace di parlare. Nessuno aveva mai fatto una torta per me.

«Spegni la candelina!» grida Eamon quando tutti smettono di cantare.

Soffio debolmente sulla fiamma e gli invitati applaudono.

«Ti piace?» domanda Iris, con un sorriso.

«È meravigliosa» rispondo, con un groppo in gola. «Non ho mai visto una torta così bella.»

«Buon compleanno, piccola.» Mi dà un colpetto sulla mano. «Se c'è qualcuno che se la merita, quella sei tu.»

Quando Iris posa la torta e comincia a tagliarla, Eddie fa tintinnare il bicchiere battendovi sopra con una penna.

«Vorrei la vostra attenzione…» Sale sulla terrazza e si schiarisce la voce. «Samantha, siamo molto felici che tu sia entrata a far parte della nostra famiglia. Stai facendo un lavoro meraviglioso e noi tutti lo apprezziamo.» Poi leva il bicchiere verso di me. «Ehm… brava.»

«Grazie, signor Geiger» dico, balbettando. Guardo i volti sorridenti intorno, incorniciati dal cielo azzurro e dai ciliegi in fiore. «Anch'io sono felice di essere qui. Siete stati tutti molto gentili e ospitali con me.» Oh, Dio, sento di avere le lacrime agli occhi. «Non potrei desiderare di lavorare per persone migliori…»

«Oh, basta così!» Trish agita le mani facendomi segno di smettere e si asciuga un occhio col tovagliolo.

«Perché è una brava ragazza…» attacca Eddie con voce roca. «Perché è una brava ragazza…»

«Eddie! Samantha non ha alcuna voglia di sentire le tue stupide canzoni!» lo interrompe Trish, con voce petulante, asciugandosi ancora gli occhi. «Stappa dell'altro champagne, per amor del cielo!»

È una delle serate più calde dell'anno. Mentre il sole cala lentamente all'orizzonte, siamo distesi sull'erba, bevendo champagne e chiacchierando. Eamonn mi racconta della sua ragazza, Anna, che lavora in un albergo a Gloucester. Iris tira fuori delle tartine farcite con pollo alle erbe. Nathaniel appende una serie di lucine piccolissime a un albero. Melissa annuncia più volte, a voce alta, di non poter restare, perché deve tornare al lavoro... e ogni volta finisce con l'accettare l'ultimo bicchiere di champagne.

Il cielo è di un azzurro meraviglioso, l'aria profuma di caprifoglio. La musica continua a suonare dolcemente in sottofondo e la mano di Nathaniel è appoggiata sulla mia coscia. Non sono mai stata così felice in vita mia.

«I regali!» esclama Trish, all'improvviso. «Non le abbiamo dato i regali!»

Sono assolutamente certa che abbia bevuto più champagne di chiunque altro. Si avvicina barcollando al tavolo, fruga dentro la borsa e tira fuori una busta. «Questo è un piccolo bonus, Samantha» dice, porgendomela. «Comperati qualcosa che ti piace.»

«Grazie!» dico, colta di sorpresa. «È molto gentile da parte sua!»

«Non è che ti abbiamo aumentato lo stipendio» aggiunge, guardandomi con leggera diffidenza. «Lo capisci, vero? È solo un regalo.»

«Lo capisco» rispondo, sforzandomi di non sorridere. «È molto generoso da parte sua, signora Geiger.»

«Anch'io ho una cosa per te.» Iris fruga in un cesto e tira fuori un pacchetto avvolto nella carta. Dentro trovo quattro stampi per il pane nuovi e scintillanti, e un grembiule a fiori con i volant. Alzo lo sguardo verso di lei e scoppio a ridere.

«Grazie» dico «ne farò buon uso.»

Trish sta osservando gli stampi per il pane con aria sorpresa e insoddisfatta. «Ma... Samantha ha già un sacco di stampi per il pane, no?» chiede, prendendone uno con la mano perfettamente curata. «E anche tanti grembiuli...»

«Non lo sapevo» risponde Iris, guardandomi con gli occhi che le brillano.

«Tieni, Samantha.» Melissa mi porge una confezione regalo di shampoo del Body Shop che, lo so per certo, stava nell'armadietto del bagno di Trish da quando sono arrivata qui.

«Grazie» dico, educatamente «non doveva disturbarsi.»

«Ah, Melissa» interviene Trish, perdendo bruscamente interesse per gli stampi da pane «smettila di caricare Samantha di lavoro extra! Non può passare tutto il suo tempo a correre dietro a te. Non possiamo permetterci di perderla, sai.»

Melissa è visibilmente sconvolta. Ha un'aria così offesa che si direbbe che Trish l'abbia schiaffeggiata.

«E questo è da parte mia» dice Nathaniel, intervenendo velocemente. Mi porge un minuscolo pacchetto fatto con carta velina bianca, e tutti si voltano per vedere di cosa si tratta.

Lo apro e vi trovo un grazioso braccialetto d'argento. C'è appeso un unico ciondolo: un minuscolo cucchiaio di legno. Mi lascio sfuggire un'altra risata. Un grembiule coi volant e ora un cucchiaio di legno.

«Mi ha ricordato la prima volta che ci siamo incontrati» spiega Nathaniel, con un sorriso.

«È... fantastico.» Lo abbraccio e gli do un bacio. «Grazie» gli mormoro, all'orecchio.

Quando ci separiamo, Trish ci sta osservando con occhi avidi.

«Be', è chiaro che è questo che ti ha attratto di lei» dice, rivolta a Nathaniel. «È stata la sua cucina, vero?»

«Sono stati i suoi ceci» conferma Nathaniel, serio.

Eamonn, che stava sulla terrazza, scende i gradini di corsa e mi porge una bottiglia di vino. «Questa è da parte mia. Non è molto, ma...»

«Oh, che gentile!» esclamo, commossa. «Grazie, Eamonn.»

«Ah, volevo chiederti... ti piacerebbe fare la cameriera?»

«Al pub?» domando, sorpresa, ma lui scuote la testa.

«Ricevimenti privati. Abbiamo una piccola attività in paese. Non è proprio un'impresa commerciale, diciamo piuttosto un modo per dare lavoro agli amici. Per guadagnare un po' di soldi extra.»

"Dare lavoro agli amici." Sento un'improvvisa sensazione di calore, dentro.

«Mi farebbe molto piacere» rispondo, con un sorriso. «Grazie per aver pensato a me.»

Eamonn ricambia il sorriso. «E ci sono un paio di drink che ti aspettano dietro il bancone, se ti va di venire.»

«Be'...» Do un'occhiata a Trish. «Magari più tardi...»

«Vai!» dice lei, con un gesto della mano. «Divertiti! Non

pensare al lavoro. Metteremo i bicchieri sporchi in cucina» aggiunge. «Li laverai domani.»

«Grazie, signora Geiger.» Mi impongo di restare seria. «È molto generoso da parte sua.»

«Anch'io devo andare» dice Iris, alzandosi. «Buonanotte e grazie.»

«Perché non vieni con noi al pub, Iris?» chiede Eamonn.

«Non stasera» risponde lei, il volto illuminato dalle lucine. «Buonanotte, Samantha. 'Notte, Nathaniel.»

«Buonanotte, mamma.»

«'Notte, Eamonn.»

«'Notte, Iris.»

«'Notte, nonno» dico io.

Mi esce di bocca prima che riesca a fermarmi. Resto lì, paralizzata, le guance in fiamme per l'imbarazzo, sperando che nessuno abbia sentito. Ma Nathaniel si sta voltando lentamente verso di me, con un sorriso divertito sulle labbra. Potete stare certi che lui ha sentito.

«Buonanotte, Mary Ellen» dice, inarcando le sopracciglia.

«Buonanotte, Jim Bob» ribatto, con naturalezza.

«Io mi vedo più nella parte di un John Boy.»

«Mmh.» Lo guardo con aria critica. «Okay, puoi essere John Boy.»

Da piccola avevo una vera cotta per John Boy. Ma non ho nessuna intenzione di rivelarlo a Nathaniel.

«Dài, andiamo.» Lui mi porge la mano. «Andiamo alla taverna di Ike.»

«Ike gestiva il negozio» dico, alzando gli occhi al cielo. «Non sai proprio niente!»

Ci avviamo verso la casa e attraversiamo la terrazza passando accanto a Melissa ed Eddie, seduti al tavolo ingombro di carte e opuscoli.

«È così difficile» sta dicendo Melissa. «Voglio dire, è una decisione che influirà su tutta la mia vita. Come si fa a sapere?»

«Signor Geiger?» Li interrompo, imbarazzata. «Volevo ringraziarla per la serata. È stato splendido.»

«È stato divertente!» esclama Eddie.

«Buona serata» dice Melissa, con un gran sospiro. «Io ho ancora del lavoro da fare.»

«Ne varrà la pena, tesoro.» Eddie le dà un buffetto sulla mano, rassicurante. «Quando sarai…» Prende un opuscolo dal tavolo e lo scruta attraverso gli occhiali. «Alla Carter Spink.»

Per un istante non riesco a muovermi.

Melissa vuole farsi assumere alla Carter Spink?

«È il nome dello studio legale nel quale vuole entrare?» domando, cercando di sembrare naturale.

«Oh, non lo so» risponde Melissa con aria imbronciata. «È il più importante. Ma è anche un ambiente incredibilmente competitivo. È quasi impossibile entrarci.»

«Sembra un posto chic!» osserva Eddie, sfogliando le pagine patinate, ognuna illustrata da una foto. «Guarda che uffici!»

Mentre studia l'opuscolo, io resto a guardare, come paralizzata. C'è una foto dell'atrio. Una del piano in cui lavoravo io. Non riesco a distogliere lo sguardo… e allo stesso tempo non voglio guardare. Quella è la mia vecchia vita. Non ha niente a che vedere con questa. E poi, improvvisamente, Eddie gira un'altra pagina e io sento una scossa. Non posso crederci.

C'è una mia foto. Mia.

Tailleur nero, capelli raccolti, seduta a un tavolo da riunioni in compagnia di Ketterman, David Elldridge e un tizio che era venuto dagli Stati Uniti. Ora ricordo quando hanno scattato questa foto. Ketterman era furibondo per essere stato disturbato.

Io ho la faccia così pallida. Così *seria*.

«E poi… non so se voglio che si prendano tutto il mio tempo.» Melissa sta puntando un dito sulla pagina. «Questa gente lavora anche di notte! Non ha una vita!»

La mia faccia è lì, in piena vista. Aspetto solo che qualcuno la guardi perplesso e dica: "Un momento…".

Ma non succede. Melissa continua a parlare a vanvera, indicando l'opuscolo. Eddie annuisce. Nathaniel guarda verso la casa, visibilmente annoiato.

«Anche se, sai, lo stipendio è davvero buono…» prosegue Melissa, con un sospiro, girando la pagina.

La foto è sparita. Io sono sparita.

«Andiamo?» La mano calda di Nathaniel tira appena la mia e io la afferro.

«Sì, andiamo» gli rispondo, con un sorriso.

## 19

Rivedo l'opuscolo della Carter Spink soltanto due settimane dopo, entrando in cucina per preparare il pranzo.

Non so cosa sia accaduto al tempo. Non lo riconosco più. I minuti e le ore non trascorrono in segmenti rigidi, in certi momenti fluiscono calmi, in altri turbinano. Non porto neppure più l'orologio. Ieri sono stata sdraiata tutto il pomeriggio in un campo di fieno insieme a Nathaniel, a guardare i semi di tarassaco portati dal vento, e l'unico rumore era quello dei grilli.

Non riconosco più neanche me stessa. Sono abbronzata e ho le punte dei capelli schiarite dal sole che prendo all'ora di pranzo. Ho le guance piene e colorite, le braccia stanno diventando muscolose a furia di strofinare, impastare e sollevare pentole pesanti.

L'estate è al culmine, ogni giorno è più caldo del precedente. La mattina presto, prima di colazione, Nathaniel mi accompagna a casa dei Geiger, e persino a quell'ora l'aria è già tiepida. Ogni cosa pare lenta e pigra, in questi giorni. Sembra che niente abbia più importanza. Tutti sono di umore vacanziero, tutti tranne Trish, che invece è in piena attività. Ha deciso di dare un grande pranzo di beneficenza, la settimana prossima, dopo aver letto su una rivista che è ciò che fanno le signore dell'alta società. Dalle scene che fa si direbbe che si tratti di un matrimonio reale.

Sto radunando le carte che Melissa ha lasciato sparpagliate sul tavolo, quando vedo l'opuscolo della Carter Spink sotto un raccoglitore. Non resisto alla tentazione di prenderlo e sfogliare le immagini familiari. Ci sono i gradini che ho salito ogni giorno per sette anni. C'è Guy, bello e affascinante come sempre. C'è Sarah, la ragazza dell'ufficio contenziosi che, come me, mirava a diventare socio. Chissà se c'è riuscita.

«Cosa stai facendo?» Melissa è entrata in cucina senza che me ne accorgessi e mi sta guardando con sospetto. «Quello è mio.»

Come se volessi rubarle un opuscolo.

«Stavo solo riordinando le sue cose» ribatto, tagliente, posando l'opuscolo. «Mi serve il tavolo.»

«Oh, grazie.» Melissa si passa una mano sul viso. Ultimamente ha l'aria sbattuta, gli occhi segnati da occhiaie scure, i capelli spenti.

«Sta lavorando molto» dico, con più gentilezza.

«Già» risponde lei, sollevando il mento «ma alla fine ne sarà valsa la pena. All'inizio ti fanno sgobbare, ma una volta presa l'abilitazione le cose si calmano.»

Guardo il suo volto stanco, tirato, arrogante. Se anche le dicessi quello che so, non mi crederebbe.

«Già» dico, dopo un attimo di esitazione. «Sono sicura che ha ragione.» Abbasso lo sguardo sull'opuscolo della Carter Spink. È aperto su una foto di Arnold. Indossa una cravatta blu brillante a pois, con fazzoletto da taschino coordinato, e sorride al mondo. Solo a vederlo mi viene voglia di sorridere.

«E così è questo lo studio in cui vorrebbe entrare?» domando con finta noncuranza.

«Sì. Sono i migliori.» Melissa sta prendendo una Coca Light dal frigo. «Quello è il tizio che doveva farmi il colloquio.» Accenna con la testa alla foto di Arnold. «Ma se ne va.»

Sono esterrefatta. Arnold lascia la Carter Spink?

«È sicura?» domando d'impulso.

«Sì.» Melissa mi lancia un'occhiata strana. «Perché ti interessa?»

«Oh, così» rispondo, affrettandomi a posare l'opuscolo. «Volevo solo dire… che non mi sembra così vecchio da andare in pensione.»

Arnold lascia la Carter Spink? Ma se si è sempre vantato che lui non sarebbe mai andato in pensione! Che avrebbe resistito altri vent'anni. Perché lasciare proprio adesso?

Ho perso tutti i contatti. Nelle ultime settimane ho vissuto come in una bolla. Non ho più letto il "Lawyer", è già tanto se ho aperto un quotidiano. Non sono più aggiornata sui pettegolezzi, e per la verità non me ne sono più preoccupata. Ma ora, vedendo il volto familiare di Arnold, provo una certa curiosità.

So di non fare più parte di quel mondo, ma voglio comunque sapere. Perché Arnold ha deciso di lasciare la Carter Spink? Cos'altro è successo di cui io non sono a conoscenza?

E così quel pomeriggio, dopo aver riordinato, fuggo nello studio di Eddie, accendo il computer e vado su Google. Cerco "Arnold Saville"... ed ecco che sulla seconda pagina trovo un breve commento sul suo pensionamento anticipato. Leggo e rileggo il pezzo di una cinquantina di parole, alla ricerca di indizi. Perché Arnold dovrebbe andare in pensione prima del tempo? Che sia malato?

Cerco altri riferimenti, ma questo è l'unico che riesco a trovare. Dopo un attimo di esitazione, vado sul box di ricerca e, ripetendomi che non dovrei, digito "Samantha Sweeting". Immediatamente compaiono sullo schermo centinaia di articoli su di me. Questa volta, però, non ne resto così sconvolta. È quasi come se si trattasse di un'altra persona.

Passo in rassegna voce per voce, trovando scritte praticamente le stesse cose. Dopo aver cliccato circa cinque pagine, aggiungo "Third Union Bank, BLLC Holdings" e poi "Third Union Bank, Glazerbrooks". Alla fine, con uno strano brivido, batto "Samantha Sweeting, 50 milioni di sterline, carriera finita" e aspetto che compaiano tutti gli articoli più brutti. È come osservare al replay la mia auto che si schianta.

Dio, Google è come una droga! Resto lì, completamente assorta, a cliccare, digitare, leggere, ingozzandomi di pagine web, usando in modo automatico la password della Carter Spink ovunque mi serva. Dopo un'ora sono stravaccata sulla poltrona di Eddie come uno zombie. Mi fa male la schiena e ho il collo rigido, le parole si confondono sullo schermo. Avevo dimenticato cosa significasse sedere davanti al computer. Davvero ci restavo per delle giornate intere?

Mi sfrego gli occhi stanchi e lancio un'occhiata alla pagina web che ho davanti, chiedendomi come ci sia arrivata. È la lista degli ospiti di un pranzo che si è tenuto all'inizio dell'anno alla Painters Hall. Verso la metà c'è il nome BLLC Holdings, che deve essere stato il link. Automaticamente muovo il cursore lungo la pagina e compare il nome "Nicholas Hanford Jones, amministratore".

Qualcosa squilla nel mio cervello annebbiato. Nicholas Hanford Jones. Come mai conosco questo nome? Perché mi viene da associarlo a Ketterman?

Forse la BLLC Holdings è cliente di Ketterman? No. Non può essere. Ne avrei sentito parlare prima.

Strizzo gli occhi e cerco di concentrarmi. Nicholas Hanford Jones. Mi sembra quasi di vederlo con gli occhi della mente. Sto cercando un'associazione, un'immagine… forza, pensa…

È questo il brutto di avere una memoria fotografica. La gente è convinta che sia utile, ma in realtà ti fa diventare pazza.

E poi, di colpo, ricordo. I caratteri svolazzanti di una partecipazione di nozze. Era appiccicata sulla lavagna magnetica nell'ufficio di Ketterman circa tre anni fa. C'è rimasta per settimane. La vedevo ogni volta che andavo nel suo ufficio.

*Il signor Arnold Saville e signora*
*hanno il piacere di invitarla*
*al matrimonio della loro figlia Fiona*
*con il signor Nicholas Hanford Jones*

Nicholas Hanford Jones è il genero di Arnold Saville? Arnold è imparentato con un dirigente della BLLC Holdings?

Mi appoggio allo schienale, sconcertata. Com'è che non me ne ha mai parlato?

E poi un altro pensiero mi colpisce. Un minuto fa ero sulla home page della BLLC Holdings. Come mai Nicholas Hanford Jones non figurava fra gli amministratori? È illegale.

Mi massaggio la fronte, quindi, per pura curiosità, digito: "Nicholas Hanford Jones". Un attimo dopo, lo schermo si riempie di risultati e io mi sporgo in avanti, incuriosita.

Santo cielo! Internet è una vera stronzata. Mi ritrovo davanti altri Nicholas, altri Hanford e altri Jones, citati in ogni genere di contesto. Li guardo, frustrata. Google non capisce che non è questo che cerco? Perché dovrebbero interessarmi notizie di una squadra di canottaggio canadese che annovera fra i membri un Greg Hanford, un Dave Jones e un Chip Nicholas?

Non troverò mai nulla qui dentro.

Comunque, mi sposto verso il basso, scorrendo ogni risultato, cliccando alla pagina seguente e poi a quella dopo ancora. E, proprio quando sto per arrendermi, mi cade l'occhio su un riferimento in fondo alla pagina. "William **Hanford Jones**, amministratore finanziario della Glazerbrooks, ha ringraziato **Nicholas** Jenkins per il suo discorso..."

Resto a fissarlo per qualche istante, incredula. Anche l'amministratore finanziario della Glazerbrooks si chiama Hanford Jones? Che appartengano alla stessa famiglia? Sentendomi un po' come un investigatore privato, mi collego al sito di Friends Reunited, e due minuti dopo ho la risposta che cercavo. Sono fratelli.

Sono un po' confusa. Questo è un collegamento importante. L'amministratore finanziario della Glazerbrooks, che è fallita con un debito di cinquanta milioni di sterline con la Third Union Bank. Un amministratore della BLLC Holdings, che le ha prestato cinquanta milioni di sterline tre giorni prima. E Arnold, che rappresenta la Third Union Bank. Tutti imparentati fra loro, tutti della stessa famiglia. E la cosa più strana è che sono sicura che nessun altro ne sia al corrente.

Arnold non ne ha mai fatto parola. Nessuno alla Carter Spink ne ha mai fatto parola. Né mi è capitato di vederlo scritto in qualche rapporto riguardante la faccenda. Arnold ha tenuto tutto segreto.

Mi sfrego gli occhi, cercando di dare un ordine logico ai miei pensieri confusi. Non si tratta di conflitto di interesse? Non avrebbe dovuto dare immediatamente questa informazione? Perché mai Arnold ha tenuto nascosta una cosa così importante? A meno che...

No.

No. Non può...

Non può aver...

Apro gli occhi, con una sensazione di vertigine, come se mi fossi appena tuffata in acque molto profonde. La mia mente vola, rimbalzando sulle possibilità e allontanandosi incredula.

Possibile che Arnold abbia coperto qualcosa? Che nasconda qualcosa?

È per questo che ha deciso di lasciare lo studio?

Mi alzo e mi passo le mani fra i capelli. Okay... mettiamo la parola fine a questa faccenda, adesso. È di Arnold che stiamo parlando. Arnold. Mi sto trasformando in una fanatica che vede cospirazioni ovunque. Il prossimo passo sarà quello di digitare "Alieni, Roswell, sono fra noi".

Con improvvisa risolutezza, tiro fuori il cellulare. Chiamerò Arnold. Gli farò gli auguri per il suo pensionamento. E allora, forse, mi libererò di queste idee assurde che mi passano per la mente.

Faccio sei tentativi prima di trovare il coraggio di comporre tutto il numero e attendere la risposta. L'idea di parlare con qualcuno della Carter Spink – Arnold poi! – mi fa stare male. Desisto prima di prendere la linea, chiudendo ogni volta il telefono come se avessi appena scampato un pericolo.

Alla fine, però, mi costringo a digitare il numero completo e ad attendere. Se non lo faccio, non saprò mai. Posso parlare con Arnold. Posso affrontarlo a testa alta.

Dopo tre squilli risponde Lara. «Ufficio di Arnold Saville.»

Me la vedo, alla scrivania di legno chiaro, con la giacca bordeaux che indossa sempre, seduta a digitare sulla tastiera. Adesso tutto ciò sembra lontano anni luce.

«Ciao, Lara. Sono... Samantha. Samantha Sweeting.»

«Samantha?» Lara sembra allibita. «Che mi venga un colpo! Come stai? Cosa fai?»

«Sto bene, grazie. Molto bene.» Reprimo un attacco di nervosismo. «Ho chiamato perché ho sentito che Arnold se ne va. È vero?»

«È vero!» dice lei, con enfasi. «Sono rimasta di sasso. Pare che Ketterman l'abbia invitato a cena per convincerlo a restare, ma ormai ha deciso. Senti questa: si trasferirà alle Bahamas.»

«Alle Bahamas?» ripeto, meravigliata.

«Ha comperato una casa là! Splendida. La settimana prossima ci sarà la festa d'addio» continua lei. «Io verrò trasferita all'ufficio di Derek Green, te lo ricordi? Il responsabile dell'ufficio tributario. Un tipo molto gentile, anche se a quanto pare si arrabbia facilmente...»

«Ah… fantastico!» La interrompo, ricordando che è capace di andare avanti a parlare per ore senza prendere fiato. «Lara, io volevo solo fare gli auguri ad Arnold. Potresti passarmelo?»

«Davvero?» Lara sembra sorpresa. «È incredibilmente gentile da parte tua, Samantha, dopo quello che è successo.»

«Be', sai» dico, imbarazzata «non è stata colpa di Arnold, no? Lui ha fatto quello che ha potuto.»

C'è uno strano silenzio.

«Sì» dice Lara, dopo un po'. «Bene. Te lo passo.»

Dopo qualche attimo la voce familiare di Arnold tuona lungo la linea.

«Samantha, cara ragazza! Sei proprio tu?»

«Sono proprio io.» Sorrido. «Non sono scomparsa dalla faccia della terra.»

«Spero proprio di no! Stai bene, vero?»

«Sì… sto bene» rispondo, imbarazzata. «Grazie. Sono rimasta sorpresa nel sentire che vai in pensione.»

«Non sono un masochista!» dice, facendosi una bella risata. «Trentatré anni in prima linea sono più che sufficienti per chiunque. Figuriamoci per un avvocato!»

Solo sentire la sua voce gioviale basta a rassicurarmi. Devo essere pazza. Arnold non potrebbe essere coinvolto in qualcosa di scorretto. Non potrebbe nascondere qualcosa. È Arnold.

Gliene parlerò, decido. Giusto per dimostrarlo a me stessa.

«Bene… spero che vada tutto bene» dico. «E… immagino che passerai un po' più di tempo con la tua famiglia, no?»

«Sì, mi toccherà sopportarli, quei rompiscatole!» E si fa un'altra bella risata.

«Non sapevo che tuo genero fosse un amministratore della BLLC Holdings!» dico, sforzandomi di mantenere un tono indifferente. «Che coincidenza!»

Segue un momento di silenzio.

«Come?» dice lui. La sua voce è disinvolta come sempre, ma il calore è scomparso.

«La BLLC Holdings» ripeto, deglutendo. «Sai, l'altra società coinvolta nel prestito della Third Union Bank? Quella che ha registrato il prestito? Ho visto per caso…»

«Adesso devo andare, Samantha.» Arnold mi interrompe con voce conciliante. «Mi farebbe tanto piacere chiacchierare con te, ma partirò venerdì e ho un sacco di cose da fare. Siamo tutti molto occupati, quindi sarebbe meglio che non richiamassi.»

La comunicazione si interrompe prima che io possa dire altro. Riaggancio lentamente il telefono e resto a guardare una farfalla che svolazza fuori dalla finestra.

È strano. Non è stata una reazione normale. Appena ho menzionato suo genero, lui ha troncato la conversazione.

Qui c'è sotto qualcosa.

Cosa potrebbe essere? Ho rinunciato a fare le faccende domestiche per questo pomeriggio, e sono seduta sul letto con carta e penna, cercando di analizzare tutte le possibilità.

Chi ci guadagna? Osservo ancora una volta gli appunti gettati giù in fretta, le frecce. Due fratelli. Milioni di sterline che vengono trasferiti da banche a società. Rifletti. Rifletti…

Con un gridolino di frustrazione strappo la pagina e la appallottolo. Ricominciamo da capo. Mettiamo tutto in ordine logico. La Glazerbrooks è sotto amministrazione controllata. La Third Union Bank ha perso i suoi soldi. La BLLC ha fatto un passo avanti nella lista dei creditori…

Picchietto la matita sul foglio con impazienza. E allora? Si sono semplicemente ripresi la somma che avevano prestato. Non ne hanno tratto alcun vantaggio, alcun beneficio. Sono andati in pari.

A meno che… e se non avessero mai tirato fuori quei soldi?

Il pensiero mi colpisce all'improvviso. Mi metto a sedere dritta, senza fiato. E se fosse andata proprio così? E se la truffa fosse questa?

La mia mente corre. Supponiamo che ci siano due fratelli. Sanno che la Glazerbrooks è in serie difficoltà finanziarie. Sanno che la banca ha appena tirato fuori cinquanta milioni di sterline, ma il prestito non è stato ancora registrato. Questo significa che c'è un prestito da cinquanta milioni non garantito che circola, a disposizione di chiunque lo registri…

Non ce la faccio più a restare seduta. Cammino avanti e indietro, mordicchiando nervosa la matita, il cervello che manda scintille come un circuito elettrico. Funziona. Funziona. Alterano le cifre. La BLLC Holdings si becca i soldi che la Third

Union Bank ha sborsato, l'assicurazione della Carter Spink paga il conto...

E poi mi blocco. No. Non funziona. Sono una stupida. L'assicurazione ha coperto i cinquanta milioni perché io sono stata negligente. Questo è l'elemento cruciale. Il piano non poteva dipendere dal fatto che io, Samantha Sweeting, avrei commesso un errore.

Voglio dire... chi avrebbe fatto una cosa del genere? Non ha senso. È impossibile. Non si può pianificare un errore. Non si può costringere qualcuno a dimenticare qualcosa, non si può costringere qualcuno a fare una cazzata...

E poi mi blocco di nuovo. Sono tutta sudata. Il promemoria.

Io ho visto quel promemoria sulla mia scrivania solo quando era troppo tardi. Ne sono sicura.

E se...

Oh, mio Dio.

Mi lascio cadere sulla sedia accanto alla finestra, con le ginocchia che mi tremano. E se qualcuno avesse messo quel memo sulla mia scrivania, nascondendolo sotto una pila di documenti, quando l'ultima data utile per la registrazione era già passata?

Il mio cuore prende a battere più forte e sono costretta ad aggrapparmi alla tenda per ritrovare l'equilibrio.

E se non avessi commesso alcun errore?

Mi sento come se tutto stesse crollando e riprendendo forma intorno a me. E se Arnold non avesse registrato il prestito deliberatamente... e avesse fatto figurare che la colpa era la mia?

La mia mente continua a rivivere la conversazione con Arnold come un disco rotto. Quando ho detto che non ricordavo di aver visto il memo sulla scrivania e lui ha immediatamente cambiato argomento.

Io ho dato per scontato che il promemoria fosse sempre stato lì. Ho dato per scontato che si fosse trattato di un mio errore. Di scarsa efficienza da parte mia. Ma se non fosse così? Tutti alla Carter Spink sapevano che avevo la scrivania più disordinata dell'intero studio. Sarebbe stato facile infilare il promemoria sotto una pila di carte. E fingere che fosse lì da settimane.

Ho il respiro sempre più affannoso, finché mi ritrovo quasi in iperventilazione. Per un mese ho convissuto con quell'errore. È lì ogni mattina, quando mi alzo, e ogni sera, quando vado a dormire. Come un dolore costante, in sottofondo, come un coro dentro la mia testa: "Samantha Sweeting si è rovinata la vita. Samantha Sweeting ha fatto un casino".

E... se fossi stata usata? Se non fosse colpa mia? Se non avessi commesso alcun errore?

Devo saperlo. Devo sapere la verità. Subito. Con mano tremante, afferro il cellulare e digito di nuovo il numero.

«Lara, devo parlare ancora con Arnold» dico, appena lei risponde.

«Samantha...» Lara sembra in imbarazzo. «Temo che Arnold non voglia più parlare con te. Mi ha chiesto di dirti di non tormentarlo per avere un lavoro.»

Sono scioccata. Cos'ha detto di me?

«Lara, io non lo sto tormentando per avere un lavoro» dico, cercando di mantenere un tono di voce calmo. «Io ho bisogno di parlargli a proposito di... una questione. Se non vuole parlarmi, verrò in ufficio. Puoi fissarmi un appuntamento, per favore?»

«Samantha...» Lara sembra ancora più imbarazzata di prima. «Arnold mi ha detto di informarti... che se cerchi di entrare qui, il servizio di sicurezza ti caccerà fuori.»

«Mi caccerà fuori?» Fisso il telefono incredula.

«Mi dispiace. Davvero. E non ti do torto!» aggiunge, con convinzione. «Io penso che quello che Arnold ti ha fatto sia terribile! E sono in molti a pensarla come me.»

Sono confusa. Cosa mi ha fatto? Cosa ne sa Lara del promemoria?

«Cosa... cosa intendi dire?» domando, balbettando.

«Il modo in cui ti ha fatto licenziare!» dice Lara.

«Cosa?» Mi sento come se mi avessero dato un pugno. «Di cosa stai parlando?»

«In effetti mi chiedevo se ne fossi al corrente.» Poi prosegue, abbassando la voce. «Ora che se ne va, posso dirtelo. Ho tenuto io il verbale di quella riunione, dopo che tu sei scappata via. E Arnold ha convinto tutti gli altri soci. Ha detto che eri un pericolo per lo studio, che non si poteva rischiare di riprenderti e via dicendo. Molti di loro ti avrebbero offerto un'altra possibilità, sai.» Fa schioccare la lingua. «Io sono rimasta allibita. Ovviamente, non potevo dire nulla ad Arnold...»

«Certo che no» rispondo, con uno sforzo. «Grazie per aver-melo detto, Lara. Io... io non ne avevo idea.»

Mi gira la testa. Tutto risulta distorto. Arnold non ha affatto perorato la mia causa. Mi ha fatto licenziare. Io non conosco per niente quell'uomo. La sua cordialità, il suo fascino... è tut-ta una finta. Una maledetta finta.

Con un sussulto ricordo il giorno dopo la tragedia, quando lui ha insistito perché rimanessi dov'ero, perché non tornassi. Ecco il motivo. Mi voleva fuori dai piedi, in modo che non po-tessi difendermi. In modo da potermi sistemare per le feste.

E io mi sono fidata di lui. Completamente. Come una stupi-da, stupida e ingenua.

Il mio petto si solleva dolorosamente. Tutti i miei dubbi so-no scomparsi. Arnold sta tramando qualcosa. Lo so. Mi ha te-so una trappola. Ha messo lui quel promemoria, sapendo che avrebbe distrutto la mia carriera.

E fra tre giorni scomparirà alle Bahamas. Provo una fitta di panico. Devo agire immediatamente.

«Lara» dico, cercando di restare calma «potresti passarmi Guy Ashby?»

So che Guy e io abbiamo litigato, ma è l'unica persona che mi viene in mente che possa aiutarmi.

«Guy è a Hong Kong» riponde Lara, sorpresa. «Non lo sa-pevi?»

«Ah» faccio io, delusa. «No, non lo sapevo.»

«Ma avrà sicuramente il palmare con sé» aggiunge, deside-rosa di rendersi utile. «Potresti mandargli un'e-mail.»

«Sì» dico, con un sospiro. «Sì, farò così.»

## 20

Non posso farlo. Non posso. Non c'è modo di scrivere questo messaggio senza fare la figura della pazza paranoica.

Sconfortata, contemplo il mio decimo tentativo.

Caro Guy,
ho bisogno del tuo aiuto. Credo che Arnold mi abbia incastrata. Credo che abbia messo quel promemoria sulla mia scrivania dopo la data di registrazione. C'è sotto qualcosa. Ha parenti sia alla BLLC Holdings che alla Glazerbrooks, lo sapevi?? L'ha mai detto a qualcuno? E ora mi ha proibito di entrare negli uffici, il che è di per sé sospetto...

Delirante. Ci faccio proprio la figura di una ex dipendente inviperita, ottenebrata e piena di rancore.

Cosa che, ovviamente, sono.

Mentre rileggo il messaggio, mi torna in mente quella vecchia dagli occhi spiritati che stava sempre all'angolo della nostra strada, e mormorava in continuazione: "Stanno venendo a prendermi".

Come la capisco, adesso. Probabilmente stavano davvero venendo a prenderla.

Guy si farà una risata. Mi sembra di vederlo. Arnold Saville un truffatore? Roba da pazzi. Forse *io* sono pazza. La mia è solo una teoria. Non ho alcuna prova. Niente di concreto. Mi sporgo in avanti e appoggio la testa sulle mani, disperata. Nessuno mi crederà mai. Nessuno mi darà ascolto.

Se solo avessi qualche prova. Ma dove posso procurarmele?

Il cellulare emette un *bip*, facendomi trasalire. Sollevo lo sguardo, confusa. Avevo quasi dimenticato dove mi trovo. Lo prendo e vedo che c'è un messaggio.

sono di sotto. ho una sorpresa per te. nat

Scendo, ma non ci sono con la testa. Ondate di rabbia continuano ad assalirmi quando penso al sorriso bonario di Arnold, al modo in cui incoraggiava il disordine sulla mia scrivania, a quando mi ha detto che avrebbe fatto del suo meglio per perorare la mia causa, a come mi ascoltava quando mi rimproveravo, mi scusavo, mi umiliavo…

La cosa peggiore è che non ho mai neppure provato a difendermi. Non mi sono mai interrogata sul fatto di non aver visto quel promemoria. Ho subito pensato male di me stessa, dando per scontato che fosse colpa mia, solo perché avevo la scrivania tanto disordinata.

Arnold mi conosce piuttosto bene. Forse contava proprio su questo.

Bastardo. Bastardo.

«Ciao.» Nathaniel mi sventola una mano davanti al viso. «Pianeta Terra chiama Samantha.»

«Oh… scusa. Ciao!» In qualche modo riesco a sorridere. «Dov'è la sorpresa?»

«Vieni con me.» Con un gran sorriso mi accompagna fuori, alla sua macchina, un vecchio Maggiolone decappottabile. Come al solito, il sedile posteriore è ingombro di sacchi di sementi, e dal bagagliaio spunta il manico di una vanga.

«Signora» dice lui, aprendo la portiera con gesto galante.

«Cosa vuoi farmi vedere?» domando, salendo a bordo.

«Gita con itinerario a sorpresa.» Mi rivolge un sorriso enigmatico e avvia il motore.

Usciamo da Lower Ebury, prendiamo una strada che non conosco, attraversiamo un minuscolo paese e ci avventuriamo sulle colline. Nathaniel sembra di buon umore e mi racconta aneddoti su ogni fattoria e pub che incontriamo. Io sento a malapena qualche parola. La mia mente è altrove.

Non so cosa riuscirò a fare. Non posso neppure entrare nell'edificio. Non ho alcuna credibilità. Sono impotente. E ho solo tre giorni. Una volta che Arnold sarà partito per le Bahamas, fine della storia.

«Eccoci arrivati!» Nathaniel lascia la via principale e imbocca una stradina sterrata. Accosta la macchina a un muretto basso di mattoni, poi spegne il motore. «Cosa ne pensi?»

Con uno sforzo riporto la mente al presente. «Mmh...» Mi guardo intorno con aria assente. «Bello.»

Cosa dovrei guardare?

«Samantha, ti senti bene?» Nathaniel mi lancia un'occhiata incuriosita. «Mi sembri tesa.»

«Sto bene» dico, sforzandomi di sorridere. «Sono solo un po' stanca.»

Apro la portiera per scendere e sottrarmi al suo sguardo. La richiudo, faccio qualche passo e mi guardo intorno.

Ci troviamo in una specie di cortile inondato dal sole della sera. Sulla destra c'è una casa semidiroccata con un cartello IN VENDITA. Davanti a noi vedo file di serre che brillano, colpite dalla luce radente, e dei piccoli appezzamenti di terreno con file e file di coltivazioni, e un prefabbricato con su scritto GARDEN CENTRE.

Un momento.

Mi volto, disorientata, e vedo che anche Nathaniel è sceso dalla macchina. Ha dei fogli in mano e mi sorride.

«"Occasione, azienda ortofrutticola"» legge a voce alta. «"Un ettaro e mezzo di terreno, più altri quattro eventualmente trattabili. Novecento metri quadri di serre in vetro. Casa colonica con quattro camere da letto, da ristrutturare..."»

«Hai intenzione di comperarla?» dico. Ora ha tutta la mia attenzione.

«Ci sto pensando. Prima, però, volevo fartela vedere.» Spalanca le braccia. «La struttura è abbastanza buona. C'è molto lavoro da fare, ma ha un sacco di terreno. Possiamo installare delle serre e dei tunnel in plastica, ampliare gli uffici...»

Non capisco. Da quando in qua Nathaniel ha tanto spirito imprenditoriale?

«E i pub? Come mai quest'improvvisa...»

«Sei stata tu. Quello che hai detto quel giorno, in giardino.» Si interrompe. La brezza gli scompiglia i capelli. «Hai ragione, Samantha. Io non sono un barista, sono un giardiniere. Sarei più felice se facessi ciò che realmente desidero. Così... ho fatto una lunga chiacchierata con la mamma e lei ha capito. Tutti e due siamo convinti che Eamonn sia in grado di prendere il mio posto. Ma lui non ne sa ancora niente.»

«Ehi!» Mi guardo intorno, e mi soffermo su una catasta di casse di legno, pile di sacchetti di sementi, pezzi di un cartellone che reclamizza alberi di Natale. «Allora, hai davvero intenzione di farlo?»

Nathaniel si stringe nelle spalle, ma non mi sfugge la sua espressione eccitata. «Nella vita certe occasioni capitano una volta sola.»

«Be', io penso che sia fantastico» osservo raggiante, con sincero entusiasmo.

«E poi c'è la casa» aggiunge lui, facendo un cenno col capo. «O, per lo meno, ci sarà una casa. Adesso è ridotta maluccio.»

«Già.» Osservo l'edificio diroccato con un sorriso. «È un tantino malandata.»

«Volevo che tu la vedessi, prima» dice lui. «Volevo avere la tua approvazione. Voglio dire, un giorno potresti…» Lascia la frase in sospeso.

Il cortile è silenzioso. All'improvviso i miei "sensori relazionali" prendono a girare all'impazzata, come lo *Hubble* che individua un UFO in avvicinamento. Cos'hanno appena captato? Cosa stava per dirmi?

«Potrei… passare la notte qui?» suggerisco alla fine, un po' imbarazzata.

«Esattamente.» Nathaniel si sfrega il naso. «Andiamo a dare un'occhiata?»

La casa è più grande di quanto appaia dall'esterno, con pavimenti di legno grezzo, un vecchio caminetto e una scala scricchiolante. Una stanza è praticamente senza intonaco, mentre la cucina è di quelle di una volta, con mobili degli anni Trenta.

«Bella cucina» osservo, rivolgendogli un'occhiata di scherno.

«Sono sicuro che potrei adattarla ai tuoi standard da Cordon Bleu» ribatte lui.

Saliamo al piano superiore ed entriamo in un'enorme camera da letto che dà sul retro della casa. Dall'alto, i campi coltivati sembrano una trapunta patchwork stesa sopra i prati verdi. Sotto vedo una piccola terrazza e un giardinetto privato annesso alla casa, pieno di clematidi e rose.

«È un bellissimo posto» dico, appoggiandomi al davanzale. «Mi piace moltissimo.»

Guardando il panorama ho l'impressione che Londra si trovi su un altro pianeta. La Carter Spink, Arnold e tutti gli altri sembrano appartenere a un'altra vita. Non solo io sono fuori dal giro, sono addirittura fuori dal loro mondo.

Ma, mentre osservo il tranquillo panorama campestre, mi rendo conto che sto disperatamente cercando un modo per rientrare in quel mondo. Non posso lasciar perdere, non posso rilassarmi. Basterebbe una telefonata alla persona giusta...

Se solo avessi qualche prova...

Qualunque cosa...

La mia mente comincia a rivoltare a uno a uno i fatti, come un uccello rivolta gusci vuoti di lumaca. Se vado avanti così finirò per impazzire.

«Mi chiedevo se...»

All'improvviso mi rendo conto che Nathaniel sta parlando. Anzi, a dire il vero, dev'essere già da un po' che parla... e io non ho sentito una sola parola di quello che ha detto. Mi volto di scatto e vedo che mi sta guardando. Ha le guance rosse e un atteggiamento imbarazzato che non è da lui. Sembrerebbe che ciò che ha appena detto abbia richiesto un notevole sforzo.

«... provi lo stesso anche tu, Samantha?»

Dà un colpetto di tosse e si interrompe, in attesa di una risposta.

Lo guardo in silenzio. Provo lo stesso a proposito di cosa?

Oh, merda. Stava dicendo qualcosa di profondo e di importante? Mi stava facendo una specie di dichiarazione d'amore? E io me la sono persa?

Così imparo a farmi un sacco di problemi. L'uomo di cui mi sto segretamente innamorando mi ha appena fatto una dichiarazione d'amore – probabilmente l'unica che riceverò in tutta la mia vita – e io non lo stavo ascoltando?

Mi prenderei a sberle per essere stata così stupida.

E ora sta aspettando una risposta. Cosa faccio? Mi ha appena aperto il suo cuore. Non posso dirgli: "Scusa, non ho capito bene".

«Ehm...» Scosto i capelli all'indietro, cercando di guadagnare tempo. «Be'... è una cosa sulla quale riflettere.»

«Ma tu sei d'accordo?»

D'accordo su cosa? Sulla pena capitale per i ladri? Su un rapporto a tre?

Insomma, si tratta di Nathaniel. Sono certa di essere d'accordo con lui, di qualunque cosa si tratti.

«Sì.» Gli rivolgo lo sguardo più sincero che mi riesce di trovare. «Sì, sono d'accordo. Senza riserve. Anzi, ci ho pensato spesso anch'io.»

Nathaniel mi osserva intensamente e sul suo volto passa uno strano fremito. «Sei d'accordo...» dice, come per essere sicuro «su tutto?»

«Ehm... sì!» Comincio a sentirmi un po' nervosa. Su cosa sono d'accordo?

«Anche a proposito degli scimpanzé?»

«Gli scimpanzé?» Vedo che storce la bocca. Ha capito.

«Tu non hai ascoltato una sola parola di ciò che ho detto, vero?» dice, senza troppi giri di parole.

«Non mi sono resa conto che stavi dicendo una cosa importante!» ribatto, con un gemito, chinando la testa. «Avresti dovuto avvertirmi!»

Lui mi guarda incredulo. «C'è voluto un certo coraggio, sai, a dire quello che ho detto.»

«Ripetilo» lo imploro. «Ripetilo! Questa volta ti ascolterò!»

«Ah, ah.» Si mette a ridere, scuotendo la testa. «Forse, un giorno.»

«Mi dispiace, Nathaniel. Davvero.» Mi volto a guardare di nuovo fuori dalla finestra, premendo la fronte contro il vetro. «Io ero... distratta.»

«Lo so.» Si avvicina e mi abbraccia da dietro. Sento il battito regolare del suo cuore contro di me, che ha un effetto calmante. «Samantha, cosa c'è? Si tratta della tua vecchia relazione, vero?»

«Sì» mormoro, dopo un po'.

«Perché non mi racconti tutto. Potrei aiutarti.»

Mi volto verso di lui. Il sole si riflette nei suoi occhi e sul suo volto abbronzato. Non è mai stato così bello. Improvvisamente me lo immagino mentre molla un pugno in faccia ad Arnold.

Ma non posso caricarlo di questo peso. È troppo. È una cosa troppo grossa. Troppo... squallida.

«Non voglio portare qui quel mondo» dico, alla fine. «Non voglio.»

Nathaniel apre la bocca per parlare, ma io mi volto prima che lui possa dire qualcosa. Osservo il paesaggio idilliaco, sbattendo le palpebre per difendermi dai raggi del sole, con la mente in subbuglio.

Forse dovrei soltanto dimenticare questo incubo. Lasciar perdere. Di sicuro non riuscirò a provare nulla. Arnold ha il potere, io no. Probabilmente se mi metto a rivangare la vicenda, riceverò solo altre umiliazioni.

Potrei non fare nulla. Potrei togliermelo dalla mente. Chiudere la porta sulla mia vecchia vita e lasciarmela per sempre alle spalle. Ho un lavoro. Ho Nathaniel. Ho un futuro qui.

Ma mentre penso a questo so già che non lo farò. Non posso dimenticare. Non posso lasciar perdere.

## 21

Okay. L'unico ostacolo è la password di Arnold. Se non la scopro, non potrò accedere ai file sul suo computer e non riuscirò a trovare nulla. E se la porta del suo ufficio fosse chiusa a chiave? Quello potrebbe essere un problema.

Quindi, in realtà, gli ostacoli sono due.

E poi, ovviamente, dovrò introdurmi nell'edificio senza che nessuno mi veda…

E non dovrò farmi scoprire al computer di Arnold da uno degli addetti alle pulizie…

Oh, merda, cosa sto facendo?

Bevo un sorso di latte macchiato, cercando di restare calma. Ma non è facile.

Anche il fatto di trovarmi di nuovo a Londra è stato uno shock. La città non è come me la ricordavo. Non riesco a capacitarmi che sia così sporca. Così frenetica. Questo pomeriggio, quando sono arrivata alla stazione di Paddington, sono rimasta quasi disorientata dalla folla di pendolari che sciamava nell'atrio come un fiume di formiche. Ho sentito i gas di scarico, ho visto le cartacce. Cose che non avevo mai notato prima. Possibile che le cancellassi? Ci ero così abituata che si confondevano con il panorama?

Ma, nello stesso tempo, appena messo piede a terra, ho sentito una grande eccitazione. Arrivata alla stazione della metropolitana avevo già ripreso il mio solito passo, adeguandolo a quello di tutti gli altri, avevo infilato la tessera della metro con l'angolatura giusta, e l'avevo estratta al momento esatto, senza perdere un secondo di tempo.

E ora mi trovo allo Starbucks vicino alla Carter Spink, seduta al bancone della vetrina, e osservo i colletti bianchi della City passarmi davanti, mentre parlano, gesticolano, telefonano. L'adrenalina comincia a farsi sentire. Il cuore mi batte già più veloce... e non sono ancora entrata nell'edificio.

Al solo pensiero il mio stomaco ha un sussulto. Adesso capisco perché i criminali agiscono in gruppo quando compiono le rapine. In questo momento, mi ci vorrebbero quelli di *Ocean's Eleven* per darmi un po' di sostegno morale.

Guardo nuovamente l'orologio. È quasi l'ora. L'ultima cosa che desidero è arrivare in anticipo. Meno tempo passo là dentro, meglio è.

Mentre finisco il mio latte, il telefono emette un *bip*, ma io lo ignoro. Sarà un altro messaggio di Trish. Quando le ho detto che dovevo assentarmi per un paio di giorni è andata su tutte le furie; per la verità ha cercato di impedirmelo. Le ho spiegato che avevo un problema al piede e che dovevo farlo vedere con urgenza al mio specialista di Londra.

Col senno di poi, è stato un grosso errore, perché ha voluto sapere ogni singolo particolare. Ha persino preteso che mi togliessi una scarpa e glielo mostrassi. Ho passato dieci minuti a improvvisare su un "disallineamento osseo" mentre lei mi studiava il piede e dichiarava, insospettita: "A me sembra perfettamente normale".

Per il resto della giornata ha continuato a guardarmi con aria diffidente. Poi ha lasciato una copia di "Marie Claire" aperta su un articolo dal titolo: *Sei incinta? Hai bisogno di un consiglio riservato?* Ehi! Dovrò fugare ogni dubbio, altrimenti tutto il paese comincerà a parlarne e Iris si metterà a sferruzzare scarpine.

Guardo di nuovo l'orologio e ho un attacco di panico. È ora di andare. Vado nel bagno delle donne, mi metto davanti allo specchio e controllo il mio aspetto. Capelli biondi (diversi da prima): fatto. Occhiali scuri: fatto. Rossetto rosso: fatto. Non assomiglio per niente a quella che ero.

A parte il viso, ovviamente. Se lo si guarda con molta attenzione.

Ma il punto è che nessuno mi guarderà con attenzione. Per lo meno, io conto su questo.

«Salve» dico, con voce bassa e gutturale. «Piacere di conoscerla.»

Sembro un travestito. Pazienza. Almeno non sembro un avvocato.

A testa bassa esco da Starbucks e mi avvio lungo la strada, giro l'angolo e vedo gli scalini di granito e le porte a vetri della Carter Spink. Osservo la facciata familiare e mi si stringe il cuore. Mi sembra irreale trovarmi di nuovo qui. L'ultima volta che ho visto queste porte stavo fuggendo in preda al panico, convinta di aver distrutto la mia carriera, convinta che la mia vita fosse finita.

Provo una nuova ondata di rabbia e per un attimo chiudo gli occhi, cercando di controllare le emozioni. Non ho ancora alcuna prova. Devo restare concentrata su quello che sto facendo. Posso farcela.

Attraverso la strada e salgo risoluta gli scalini. Mi pare quasi di rivedermi, quel giorno, un fantasma che correva giù per le scale in stato confusionale. Una vita fa. Non soltanto sembro una persona diversa: mi sento diversa, rinata.

Faccio un respiro profondo, mi stringo nell'impermeabile e spingo le porte a vetri. Appena metto piede nell'atrio mi sento all'improvviso stordita e incredula. Lo sto facendo davvero? Sto cercando davvero di introdurmi illegalmente, in incognito, negli uffici della Carter Spink?

Sì. Proprio così. Mi tremano le gambe e mi sudano le mani, ma avanzo senza esitazioni sul lucido pavimento di marmo, lo sguardo fisso a terra. Mi dirigo verso la nuova addetta alla reception, Melanie, arrivata solo un paio di settimane prima che io me ne andassi.

«Salve» dico, con la mia voce da travestito.

«In cosa posso esserle utile?» domanda lei, con un sorriso. Dal suo volto non traspare alcun segnale che mi abbia riconosciuta. Non riesco a credere che sia così facile.

Anzi, a dire il vero, mi sento un tantino offesa. Ero così insignificante, prima?

«Sono qui per la festa» mormoro, a testa bassa. «Sono una cameriera. Bertram's Caterers» aggiungo, per maggior sicurezza.

«Ah, sì. Quattordicesimo piano.» Digita sulla tastiera del computer. «Il suo nome?»

«Trish» dico. «Trish Geiger.» Melanie scruta lo schermo del computer, aggrottando la fronte e tamburellando con la penna sui denti.

«Non è sul mio elenco» dice, alla fine.

«Be', dovrei esserci.» Continuo a tenere la testa bassa. «Ci sarà un errore.»

«Aspetti che chiamo su.» Melanie digita un numero sul telefono e scambia qualche parola con una persona di nome Jan, poi alza lo sguardo su di me.

«Scende subito.» Mi indica i divani di pelle con un sorriso. «Si accomodi, prego.»

Vado verso i divani... ma poi vedo David Spellman, il socio che si occupa di diritto societario, seduto con un cliente, e faccio una rapida inversione di marcia. Non sembra che lui mi abbia riconosciuta. Vado verso un espositore pieno di opuscoli che illustrano la filosofia della Carter Spink e mi concentro su uno che parla di "Risoluzione dei contenziosi".

È la prima volta che leggo un opuscolo della Carter Spink e devo dire che sono davvero un cumulo di stronzate.

«Trish?»

«Ehm... sì?» Mi volto e vedo una donna in abito da sera dall'aria indaffarata. Ha in mano dei fogli battuti a macchina e mi guarda perplessa.

«Sono Jan Martin, responsabile del personale di servizio. Tu non sei sul mio elenco. Hai già lavorato per noi?»

«Sono nuova» rispondo, tenendo la voce bassa. «Ma ho lavorato per la Ebury Catering. Giù nel Gloucestershire.»

«Non la conosco.» Consulta di nuovo i suoi fogli e passa alla seconda pagina, la fronte aggrottata per l'impazienza. «Tesoro, non sei sul mio elenco. Non so cosa ci faccia qui.»

«Ho parlato con un tizio» rispondo, senza battere ciglio. «Ha detto che vi serviva del personale extra.»

«Un tizio?» Sembra perplessa. «Chi? Tony?»

«Non ricordo il suo nome. Ma mi ha detto di venire qui.»

«Non può aver detto...»

«Questa è la Carter Spink, vero?» Mi guardo intorno. «95 Cheapside? Una grande festa di pensionamento?»

«Sì.» Il dubbio comincia a farsi strada sul volto della donna.

«Be', mi ha detto di venire qui.» Ribadisco con una punta di aggressività nella voce, così, per assicurarmi che recepisca il messaggio. Non ho intenzione di arrendermi tanto in fretta.

Adesso sembra indecisa: se mi caccia, potrei fare una scenata, ha altre questioni urgenti di cui occuparsi, cos'è poi una cameriera in più...

«E va bene!» dice, alla fine, irritata. «Ma dovrai cambiarti. Come hai detto che ti chiami?»

«Trish Geiger.»

«Già.» Lo annota sui suoi fogli. «Sarà meglio che vieni su con me, Trish.»

Oh, mio Dio! Sono dentro. È evidente che sono tagliata per il crimine. La prossima volta alzerò un po' il tiro. Deruberò un casinò a Las Vegas o qualcosa del genere.

Mentre salgo con l'ascensore di servizio insieme a Jan, con una targhetta con su scritto TRISH GEIGER appuntata al bavero della giacca, mi sento su di giri. Adesso basta che tenga la testa bassa e aspetti il momento opportuno. Quindi andrò all'undicesimo piano. Cosa che posso fare benissimo appena trovo un pannello del soffitto allentato per infilarmi dentro e strisciare attraverso i condotti del sistema di condizionamento.

Oppure posso sempre prendere l'ascensore.

Usciamo nelle cucine annesse alla sala dei ricevimenti e io mi guardo intorno, sorpresa. Non avevo idea dell'esistenza di tutto questo. È come andare dietro le quinte di un teatro. Alcuni chef sono impegnati ai fornelli, il personale addetto al servizio corre da tutte le parti con le caratteristiche uniformi a righe bianche e verdi.

«Le divise sono là dentro.» Jan mi indica un enorme cesto di vimini pieno di uniformi piegate. «Devi cambiarti.»

«D'accordo.» Rovisto nel cesto alla ricerca della mia taglia, poi vado nel bagno delle donne per cambiarmi. Mi ritocco il rossetto e mi tiro i capelli sul viso, quindi guardo l'orologio.

Le cinque e quaranta. Il ricevimento è alle sei. Per le sei e dieci l'undicesimo piano dovrebbe essere vuoto. Arnold è un socio molto popolare: nessuno vorrà perdersi il suo discorso d'addio. E poi, alle feste della Carter Spink i discorsi vengono fatti subito, così la gente può tornare al lavoro, se è necessario.

E mentre sono tutti lì ad ascoltare, io mi intrufolerò nell'ufficio di Arnold. Dovrebbe funzionare. Deve funzionare. Osservo la mia strana immagine riflessa nello specchio, e sento una cupa risolutezza crescermi dentro. Non la passerà liscia. Tutti la pianteranno di considerarlo un vecchio bonaccione innocuo. Non la passerà liscia.

Alle sei meno dieci ci riuniamo in una delle cucine per l'assegnazione degli incarichi. Canapè caldi... canapè freddi... non ascolto una sola parola di quanto viene detto. Io non ho intenzione di servire un bel niente. Quando la ramanzina di Jan è terminata, seguo il gruppo di camerieri fuori dalla cucina. Mi mettono in mano un vassoio carico di bicchieri di champagne, che poso alla prima occasione. Quindi torno in cucina, prendo una bottiglia di champagne aperta e un tovagliolo poi, dopo essermi assicurata che nessuno mi stia guardando, corro a nascondermi nel bagno delle donne.

Okay. Questa è la parte più difficile. Mi chiudo in un bagno e aspetto per quindici minuti in assoluto silenzio. Non faccio il minimo rumore, non starnutisco, non rido neppure quando sento una ragazza provare ad alta voce il discorso con cui intende lasciare un certo Mike. Sono i quindici minuti più lunghi della mia vita.

Alla fine apro la porta con cautela, esco e do una sbirciatina oltre l'angolo. Dal punto in cui mi trovo, riesco a vedere il corridoio e le porte che danno sul grande salone dei ricevimenti. Si è già raccolta una folla considerevole, mi arrivano risate e un gran vociare. I camerieri circolano fra gli ospiti, e dal corridoio continua ad arrivare una fiumana ininterrotta di persone. Riconosco una ragazza dell'ufficio stampa... un paio di praticanti... Oliver Swan, un socio anziano... tutti diretti alla festa. Appena arrivano si prendono un bicchiere.

Il corridoio è libero. Via!

Con le gambe che mi tremano passo davanti all'ingresso del salone, vado verso gli ascensori e la porta delle scale. Nel giro di trenta secondi sono fuori e sto scendendo senza fare rumore. Alla Carter Spink nessuno usa le scale, ma non si sa mai.

Arrivata all'undicesimo piano sbircio dal pannello di vetro della porta. Non vedo nessuno. Ma questo non significa che non ci sia nessuno. Potrebbe esserci un sacco di gente che da dove mi trovo non riesco a vedere.

È un rischio che dovrò correre. Faccio un bel respiro profondo per darmi la carica. Nessuno mi riconoscerà mai con questa divisa a righe bianche e verdi. E se qualcuno dovesse chiedere conto della mia presenza qui, ho una storiella bell'e pronta: devo mettere la bottiglia di champagne nell'ufficio del signor Saville, come sorpresa.

Avanti, non posso perdere altro tempo.

Apro lentamente la porta, entro nel corridoio con la moquette azzurra e faccio un sospiro di sollievo. È vuoto. Il piano è deserto. Devono essere andati tutti alla festa. Sento qualcuno che parla al telefono qualche metro più in là ma, quando mi avvio nervosa verso l'ufficio di Arnold, le postazioni di lavoro circostanti sono vuote. I miei sensi sono all'erta. Non mi sono mai sentita così impacciata.

La cosa importante è utilizzare al meglio il tempo a mia disposizione. Comincerò dal computer. O forse farei bene a iniziare dallo schedario. Gli darò un'occhiata veloce intanto che il computer si avvia. Oppure controllerò i cassetti della scrivania. Potrebbe esserci il suo palmare. Non ci avevo pensato.

A essere sinceri, non ho riflettuto molto su come muovermi nell'ufficio. Una parte di me non ha mai realmente creduto che potessi introdurmi nell'edificio, figuriamoci nell'ufficio di Arnold. Inoltre non so neanche cosa sto cercando. Corrispondenza, forse. O magari cifre. Un dischetto con l'etichetta INFORMAZIONI COMPROMETTENTI sarebbe perfetto...

All'improvviso mi blocco. Sento delle voci alle mie spalle, che escono dagli ascensori. Oh, merda. Devo entrare nell'ufficio di Arnold prima che mi vedano.

In preda al panico, accelero il passo. Arrivo all'ufficio, apro la porta con decisione e me la richiudo alle spalle con forza, quindi mi abbasso sotto il pannello di vetro. Sento le voci che si avvicinano. David Elldridge e Keith Thompson insieme a qualcuno che non riconosco. Passano davanti alla porta e io non muovo un muscolo, poi si allontanano. Grazie a Dio.

Con un sospiro di sollievo mi alzo lentamente in piedi e guardo oltre il pannello di vetro. Non vedo nessuno. Sono salva. Solo allora mi volto a guardare l'ufficio.

È vuoto.

È stato sgomberato.

Sconcertata, faccio qualche passo nella stanza. La scrivania è sgombra, gli scaffali pure. Sulle pareti si intravedono delle ombre chiare, dove si trovavano le fotografie incorniciate che sono state tolte. In questo ufficio non c'è niente, a parte un pezzo di nastro adesivo per terra e alcune puntine da disegno ancora inserite nella lavagnetta.

Non posso crederci. Dopo tutta questa fatica. Dopo essere arrivata fin qui. Non c'è più nulla da cercare?

Devono esserci degli scatoloni, penso, colta da un'ispirazione improvvisa. Sì. È stato tutto imballato per essere portato via, e le scatole saranno fuori… esco dall'ufficio e mi guardo intorno, terribilmente agitata. Ma non vedo nessuno scatolone. Nessuna cassa. Niente di niente. Ammettiamolo: sono arrivata troppo tardi. Troppo tardi. Avrei voglia di mollare un pugno a qualcosa per la rabbia.

Affannata, torno nell'ufficio e mi guardo di nuovo intorno. Tanto vale che controlli comunque. Non si sa mai.

Vado alla scrivania e comincio a perquisire con metodo ogni cassetto, aprendolo completamente, guardando dentro e passandoci una mano alla ricerca di qualche carta rimasta sul fondo. Rovescio il cestino e lo scuoto. Controllo dietro la lavagna. Niente. E non c'è niente neppure nello schedario… né negli armadi a muro…

«Scusi?»

Mi blocco con la mano ancora dentro l'armadio. Merda.

«Sì?» Mi volto, tirandomi i capelli sul volto e tenendo lo sguardo fisso a terra.

«Cosa diavolo ci fa lei qui?»

È un praticante. Bill… com'è che si chiama? Ogni tanto faceva qualche lavoretto per me.

Resta calma. Non ti ha riconosciuta.

«Stavo consegnando una bottiglia di champagne» mormoro, con la mia voce da travestito, accennando col capo alla bottiglia appoggiata sul pavimento. «Una sorpresa per il signore di questo ufficio. Non sapevo dove metterla.»

«Be', certo non dentro un armadio» ribatte Bill, aspro. «Io la lascerei sulla scrivania. E lei non dovrebbe stare qui.»

«Stavo giusto per andarmene, signore.» Faccio un inchino e mi allontano in tutta fretta. Accidenti. L'ho scampata bella.

Mi dirigo alla porta che dà sulle scale e corro su, tutta agitata. È ora che me ne vada, prima che qualcun altro mi veda. Tanto, ormai non scoprirò più nulla. Non so ancora cosa farò con Arnold, ma a questo penserò dopo. In questo momento la priorità è allontanarmi da qui.

Quando esco dalla porta e corro verso la stanza dove ho lasciato i miei vestiti la festa è in pieno svolgimento. Non perderò tempo a cambiarmi. Posso sempre restituire la divisa da cameriera spedendola per posta…

«Trish?» La voce di Jan mi colpisce alla nuca. «Sei tu?»

Cazzo. Mi volto, riluttante. Sembra furibonda. «Dove diavolo sei stata?»

«Ehm… stavo servendo.»

«No. Non stavi servendo. Non ti ho mai visto là dentro!» ribatte lei, secca. «Tu con me non lavori più, te lo garantisco. Ora prendi questi e datti da fare.» Mi mette in mano un grosso vassoio di piccoli bignè ricoperti di cioccolato e mi spinge verso l'ingresso della sala.

Provo un panico improvviso.

No. Non posso andare là dentro. Assolutamente no.

«Ma certo! Un attimo solo… che prendo qualche tovagliolo…»

«Tu non prendi proprio niente! Hai voluto tu questo lavoro! E allora vai!»

Mi dà uno spintone e io entro incespicando nella sala affollata. Mi sento come un gladiatore spinto a forza nell'arena. Jan è ferma sulla soglia a braccia conserte. Non c'è modo di uscire da qui. Dovrò servire i bignè. Stringo il vassoio, chino la testa e avanzo lentamente nel locale gremito di gente.

Non riesco a camminare con naturalezza. Mi sembra di avere due pezzi di legno al posto delle gambe. Ho i capelli dritti, sento il sangue che mi pulsa nelle orecchie. Passo accanto a uomini vestiti con eleganza, evitando di sollevare lo sguardo, non osando fermarmi per non attirare la loro attenzione. Non posso credere a ciò che sta succedendo. Indosso una divisa a righe bianche e verdi e sto servendo bignè ai miei ex colleghi.

Ma la cosa più strana è che nessuno sembra accorgersene.

In parecchi hanno allungato la mano verso il vassoio senza neppure alzare lo sguardo. Sono tutti troppo impegnati a ridere e chiacchierare. Il rumore è assordante.

Non vedo Arnold. Ma deve pur essere da qualche parte. Mi si stringe lo stomaco al pensiero. Ho una voglia disperata di cercarlo, di alzare la testa e individuarlo, ma non posso rischiare. Continuo a muovermi per la sala. Vedo volti familiari ovunque. Brandelli di conversazione mi fanno drizzare le orecchie.

«Dov'è Ketterman?» chiede qualcuno mentre passo.

«A Dublino, ma torna in giornata» risponde Oliver Swan, e io tiro un sospiro di sollievo. Se Ketterman fosse qui, sono sicura che mi individuerebbe all'istante.

«Bignè! Fantastico!»

Almeno otto mani si tuffano contemporaneamente sul vassoio e io mi immobilizzo. È un gruppo di praticanti. Che si ingozzano di cibo, come fanno sempre i praticanti alle feste.

«Ooh! Io ne prendo un altro.»

«Anch'io.»

Comincio a innervosirmi. Più resto ferma qui, più mi sento esposta. Ma non posso allontanarmi. Continuano ad allungare le mani sul vassoio.

«Sa se per caso ci sono ancora delle tartine alle fragole?» mi domanda un tizio con gli occhiali a giorno.

«Ehm… non lo so» mormoro, tenendo gli occhi bassi.

Merda. Mi sta osservando con maggiore attenzione. Si sta persino chinando per vedere meglio. E io non posso tirarmi i capelli sul viso perché ho le mani occupate dal vassoio…

«Sei… Samantha Sweeting?» dice, allibito. «Sei tu?»

«Samantha Sweeting?» Una delle ragazze fa cadere il bignè che tiene in mano. Un'altra fa un'esclamazione sorpresa e si porta le dita alla bocca.

«Ehm… sì» sussurro, alla fine, arrossendo violentemente. «Sono io. Ma, vi prego, non ditelo a nessuno. Non voglio che si sappia.»

«E così è questo che fai, adesso?» prosegue, inorridito, il tizio con gli occhiali. «Fai la cameriera?»

I praticanti mi fissano come se fossi un fantasma.

«Non è poi così male» dico, abbozzando un sorriso ottimista. «Puoi mangiarti i canapè gratis!»

271

«Dunque basta un errore... e si finisce così?» domanda la ragazza che si è lasciata sfuggire il bignè di mano. «La tua carriera è rovinata per sempre?»

«Più o meno» rispondo, annuendo. «Un bignè?»

Ma sembra che nessuno abbia più fame. Anzi, a dire il vero, sembrano tutti piuttosto pallidi.

«Sarà meglio che torni al lavoro» balbetta il tizio con gli occhiali. «Devo controllare di non aver lasciato niente in sospeso...»

«Anch'io» dice la ragazza, posando il bicchiere.

«C'è Samantha Sweeting!» sussurra una delle praticanti a un gruppo di giovani associati. «Guardate, fa la cameriera!»

«No!» esclamo. «Non ditelo a nessuno...»

Troppo tardi. Tutto il gruppo si volta a guardarmi con un'unica, identica espressione fra il disgustato e l'imbarazzato.

Per un attimo mi sento così umiliata che vorrei sprofondare. Queste sono le persone con cui lavoravo. Persone che mi rispettavano. E ora mi trovo qui a servire, con una divisa a righe bianche e verdi.

Ma poi, lentamente, sento crescere dentro di me un senso di sfida.

Vaffanculo, mi ritrovo a pensare. Perché non posso fare la cameriera?

«Salve» dico, scuotendo i capelli all'indietro. «Desiderate del dolce?»

Altra gente si volta a guardarmi, sorpresa. Sento un mormorio che si propaga per la sala. I camerieri si sono riuniti in un gruppetto e mi osservano a occhi spalancati. Adesso tutte le teste si stanno voltando verso di me, come limatura di ferro in un campo magnetico. E non c'è un solo volto amico fra loro.

«Cristo!» sento che mormora qualcuno. «Guardatela!»

«Ma... è giusto che sia qui?» esclama qualcun altro.

«No» dico, cercando di sembrare serena. «Ha ragione. In effetti non dovrei esserci.»

Faccio per andarmene, ma sono circondata. Non ho via di fuga. E poi provo una fitta al petto. Tra la folla vedo una familiare massa di capelli arruffati. Guance arrossate. Un sorriso amabile.

Arnold Saville.

I nostri sguardi si incrociano e, nonostante lui continui a sorridere, nei suoi occhi c'è una durezza che non ho mai visto prima. Una collera speciale, tutta per me.

Sono disgustata. Quasi spaventata. Non dalla sua rabbia, ma dalla sua doppiezza. Ha ingannato tutti. Per le persone che si trovano in questa sala, Arnold Saville è paragonabile a Babbo Natale. Nella folla si è aperto un varco e lui sta venendo verso di me, con un bicchiere di champagne in mano.

«Samantha» dice, affabile «ti pare opportuno?»

«Visto che mi hai proibito di entrare nell'edificio» ribatto «non avevo altra scelta.»

Oh, Dio. Risposta sbagliata. Troppo stizzosa.

Devo riprendere il controllo, se non voglio avere la peggio in questa conversazione. Sono già in posizione di svantaggio, qui, in divisa da cameriera, con tutti i presenti che mi guardano come fossi un rifiuto portato dentro da un cane. Devo restare calma, inflessibile, lucida.

Vedere Arnold di persona dopo tutto questo tempo mi ha colto alla sprovvista. Per quanto mi sforzi di restare calma, non ci riesco. Ho il volto in fiamme, il petto che va su e giù a ogni respiro. Tutte le emozioni e i traumi delle ultime settimane mi stanno esplodendo dentro in una fiammata di rabbia.

«Tu mi hai fatto licenziare.» Le parole mi escono di bocca prima che io possa fermarle. «Tu mi hai mentito.»

«Samantha, so che è stato un momento difficile per te.» Arnold ha l'atteggiamento di un preside che si rivolge a una scolaretta riottosa. «Ma insomma...» Si volta verso un uomo che non conosco e alza gli occhi al cielo. «Una ex dipendente» dice, a bassa voce. «Mentalmente instabile.»

Cosa? Cosa?

«Io non sono mentalmente instabile!» urlo, inorridita. «Io voglio solo che tu risponda a una piccola domanda. È molto semplice. Quando hai messo quel promemoria sulla mia scrivania, esattamente?»

Arnold si abbandona a una risata incredula.

«Samantha, io sto andando in pensione. Ti sembra davvero il momento? Qualcuno potrebbe togliermela di mezzo?» aggiunge, come una battuta a parte a teatro.

«È per questo che non hai voluto che tornassi in ufficio, vero?» Mi trema la voce per l'indignazione. «Perché avrei potuto fare domande scomode. Perché avrei potuto capire.»

Un fremito percorre la sala. Ma non a mio favore. Sento la gente che mormora: «Per l'amor di Dio!» e «Chi l'ha fatta entrare?». Se voglio conservare un minimo di credibilità e di dignità, devo smettere immediatamente di parlare. Ma non ce la faccio.

«Non sono stata io a commettere quell'errore, vero?» Vado verso di lui. «Tu mi hai usata. Tu mi hai rovinato la carriera, sei stato a guardare mentre la mia vita andava a rotoli...»

«Insomma!» esclama Arnold, voltandomi le spalle. «Adesso stiamo esagerando.»

«Rispondi alla mia domanda!» urlo, rivolta alla sua schiena. «Quando hai messo quel promemoria sulla mia scrivania, Arnold? Perché sono convinta che non c'era prima della data di scadenza.»

«Ma certo che era lì.» Arnold si volta per un istante, annoiato e quasi distaccato. «Sono venuto nel tuo ufficio il 28 maggio.»

Il 28 maggio?

Da dove è uscita questa data? Perché non mi torna?

«Non ti credo» dico, infuriata. «Non ti credo. Credo invece che tu mi abbia teso una trappola. Credo...»

«Samantha?» Qualcuno mi dà un colpetto su una spalla. Mi volto e vedo Ernest, l'agente della sorveglianza. Il suo volto familiare e grinzoso è storto in una smorfia di imbarazzo. «Devo chiederle di allontanarsi.»

Provo una fitta di umiliazione. Davvero mi stanno cacciando fuori? Dopo che ho praticamente vissuto qui per sette anni? Sento svanire gli ultimi brandelli di compostezza. Lacrime cocenti di rabbia premono per uscire.

«Vattene, Samantha» dice Oliver Swan, con aria di compatimento. «Non peggiorare la tua situazione.»

Lo fisso per qualche secondo, poi sposto lo sguardo su ciascuno dei soci anziani.

«Ero un bravo avvocato» dico, con voce tremante. «Ho fatto un buon lavoro. Lo sapete tutti. Ma mi avete cancellata, come se non fossi mai esistita.» Deglutisco, cercando di scacciare il nodo che mi serra la gola. «Be', peggio per voi.»

Nella sala c'è il silenzio assoluto mentre poso il vassoio su un tavolo ed esco. Nel momento in cui varco la soglia sento accendersi alle mie spalle un'animata conversazione.

Scendo con l'ascensore insieme a Ernest nel silenzio più totale. Se dicessi una sola parola, scoppierei a piangere. Non riesco a credere di aver fallito così miseramente. Non sono riuscita a scoprire nulla di nuovo. Mi hanno riconosciuta. Ho perso la calma di fronte a tutti. Sono diventata più che mai un oggetto di derisione.

Uscendo dall'edificio controllo il cellulare. C'è un messaggio di Nat, che mi chiede come sono andate le cose. Lo leggo parecchie volte, ma non riesco a rispondergli. Non me la sento neppure di tornare a casa dei Geiger. Anche se forse sarei ancora in tempo per prendere un treno, non ho la forza di affrontarli, stasera.

Come un automa, raggiungo la metropolitana e salgo su una carrozza. Vedo il mio volto riflesso nel finestrino di fronte, pallido, senza espressione. Per tutto il tragitto, la mia mente non fa che pensare al 28 maggio.

Solo quando arrivo al mio appartamento mi viene in mente la risposta. Il 28 maggio. La mostra dei fiori a Chelsea. Ma certo! Siamo stati a Chelsea tutto il giorno, il 28 maggio, Arnold, Ketterman, Guy e io, a un ricevimento aziendale. Arnold era arrivato direttamente da Parigi e poi si è fatto accompagnare a casa. Non ha messo piede in ufficio.

Ha mentito. Sicuro. Sento crescere la rabbia e lo sconforto. Adesso non posso più fare nulla. Nessuno mi crederà mai. Per il resto della mia vita tutti penseranno che si sia trattato di un mio errore.

Esco dall'ascensore al mio piano, e sto già cercando le chiavi, sperando disperatamente che la signora Farley non mi senta, assaporando già un bel bagno caldo, quando, quasi davanti alla mia porta, mi blocco. Resto lì, immobile, per qualche secondo, a riflettere.

Lentamente, giro sui tacchi e torno all'ascensore. C'è ancora una possibilità. Non ho niente da perdere.

Salgo di due piani ed esco dall'ascensore. Il corridoio è quasi identico al mio... stessa moquette, stessa tappezzeria, stesse lampade. Solo numeri diversi sulle porte degli appartamenti.

31 e 32. Non ricordo quello che sto cercando e alla fine opto
per il 31. Ha uno zerbino più morbido. Mi lascio cadere a terra, poso la borsa, mi appoggio con la schiena alla porta e mi
preparo ad aspettare.

Quando Ketterman esce dall'ascensore, sono stremata. Sono
rimasta seduta lì tre ore buone, senza mangiare né bere. Mi
sento svuotata. Ma quando lo vedo mi rimetto in piedi, appoggiandomi alla parete per superare il momento di stan-
chezza.

Per un istante Ketterman sembra scioccato, ma subito recu-
pera la sua abituale espressione dura.

«Samantha. Cosa ci fa qui?»

Chissà se sa che sono andata allo studio. Di sicuro gliel'hanno detto. Di sicuro sarà al corrente di tutta l'ignobile vicenda.
Non che la sua espressione lasci trapelare qualcosa.

«Cosa ci fa qui?» ripete. Tiene in mano una grossa valigetta
di metallo e le luci artificiali gettano delle ombre sul suo volto.

Faccio un passo avanti. «So di essere l'ultima persona che
lei vuole vedere.» Mi sfrego una mano sulla fronte dolorante.
«Mi creda, neanch'io vorrei essere qui. Di tutte le persone al
mondo a cui mi rivolgerei per chiedere aiuto... lei sarebbe
l'ultima. Lei *è* l'ultima.»

Mi interrompo per un istante. Ketterman non ha battuto ciglio.

«Quindi il fatto che io sia qui, che mi sia rivolta a lei... dovrebbe dimostrarle...» lo guardo, disperata «... che faccio sul
serio. Ho qualcosa da dirle e lei deve ascoltarmi. Deve farlo.»

Fra noi c'è un lungo silenzio. Sento la brusca frenata di
un'auto, giù in strada, e una risata roca. Il volto di Ketterman
è impassibile. Non saprei dire cosa sta pensando. Poi, alla fine, infila una mano in tasca e prende una chiave. Mi passa davanti, apre la porta dell'appartamento 32 e, finalmente, si volta verso di me.

«Entri.»

## 22

Mi sveglio sotto un soffitto sporco e pieno di crepe. Il mio sguardo segue un'enorme ragnatela che arriva all'angolo della stanza, quindi scende lungo la parete fino a una libreria pericolante piena zeppa di libri, cassette, lettere, vecchie decorazioni natalizie e qualche capo di biancheria scompagnato e buttato da parte.

Come ho fatto a vivere in questo disordine per sette anni?

Come ho fatto a non accorgermene?

Scosto le lenzuola, scendo dal letto e mi guardo intorno, confusa. Faccio una smorfia sentendo sotto i miei piedi la moquette sporca. Ha bisogno di una bella passata di aspirapolvere. Immagino che la donna delle pulizie, non vedendo i soldi, avrà deciso di non venire più.

Ci sono vestiti sparpagliati ovunque per terra. Cerco finché non trovo una vestaglia, me la metto e vado in cucina. Mi ero dimenticata di quanto fosse freddo, spoglio e spartano questo posto. Il frigorifero è vuoto, ovviamente, ma trovo una bustina di camomilla. Riempio il bollitore e mi siedo su uno sgabello, fissando il muro di mattoni della casa di fronte.

Sono già le nove e un quarto. Ketterman sarà in ufficio. Starà prendendo i provvedimenti che ritiene più opportuni. Aspetto l'attacco d'ansia... ma non arriva. Mi sento stranamente calma. Adesso la cosa non è più nelle mie mani: non c'è niente che io possa fare.

Mi ha ascoltata. Mi ha ascoltata davvero, mi ha fatto delle domande, mi ha persino preparato una tazza di tè. Sono rimasta da lui più di un'ora. Non mi ha detto cosa pensava né cosa aveva intenzione di fare. Non mi ha neppure detto se mi credeva o no. Ma qualcosa mi dice che mi ha creduta.

Il bollitore comincia a fischiare quando suonano alla porta. Esito un istante, poi mi stringo la vestaglia e vado nell'ingresso. Attraverso lo spioncino vedo la signora Farley carica di pacchi.

Ovvio. Chi altri poteva essere?

Apro la porta. «Buongiorno, signora Farley.»

«Samantha, mi pareva che fosse lei!» esclama. «Dopo tutto questo tempo! Non avevo idea... non sapevo più cosa pensare...»

«Sono stata via» dico, con un sorriso. «Mi dispiace di non averla avvertita, ma non lo sapevo neanch'io.»

«Capisco.» La signora Farley passa veloce lo sguardo sui miei capelli biondi, sul mio viso e per l'appartamento, alla ricerca di indizi.

«Grazie per avermi ritirato i pacchi.» Allungo le braccia. «Posso...»

«Oh, certo!» Mi porge un paio di buste imbottite e una scatola di cartone, palesemente ancora incuriosita. «Suppongo che per questi lavori importanti che fate voi ragazze vi mandino all'estero senza preavviso...»

«Non sono stata all'estero» preciso, posando le scatole. «Grazie ancora.»

«Oh, nessun disturbo! So cosa significa avere... problemi con la famiglia» azzarda.

«Non ho avuto problemi con la famiglia» ribatto, educatamente.

«Certo, ovviamente!» Si schiarisce la gola. «Be', a ogni modo, adesso è tornata da... da quello che doveva fare.»

«Signora Farley» chiedo, cercando di restare seria «desidera sapere dove sono stata?»

La signora Farley reagisce quasi con disgusto. «Oh, povera me, no! Non sono assolutamente fatti miei! Davvero, non mi sognerei mai... ora devo andare...» Si allontana.

«Grazie ancora!» dico, quando lei scompare nel suo appartamento.

Sto chiudendo la porta quando squilla il telefono. Sollevo il ricevitore, chiedendomi quanta gente ha chiamato questo numero nelle ultime settimane. La segreteria è piena di messaggi, ma dopo aver ascoltato i primi tre, tutti della mamma e uno più infuriato dell'altro, ci ho rinunciato.

«Pronto?»

«Samantha» dice una voce autorevole. «Sono John Ketterman.»

«Oh.» Mio malgrado sono un po' nervosa. «Salve.»

«La pregherei di tenersi a disposizione, oggi. Forse dovrà parlare con alcune persone.»

«Alcune persone?»

Dopo una piccola pausa, Ketterman aggiunge: «Investigatori».

Oh, mio Dio. Oh, mio Dio. Avrei voglia di mettermi a urlare, di piangere o roba del genere. Ma in un modo o nell'altro riesco a restare calma.

«Dunque ha scoperto qualcosa?»

«Non posso parlarne in questo momento.» Ketterman è distaccato e formale come sempre. «Volevo solo sapere se lei è disponibile.»

«Certo. Dove devo andare?»

«Gradiremmo che lei venisse qui, negli uffici della Carter Spink» dice, senza alcuna traccia di ironia.

Guardo il telefono e mi viene voglia di ridere. Mi verrebbe da dire: "Stiamo parlando degli stessi uffici dai quali sono stata cacciata ieri? Gli stessi uffici dove mi hanno proibito di tornare?".

«La chiamerò io» aggiunge lui. «Porti con sé il cellulare. Forse ci vorrà qualche ora.»

«Okay. D'accordo.» Faccio un respiro profondo. «Mi dica solo una cosa… non le chiedo di entrare nei dettagli, ma… la mia teoria era giusta?»

Segue un silenzio scricchiolante. Non riesco neppure a respirare.

«Non del tutto» risponde Ketterman alla fine, e io provo un doloroso brivido di trionfo. Questo significa che in qualcosa avevo ragione.

La telefonata si interrompe. Poso il ricevitore e mi guardo nello specchio dell'ingresso. Ho le guance arrossate, gli occhi luccicanti.

Avevo ragione. E loro lo sanno.

Mi offriranno di nuovo il mio lavoro, mi viene in mente all'improvviso. Mi offriranno la posizione di socio. Al pensiero mi sento eccitata ma al tempo stesso vengo colta da una strana paura.

Ci penserò quando sarà il momento.

Vado in cucina. Non riesco a stare ferma. Cosa posso fare nelle prossime ore? Verso l'acqua bollente sulla bustina di camomilla e resto a guardarla per qualche istante, rigirandola con un cucchiaino. Poi mi viene un'idea.

Ci vogliono solo venti minuti per andare a prendere quello che mi serve. Burro, uova, farina, vaniglia, zucchero a velo. Tegami. Sbattitore. Una bilancia. Tutto, in realtà. È incredibile quant'è sguarnita la mia cucina. Come facevo a cucinare, qui dentro?

Be', non cucinavo.

Non ho grembiuli, quindi ne improvviso uno con una vecchia camicia. Non ho una ciotola per impastare, e mi sono dimenticata di comperarne una, così uso la bacinella di plastica che mi hanno regalato insieme a un kit di aromaterapia.

Dopo un'ora passata a mescolare, impastare e cuocere, ho fatto una torta. Tre strati di pan di Spagna farciti con la crema, coperti di glassa al limone e decorati con fiorellini di zucchero.

La osservo per qualche istante, provando una grande soddisfazione. È la quinta torta che preparo, e la prima con più di due strati. Mi tolgo la camicia, controllo di avere il cellulare in tasca, prendo la torta ed esco dall'appartamento.

Quando viene ad aprire, la signora Farley sembra perplessa di vedermi.

«Salve!» dico. «Le ho portato una cosa per ringraziarla di aver ritirato la mia corrispondenza.»

«Oh!» Guarda la torta, meravigliata. «Samantha! Dev'esserle costata un sacco di soldi!»

«Non l'ho comperata» ribatto, orgogliosa. «L'ho fatta io.»

La signora Farley è sbalordita.

«L'ha fatta lei?»

«Certo» rispondo, con un gran sorriso. «Posso portarla dentro e prepararle un caffè?»

La signora Farley è troppo allibita per parlare; le passo davanti ed entro. Con un po' di vergogna, mi rendo conto di non essere mai stata in casa sua prima d'ora. Sono tre anni che la conosco, ma non ho mai varcato questa soglia. La casa è immacolata, piena di tavolini e pezzi d'antiquariato, e c'è una ciotola di petali di rosa sul tavolino di fronte alle poltrone.

«Lei si sieda» la invito. «Troverò quello che mi serve in cucina.» Ancora stordita, la signora Farley si lascia cadere su una poltrona.

«La prego» dice, con un filo di voce «non rompa nulla.»

«Non romperò niente! Gradisce della schiuma nel caffè? E un po' di noce moscata?»

Dieci minuti dopo esco dalla cucina con due tazzine e la torta.

«Ecco.» E ne taglio una fetta. «Sentiamo cosa ne pensa.»

La signora Farley prende il piatto e lo osserva per qualche istante.

«L'ha fatta lei» dice, alla fine.

«Sì!»

Si porta la fetta alla bocca. E poi si ferma. Sembra terribilmente nervosa.

«Non si preoccupi!» dico, e do un morso alla mia fetta. «Vede? So cucinare. Davvero!»

Con estrema cautela, la signora Farley ne prende un piccolo boccone, mentre incrocia il mio sguardo, meravigliata, esclama: «È… deliziosa! Così leggera! Davvero l'ha fatta lei?».

«Ho montato le chiare a parte» spiego. «Così la torta resta più leggera. Le posso dare la ricetta, se vuole. Prenda un po' di caffè.» Le porgo una tazzina. «Ho usato il frullino elettrico per il latte. Spero non le dispiaccia. Funziona bene, se il latte è alla temperatura giusta.»

La signora Farley mi guarda a bocca aperta come se stessi parlando arabo.

«Samantha» chiede, alla fine «dov'è stata in queste ultime settimane?»

«Sono stata… via.» Mi cade l'occhio su uno straccio per la polvere e uno spray per mobili appoggiati su un tavolino. Probabilmente stava facendo le pulizie, quando ho suonato. «Io non userei quegli stracci, se fossi in lei» aggiungo, con fare educato. «Posso consigliargliene di migliori.»

La signora Farley posa la tazzina e si sporge in avanti con aria preoccupata. «Samantha, non è che per caso è entrata a far parte di qualche setta religiosa, vero?»

«No!» Non posso fare a meno di ridere nel vedere la sua espressione. «Ho solo... fatto qualcosa di diverso. Ancora un po' di caffè?»

Vado in cucina e preparo dell'altra schiuma con il latte. Quando torno in soggiorno, la signora Farley sta mangiando la seconda fetta di torta.

«È davvero ottima» dice, con la bocca piena. «Grazie.»

«Be'...» mi stringo nelle spalle, un po' imbarazzata. «Veramente sono io che devo ringraziare lei per essersi presa cura di me per tutto questo tempo.»

La signora Farley finisce la sua fetta di torta, posa il piatto e mi osserva intensamente per qualche secondo, la testa piegata di lato come un uccellino.

«Mia cara» esclama, alla fine «non so dove lei sia stata, né cos'abbia fatto. Ma qualunque cosa sia, è un'altra persona.»

«Lo so. I capelli sono diversi...» esordisco, ma lei scuote la testa.

«La vedevo entrare e uscire di corsa, arrivare tardi la sera, sempre con quell'aria così stanca. Così preoccupata. Assomigliava a... al guscio vuoto di una persona. A una foglia secca. A un cartoccio di pannocchia.»

Una foglia secca? Penso, indignata. Un cartoccio di pannocchia?

«Ma ora è come sbocciata! Sembra più forte, più sana... felice...» Posa la tazzina e si sporge di nuovo in avanti. «Qualunque cosa lei abbia fatto, mia cara, ha un aspetto magnifico.»

«Oh, grazie» rispondo con un timido sorriso. «Mi sento diversa, credo. Forse sono più rilassata, ultimamente.» Bevo un sorso di caffè e mi appoggio allo schienale della poltrona, riflettendo. «Mi godo la vita più di quanto facessi prima... noto cose che prima...»

«Ma non ha notato che le sta suonando il telefonino» mi interrompe gentile la signora Farley, accennando col capo alla mia tasca.

«Oh!» faccio io, sorpresa, afferrando il cellulare. «Devo rispondere. Mi scusi.»

Lo apro e sento la voce di Ketterman.

«Samantha.»

Passo tre ore negli uffici della Carter Spink, a parlare prima con un tizio dell'ordine degli avvocati, poi con due soci anziani e quindi con un funzionario della Third Union Bank. All'ora di pranzo, dopo aver ripetuto le stesse cose decine di volte agli stessi visi volutamente impassibili, sono esausta. Le luci dell'ufficio mi hanno fatto venire il mal di testa. Avevo dimenticato quanto fosse secca l'aria qui dentro.

Non ho ancora capito cosa stia succedendo. Gli avvocati sono così maledettamente discreti. So che qualcuno è andato a casa di Arnold per parlare con lui, nient'altro. Ma, anche se nessuno lo ammetterà mai, io so di avere ragione. Sono stata scagionata.

Terminato l'ultimo colloquio, mi portano dei sandwich, una bottiglia d'acqua minerale e un muffin. Mi alzo in piedi, sgranchisco le braccia e vado alla finestra. Mi sento prigioniera qui dentro. Bussano alla porta e Ketterman entra nella stanza.

«Non abbiamo ancora finito?» domando. «Sono qui da ore.»

«Probabilmente dovremo parlare ancora con lei.» Fa un cenno in direzione dei panini. «Mangi qualcosa.»

Non posso restare in questa stanza un momento di più. Devo almeno sgranchirmi le gambe.

«Prima vado un attimo a rinfrescarmi» dico, correndo fuori prima che lui possa obiettare.

Quando entro in bagno, le donne presenti smettono subito di parlare. Mi infilo in un cubicolo e sento i loro sussurri eccitati, i loro mormorii. Quando esco, sono ancora tutte lì. Hanno gli occhi puntati su di me come lampade solari.

«Allora sei tornata, Samantha?» chiede un'associata di nome Lucy.

«Non esattamente.» Mi volto verso il lavandino, imbarazzata.

«Sembri così diversa» dice un'altra.

«Che braccia!» esclama Lucy mentre mi lavo le mani. «Sono così abbronzate… e toniche. Sei stata in una beauty farm?»

«Ehm… no.» Le guardo con un sorriso misterioso. «Ma grazie. Allora, come va la vita, qui?»

«Bene.» Lucy annuisce più volte. «C'è molto da fare. La scorsa settimana ho fatturato sessantasei ore. Ho lavorato due notti intere.»

«Io tre» ribatte un'altra ragazza. Lo dice come se niente fosse, ma a me non sfugge l'espressione di orgoglio sul suo volto. E le occhiaie sotto gli occhi. È questo l'aspetto che avevo anch'io? Pallido, tirato, ansioso?

«Fantastico» dico, educatamente, asciugandomi le mani. «Be', ora sarà meglio che vada. Ci vediamo.»

Esco dal bagno e mentre sto tornando verso la sala colloqui, persa nei miei pensieri, sento una voce.

«Oh, mio Dio, Samantha. Sei proprio tu?»

«Guy?» Alzo lo sguardo, scioccata, e lo vedo che mi corre incontro lungo il corridoio. È in forma, abbronzato, e il suo sorriso è più abbagliante che mai.

Non mi aspettavo di vederlo qui. Anzi, a dire il vero, la cosa mi ha colto di sorpresa.

«Ma guardati!» Mi afferra per le spalle e mi osserva. «Hai un aspetto fantastico.»

«Pensavo che fossi a Hong Kong.»

«Sono rientrato questa mattina. Mi hanno appena informato della faccenda. Cavolo, Samantha, è davvero incredibile.» Abbassa la voce. «Solo tu potevi scoprirlo. Arnold! Chi l'avrebbe mai detto! Sono rimasto sconvolto. Tutti, a dire la verità, lo sono. Tutti quelli che lo sanno» aggiunge, abbassando ancora di più la voce. «Com'è ovvio, la cosa non è ancora stata resa pubblica.»

«Io non so neppure quale sia la "faccenda"» replico, con un'ombra di risentimento. «Nessuno mi dice niente.»

«Be', lo faranno.» Guy si infila la mano in tasca, prende il palmare e lo osserva strizzando gli occhi. «Sei la migliore di tutti. Non ho mai avuto dubbi.» Alza lo sguardo. «Io lo sapevo che tu non commetti mai errori.»

Lo guardo a bocca aperta. Come fa a dire una cosa simile?

«No, non è vero» rispondo, alla fine, trovando le parole. «Non è assolutamente vero. Se ti ricordi, hai detto che avevo fatto degli errori. Hai detto che ero "inaffidabile".»

Mi tornano in mente tutte le offese e le umiliazioni, e distolgo lo sguardo da lui.

«Ho solo detto che certa gente sosteneva che tu avevi commesso degli errori.» Guy smette di digitare sul palmare e alza lo sguardo, aggrottando la fronte. «Samantha, io ti ho difesa. Io ero dalla tua parte. Chiedilo a chi vuoi!»

Certo. È per questo che non hai voluto ospitarmi a casa tua.

Ma non lo dico. Non voglio tornare su questo argomento. È acqua passata.

«Bene. Se lo dici tu.»

Riprendiamo a camminare lungo il corridoio, insieme, e lui è tutto preso dal suo palmare. Dio, è proprio una fissazione, penso, un po' seccata.

«Allora, dove diavolo sei finita?» domanda, quando finalmente smette di digitare sulla tastiera. «Cos'hai fatto in tutto questo tempo? Non fai la cameriera, vero?»

«No.» Sorrido nel vedere la sua espressione. «No. Ho un lavoro.»

«Sapevo che ti avrebbero presa al volo» osserva, annuendo soddisfatto. «Chi ti ha assunta?»

«Oh... non li conosci» rispondo, dopo un attimo di esitazione.

«Lavori sempre nello stesso campo, vero?» Mette via il palmare. «Fai lo stesso tipo di lavoro?»

All'improvviso vedo la mia immagine con l'uniforme di nylon azzurro mentre lavo il pavimento del bagno di Trish.

«Veramente, no.» In qualche modo riesco a restare seria.

Guy sembra sorpreso. «Ma ti occupi sempre di diritto societario, vero? Non dirmi che hai voltato pagina!» È elettrizzato. «Non sarai passata al diritto commerciale, vero?»

«No... non al diritto commerciale. Ora è meglio che vada.» Interrompo bruscamente la conversazione e apro la porta della sala colloqui. «Ci vediamo.»

Mangio i panini, bevo l'acqua minerale. Per mezz'ora nessuno viene a disturbarmi. Mi sento come se fossi in quarantena per una malattia contagiosa. Avrebbero potuto darmi almeno qualche rivista. A furia di vedere in giro l'inesauribile scorta di "Heat" e "Hello" di Trish mi sono abituata al gossip.

Alla fine sento bussare alla porta, ed entra Ketterman.

«Samantha, vorremmo che ci raggiungesse nella sala del consiglio d'amministrazione.»

La sala del consiglio d'amministrazione? Cavolo.

Seguo Ketterman per i corridoi, consapevole delle gomitate e dei sussurri di quelli che incontriamo. Ketterman apre la grande porta a due battenti della sala e io entro. Mi trovo davanti metà dei soci, e stanno aspettando tutti me. Quando Ketterman chiude la porta, cala il silenzio. Guardo Guy, che mi fa un grande sorriso di incoraggiamento, ma non dice nulla.

Devo parlare io? Mi sono persa le istruzioni? Ketterman raggiunge il gruppo dei soci anziani e si volta verso di me.

«Samantha, come lei sa, è in corso un'indagine sugli… avvenimenti recenti, che non sono ancora stati del tutto chiariti.» Si interrompe, nervoso, e vedo che alcuni dei presenti si scambiano occhiate preoccupate. «In ogni caso, siamo giunti a una conclusione. Lei ha subito un torto.»

Lo guardo, stupefatta. Lo ammette? Costringere un avvocato ad ammettere di aver commesso un errore è come costringere una star del cinema ad ammettere di essersi fatta la liposuzione.

«Come?» dico, per farglielo ripetere un'altra volta.

«Lei ha subito un torto.» Ketterman aggrotta la fronte: è evidente che questa parte della conversazione non gli piace affatto.

Mi viene quasi voglia di ridere. «Io ho… fatto un torto?» azzardo, con aria perplessa.

«L'ha subito!» ribatte lui, secco. «L'ha subito!»

«Ah! L'ho subito. Be', grazie.» E sorrido educatamente. «Lo apprezzo molto.»

Forse mi offriranno un bonus, penso, un lussuoso cesto regalo. Magari una vacanza.

«E quindi…» Ketterman fa una pausa. «Quindi vorremmo offrirle la carica di socio anziano dello studio. Con effetto immediato.»

Sono così sconvolta che per poco non cado per terra. Socio anziano?

Apro la bocca… ma non riesco a parlare. Mi manca il respiro. Mi guardo intorno, impotente, come un pesce preso all'amo. Socio anziano è il gradino più alto. È la posizione più prestigiosa per un avvocato. Non me lo sarei mai e poi mai aspettato.

«Bentornata, Samantha» dice Greg Parker.

«Bentornata» fanno eco alcuni dei presenti. David Elldridge mi rivolge un sorriso cordiale, Guy mi fa un segno col pollice alzato.

«Vogliamo brindare?» Ketterman fa un cenno con la testa a Guy, che apre la grande porta della sala. Un attimo dopo due cameriere entrano con vassoi carichi di bicchieri di champagne. Qualcuno me ne mette uno in mano.

Sta succedendo tutto troppo in fretta. Devo dire qualcosa.

«Scusate... Io non ho ancora detto se ho intenzione di accettare.»

Tutta la stanza sembra immobilizzarsi, come un fermo immagine.

«Prego?» Ketterman si volta verso di me, il viso stravolto in una smorfia di incredulità.

Oh, Dio. Forse non la prenderanno molto bene.

«Il fatto è...» Mi interrompo per bere un sorso di champagne, tanto per farmi coraggio, cercando un modo per esprimere quello che penso con diplomazia.

Per tutto il giorno non ho fatto che riflettere su questo. Diventare socio della Carter Spink è stato il sogno della mia vita. Il premio splendente. L'unica cosa che io abbia mai desiderato.

A parte... tutte le cose che non sapevo di desiderare. Cose di cui non avevo idea fino a qualche settimana fa. Tipo l'aria fresca. Tipo le serate libere, i weekend senza impegni. Fare programmi con gli amici. Sedere in un pub dopo il lavoro, a bere sidro, senza avere nulla da fare, niente a cui pensare, niente che ti assilli la mente.

Anche se mi hanno offerto la carica di socio anziano, non cambia niente. Non cambia me. La signora Farley aveva ragione: sono sbocciata. Non sono più un cartoccio di pannocchia.

Perché dovrei tornare a esserlo?

Mi schiarisco la gola e mi guardo intorno.

«È un grandissimo onore per me ricevere questa incredibile offerta» dico con sincerità. «E io ve ne sono grata. Davvero. Tuttavia... il motivo per cui sono tornata non è riavere il mio posto, ma riabilitare il mio nome. Dimostrare che non ho commesso io quell'errore.» Do un'occhiata a Guy. «La verità è che, da quando ho lasciato la Carter Spink, io... be', sono andata avanti con la mia vita. Ho un lavoro che mi piace molto. Quindi non accetto la vostra offerta.»

Nella sala scende un silenzio attonito.

«Grazie» aggiungo nuovamente, con gentilezza. «E... grazie per lo champagne.»

«Sta parlando sul serio?» domanda qualcuno in fondo alla sala. Ketterman e Elldridge si scambiano occhiate preoccupate.

«Samantha» dice Ketterman, venendo verso di me «forse le hanno offerto altre opportunità, ma lei è un avvocato della Carter Spink. Questo è lo studio in cui si è formata, questo è lo studio a cui appartiene.»

«Se è una questione di soldi» aggiunge Elldridge «le offriremo la stessa cifra che...» Poi guarda Guy. «A quale studio è passata?»

«Ovunque lavori adesso, parlerò col socio anziano» dice Ketterman, con un tono che non ammette repliche. «Col direttore del personale... con chiunque sia necessario. Troveremo una soluzione. Mi dà il numero, per favore?» Sta già tirando fuori il palmare.

La mia bocca si contorce. Ho una voglia matta di ridere.

«Non c'è un direttore del personale» spiego. «Né un socio anziano.»

«Non c'è un socio anziano?» ripete Ketterman, spazientito. «Com'è possibile?»

«Non ho detto che faccio ancora l'avvocato.»

È come se avessi dichiarato che la terra è piatta. In vita mia non ho mai visto tante facce sconcertate tutte insieme.

«Non... non fa l'avvocato?» chiede Elldridge, alla fine. «E che lavoro fa, allora?»

«La governante» rispondo, con un sorriso.

«La governante?» Elldridge mi scruta con attenzione. «È il nuovo termine per indicare chi risolve problemi? Non riesco a stare dietro a questi ridicoli termini.»

«Si occupa di rispetto delle normative?» dice Ketterman. «È questo che vuole dire?»

«No, non è questo che voglio dire» spiego, pazientemente. «Faccio la governante. Rifaccio i letti, cucino. Sono una domestica.»

Per circa sessanta secondi nessuno si muove. Dio, come vorrei avere una macchina fotografica. Che facce!

«Lei fa esattamente... la governante?» balbetta Elldridge alla fine.

«Già.» Guardo l'orologio. «E mi sento realizzata, rilassata e felice. Anzi, a dire la verità, adesso dovrei rientrare.» Poi, rivolta a Ketterman, aggiungo: «Grazie per avermi ascoltata. Lei è stato l'unico a farlo».

«Allora respinge la nostra offerta?» chiede Oliver Swan, incredulo.

«Respingo la vostra offerta» confermo, stringendomi nelle spalle come per scusarmi. «Mi dispiace. Arrivederci a tutti.»

Uscendo dalla sala mi sento un po' incerta sulle gambe. E un po' esaltata. Ho rifiutato. Ho rifiutato la carica di socio anziano alla Carter Spink.

Cosa dirà mia madre?

Il pensiero mi fa venire una gran voglia di ridere.

Sono troppo agitata per aspettare l'ascensore quindi prendo le scale, e scendo rumorosamente i freddi gradini di pietra.

«Samantha!» La voce di Guy echeggia all'improvviso sopra di me.

Oh, ma cosa vuole?

«Me ne vado!» urlo. «Lasciami in pace!»

«Non puoi andartene!»

Lo sento accelerare il passo giù per le scale, e così accelero anch'io. Ho detto quello che dovevo... cos'altro c'è di cui discutere? Si sente il ticchettio delle mie scarpe sui gradini mentre scendo a gran velocità, aggrappata alla ringhiera per non perdere l'equilibrio. Ma, nonostante tutto, Guy mi ha quasi raggiunta.

«Samantha, è una pazzia!»

«Non è vero!»

«Non posso permettere che ti rovini la carriera... solo per ripicca!» grida.

Mi volto di scatto, indignata, e per poco non rotolo giù dalle scale. «Non lo faccio per ripicca.»

«Lo so che sei arrabbiata con noi!» Guy mi raggiunge, affannato. «Sono sicuro che è una grande soddisfazione per te rifiutare la nostra offerta, e dire che fai la governante...»

«Io *faccio* la governante!» ribatto. «E non ho rifiutato perché sono arrabbiata. Ho rifiutato perché non voglio questo lavoro.»

«Samantha, tu desideravi diventare socio più di ogni altra cosa al mondo!» Guy mi afferra per un braccio. «Io lo so. È per questo che hai lavorato tanto. Non puoi gettarlo via. È troppo prezioso.»

«E se per me non avesse più valore?»

«Sono passate solo poche settimane! Non può essere cambiato tutto.»

«Invece sì. È cambiato tutto. Io sono cambiata.»

Guy scuote la testa, incredulo. «Parli sul serio a proposito del lavoro di governante?»

«Sì, parlo sul serio» ribatto, secca. «Cosa c'è di male nel fare la governante?»

«Oh, per amor del...» Si blocca. «Ascolta, Samantha, torna su. Parliamone. L'ufficio risorse umane si sta interessando al caso. Hai perso il lavoro, sei stata trattata ingiustamente... è normale che tu non riesca a ragionare con lucidità. Suggeriscono qualche seduta di psicoterapia.»

«Io non ho bisogno di nessuna psicoterapia!» Mi giro di scatto e riprendo a scendere. «Solo perché non voglio fare l'avvocato significa che sono pazza?»

Arrivo in fondo alle scale ed esco come una furia nell'atrio, tallonata da Guy. Hilary Grant, capo ufficio stampa, è seduta su un divano di pelle in compagnia di una donna in tailleur rosso, che non conosco. Entrambe alzano lo sguardo, sorprese.

«Samantha, non puoi farlo!» grida Guy, seguendomi nell'atrio. «Sei uno degli avvocati più in gamba che conosca. Non posso permettere che tu rinunci alla carica di socio anziano per fare... la governante!»

«Perché no, se è questo che voglio?» Mi blocco in mezzo all'atrio e mi volto per affrontarlo. «Guy, ho scoperto che cosa significa avere una vita! Ho scoperto cosa significa non lavorare nei weekend. Non essere sottoposta a continue pressioni. E mi piace!»

Lui non sta ascoltando una sola parola di quello che sto dicendo. Non vuole capire.

«Vuoi farmi credere che preferisci pulire i gabinetti anziché essere socio della Carter Spink?» È paonazzo per l'indignazione.

«Sì!» rispondo, con aria di sfida. «Sì!»

«Chi è quella?» dice la donna in tailleur rosso, incuriosita.

«Samantha, stai facendo il più grosso errore della tua vita!» La voce di Guy mi segue fino alla porta a vetri. «Se esci da quella porta...»

Non voglio sentire altro. Sono uscita. Sono scesa dai gradini. Me ne sono andata.

Forse ho appena commesso l'errore più grande della mia vita. Sono seduta sul treno che mi sta riportando nel Gloucestershire, sorseggiando vino per calmarmi i nervi, e le parole di Guy continuano a risuonarmi nelle orecchie.

Un tempo, questo pensiero sarebbe bastato a mandarmi in crisi. Adesso no. Mi viene quasi da ridere. Lui non capisce.

Una delle cose che ho imparato da tutto quello che mi è successo è che non esiste l'errore più grande della vita. Non ci si rovina la vita. In fin dei conti, la vita ha notevoli capacità di recupero.

Quando arrivo a Lower Ebury vado dritta al pub. Nathaniel è dietro al bancone, e indossa una camicia di tessuto chambray che non gli ho mai visto. Sta parlando con Eamonn. Per qualche istante resto a guardarlo dalla soglia: le sue mani forti, il modo in cui piega il collo e aggrotta la fronte quando annuisce. Capisco subito che non è d'accordo con quanto sta dicendo Eamonn, ma aspetta che lui abbia concluso, prima di spiegare con tatto il proprio punto di vista.

Forse sono più telepatica di quanto pensassi.

E, come se anche lui lo fosse, solleva lo sguardo e sul suo volto compare un'espressione sorpresa. Mi rivolge un sorriso di benvenuto, ma sotto il sorriso si intuisce la tensione. Gli ultimi giorni non devono essere stati facili per lui. Forse ha avuto paura che non sarei tornata.

Dall'angolo delle freccette si leva un boato. Uno dei giocatori si volta, mi vede e viene verso il bar.

«Samantha!» grida. «Finalmente! Abbiamo bisogno di te nella squadra!»

«Dammi un secondo» urlo di rimando, voltandomi. «Ciao» dico, raggiungendo Nathaniel. «Bella camicia.»

«Ciao» risponde lui, disinvolto. «Tutto bene il viaggio?»

«Non male» dico. Lui mi fa passare dietro al bancone, scrutando il mio viso alla ricerca di indizi.

«Allora… è finita?»

«Sì.» Lo abbraccio e lo stringo forte. «È finita.»

E in quel momento, ne sono davvero convinta.

## 23

Fino all'ora di pranzo non accade nulla.

Come al solito preparo la colazione per Trish ed Eddie. Passo l'aspirapolvere. Poi mi metto il grembiule di Iris, tiro fuori il tagliere e comincio a spremere le arance. Ho intenzione di preparare una mousse al cioccolato amaro e arancia per il pranzo di beneficenza di domani. La serviremo su un letto di fette d'arancia candite, e ogni piatto sarà decorato con un angelo placcato in argento acquistato su un catalogo di articoli natalizi.

È stata un'idea di Trish. Come anche gli angeli da appendere al soffitto.

«Come andiamo?» Trish entra ticchettando in cucina. Sembra agitata. «Hai già fatto la mousse?»

«Non ancora» rispondo, spremendo un'arancia con forza. «Signora Geiger, non si preoccupi. È tutto sotto controllo.»

«Tu non sai cos'ho passato in questi giorni!» Si porta le mani alla testa. «Un sacco di gente ha dato la conferma all'ultimo minuto e ho dovuto cambiare l'assegnazione dei posti...»

«Andrà tutto bene» dico, cercando di calmarla. «Si rilassi.»

«Sì.» Fa un respiro profondo, tenendosi la testa fra le mani con le unghie perfettamente curate. «Hai ragione. Andrò a controllare i sacchetti con gli omaggi.»

Trish sta spendendo un patrimonio per questo pranzo. Quando le ho chiesto se fosse davvero il caso di montare un controsoffitto di seta bianca in sala da pranzo e di dare a ogni ospite un'orchidea da mettere all'occhiello, mi ha risposto strillando: "Ma è per una giusta causa!".

Il che mi fa venire in mente una cosa che volevo chiederle da tempo.

«Scusi, signora Geiger» chiedo, con aria indifferente «i suoi ospiti pagano una quota per partecipare al pranzo?»

«Oh, no!» risponde lei. «Sarebbe troppo volgare, non credi?»

«Allora farà una lotteria?»

«No, non credo» dice lei, arricciando il naso. «La gente odia le lotterie.»

Non oso quasi farle la domanda seguente.

«Allora come pensa di raccogliere i soldi per la beneficenza?»

In cucina piomba il silenzio. Trish si è immobilizzata, gli occhi spalancati.

«Oh, merda!» esclama, alla fine.

Lo sapevo. Non ci ha pensato. In qualche modo riesco a mantenere la mia espressione rispettosa da governante. «Forse potremmo chiedere un'offerta libera» suggerisco. «Potremmo far girare un cestino al momento del caffè e delle mentine.»

«Sì. Sì.» Trish mi guarda come se fossi un genio. «È una soluzione perfetta!» Fa un sospiro improvviso. «È talmente stressante, Samantha! Non riesco a capire come fai a restare così tranquilla.»

«Oh… non lo so.» Sorrido, provando per lei un moto d'affetto improvviso. Ieri sera quando sono arrivata dai Geiger, è stato come tornare a casa. Anche se Trish aveva lasciato una montagna di stoviglie sul bancone, in attesa del mio ritorno, e un biglietto che diceva: "Samantha, per favore domani lucida tutta l'argenteria".

Trish esce dalla cucina e io comincio a montare le chiare d'uovo per la mousse. In quell'istante vedo un uomo che avanza furtivo lungo il vialetto. Indossa un paio di jeans e una vecchia polo, e ha una macchina fotografica appesa al collo. Poi scompare. Aggrotto la fronte, perplessa. Forse è un addetto alle consegne. Peso lo zucchero, con un orecchio teso al campanello, e comincio ad aggiungerlo alle chiare, come mi ha insegnato Iris. Improvvisamente vedo l'uomo davanti alla porta della cucina, che guarda dentro attraverso la finestra.

Non ho intenzione di rovinare la mousse per un venditore ambulante. Può aspettare qualche minuto. Finisco di amalgamare lo zucchero, quindi vado alla porta e la spalanco.

«Desidera?» chiedo, educatamente.

L'uomo mi osserva in silenzio per qualche secondo, abbassando di tanto in tanto lo sguardo sulla rivista che tiene piegata in mano. «Lei è Samantha Sweeting?» mi domanda, alla fine.

Lo guardo, insospettita. «Perché?»

«Sono della "Cheltenham Gazette".» Mi mostra un documento d'identità. «Vorrei farle un'intervista in esclusiva. *Perché ho scelto i Cotswolds come mio rifugio segreto*... o una cosa del genere.»

Lo guardo per qualche secondo senza capire.

«Di cosa sta parlando?»

«Non l'ha vista?» chiede, sorpreso. «Questa è lei, vero?» Apre la rivista e, quando la vedo, mi si stringe lo stomaco.

C'è una mia foto. Sul giornale. Mia.

È il mio ritratto ufficiale per la Carter Spink. Indosso un tailleur nero e ho i capelli raccolti. Sopra la foto, a caratteri cubitali, il titolo dice: *Preferisco pulire i gabinetti anziché diventare socio della Carter Spink*.

Cosa diavolo sta succedendo?

Con le mani che mi tremano prendo la rivista e scorro velocemente l'articolo.

Sono i padroni dell'universo, invidiati dai loro pari. La Carter Spink è il più prestigioso studio legale del paese, ma ieri una giovane donna ha rifiutato un posto di altissimo livello per lavorare come governante.

HO SCOPERTO COSA SIGNIFICA AVERE UNA VITA

I soci hanno subito una cocente umiliazione quando l'avvocato Samantha Sweeting, una professionista da cinquecento sterline l'ora, ha rifiutato la loro offerta, che prevedeva un cospicuo stipendio a sei cifre. L'ambiziosa giovane, che era stata in precedenza licenziata, sembra che abbia smascherato uno scandalo finanziario all'interno dello studio. Tuttavia, quando le è stata offerta la carica di socio anziano, la Sweeting ha motivato il suo rifiuto con le continue pressioni e la mancanza di tempo libero.

"Ho scoperto cosa significa avere una vita" ha detto, quando i soci l'hanno implorata di restare.

Un ex dipendente della Carter Spink, che ha chiesto di restare anonimo, ha confermato le disumane condizioni di lavoro dello studio.

"Pretendono che tu ti venda l'anima" ha detto. "Io sono stato costretto ad andarmene per via dello stress. Non c'è da meravigliarsi che lei preferisca un lavoro manuale."

Una portavoce della Carter Spink difende la politica dello studio. "Noi siamo un'azienda moderna, flessibile, attenta alle esigenze dei nostri collaboratori. Ci piacerebbe confrontarci con Samantha e di certo non pretendiamo che i nostri dipendenti 'vendano l'anima'."

### SCOMPARSA

La stessa persona ha confermato che l'offerta di lavoro per la signorina Sweeting resta valida, e che i soci della Carter Spink sono ansiosi di parlarle. Tuttavia, in seguito a un'ulteriore, sorprendente svolta, questa Cenerentola moderna, dopo essere fuggita dagli uffici, è scomparsa.

### DOVE SI TROVA?

I commenti a pagina 34.

Guardo meglio, sbalordita. I commenti? C'è dell'altro?
Con mani maldestre vado a pagina 34.

### È TROPPO ALTO IL PREZZO DEL SUCCESSO?

Un avvocato con una brillante carriera rinuncia a uno stipendio a sei cifre per dedicarsi ai lavori domestici. Cosa ci spiega questa vicenda a proposito delle pressioni a cui ci sottopone la società moderna? Le donne in carriera sono troppo stressate? Sono logorate? Questa straordinaria vicenda potrebbe dare inizio a una nuova tendenza?

Una cosa è certa: solo Samantha Sweeting può rispondere a questi interrogativi.

Fisso la pagina, incredula e confusa. Com'è... cosa...? Come?

Un flash interrompe i miei pensieri e io sollevo lo sguardo, scioccata. Vedo il tizio che mi punta addosso la macchina fotografica.

«Fermo!» urlo, inorridita, coprendomi il volto con le mani.

«Potrei avere una foto mentre tiene in mano lo scopino del gabinetto, tesoro?» chiede lui, zoomando. «Al pub mi hanno detto che si trattava di lei. Un bello scoop.» La macchina scatta di nuovo, facendomi indietreggiare di colpo.

«Nooo! C'è errore.» Gli metto in mano la rivista, accartocciando le pagine. «Qvesta... qvesta non me. Mio nome Martine. Io no avvocato.»

Il giornalista mi guarda, sospettoso, poi osserva di nuovo la foto. Vedo il dubbio dipingersi sul suo volto. Il mio aspetto è piuttosto cambiato da allora, con i capelli biondi e tutto il resto.

«Lei non ha l'accento francese» dice.

Ha ragione. Gli accenti non sono mai stati il mio forte.

«Io... metà belgia.» Tengo gli occhi fissi a terra. «Prego, tu lascia casa subito o io chiama police.»

«Su, dolcezza. Tu non sei belga!»

«Tu va! È intrusione! Io denuncia!»

Gli mollo uno spintone per allontanarlo dalla soglia, chiudo la porta con violenza e do un giro di chiave. Poi tiro la tenda della finestra e mi appoggio alla porta, col cuore che batte all'impazzata. Merda. Merda. E ora cosa faccio?

Okay. L'importante è non farsi prendere dal panico. L'importante è restare lucidi e valutare con razionalità la situazione.

È vero che la mia storia è descritta su una rivista a diffusione nazionale, ma Trish ed Eddie non leggono questo giornale. E neanche la "Cheltenham Gazette". È solo uno stupido articolo su uno stupido giornale, e domani la vicenda sarà già dimenticata. Non c'è motivo che io confessi. Non è il caso di agitarsi. Continuerò a preparare la mia mousse al cioccolato e arancia come se niente fosse. Sì. Devo negare sempre tutto. È l'unico modo per andare avanti.

Mi sento un po' meglio, così prendo il cioccolato e comincio a spezzettarlo in una ciotola di vetro.

«Samantha! Chi era?» Trish fa capolino in cucina.

«Nessuno.» La guardo con un sorriso strampalato. «Niente. Che ne dice se le preparo una bella tazza di caffè e gliela porto in giardino?»

Stai calma. Nega sempre. Andrà tutto bene.

Okay. Negare non servirà a niente, visto che ci sono altri tre giornalisti nel vialetto.

Sono passati venti minuti. Ho lasciato perdere la mia mousse per sbirciare dalla finestra dell'ingresso con orrore crescente. Due uomini e una ragazza sono comparsi dal nulla. Hanno le macchine fotografiche e stanno chiacchierando insieme al tipo con la polo, che sta gesticolando in direzione della cucina. Di tanto in tanto uno di loro si stacca dal gruppo e scatta una foto alla casa. Tra poco qualcuno suonerà il campanello.

Non posso permettere che la situazione degeneri. Mi serve un nuovo piano. Mi serve...

Un diversivo! Sì! Se non altro potrei guadagnare un po' di tempo.

Vado all'ingresso principale e prendo uno dei cappelli di paglia di Trish. Esco con cautela e mi avvio lungo il vialetto fino al cancello, dove vengo subito circondata dai quattro giornalisti.

«Lei è Samantha Sweeting?» chiede uno, piazzandomi un registratore davanti alla faccia.

«Si è pentita di aver rifiutato la carica di socio anziano dello studio?» domanda un altro.

«Mio nome Martine» dico, tenendo la testa bassa. «Voi venuti a casa sbagliata. Io conosco Samantha Sweeting, lei vive... là.» Agito la mano in direzione del lato opposto del paese.

Attendo che partano alla carica, ma nessuno si muove.

«Voi venuti casa sbagliata!» ripeto. «Prego, andare via!»

«E questo che accento sarebbe?» domanda un tizio con gli occhiali scuri.

«Belgia» rispondo, dopo un attimo.

«Belga?» Mi scruta sotto la tesa del cappello di Trish. «È lei» dichiara, con aria di scherno. «Ned, è lei! Vieni qui!»

«È qui! È uscita!»

«È lei!»

Sento delle voci provenire dal lato opposto della strada e, con mio immenso orrore, ecco materializzarsi un altro gruppo di giornalisti, che si mette a correre verso il cancello, armato di macchine fotografiche e registratori.

Da dove sono usciti?

«Signorina Sweeting, sono Angus Watts del "Daily Express".» Il tizio con gli occhiali scuri alza il microfono. «Ha qualcosa da dire alle giovani donne d'oggi?»

«Le piace davvero pulire i gabinetti?» aggiunge un altro, scattandomi una foto in faccia. «Che marca di detersivo usa?»

«Basta!» esclamo, irritata. «Lasciatemi stare!» Chiudo i battenti di ferro del cancello, poi mi volto e corro per il vialetto, mi infilo in casa e mi rifugio in cucina.

E adesso cosa faccio?

Vedo la mia immagine riflessa nel frigorifero. Ho le guance

rosse e sembro una pazza. Senza contare il cappello di paglia di Trish.

Me lo tolgo e lo lascio cadere sul tavolo proprio mentre lei entra in cucina. Tiene in mano un libro intitolato *Ricevere con stile* e una tazza da caffè vuota.

«Per caso sai cosa sta succedendo, Samantha? Sembra che ci sia un po' di confusione in strada.»

«Ah, sì? Non me n'ero accorta.»

«Sembra una protesta» prosegue lei, aggrottando la fronte. «Spero che non ci siano anche domani. I manifestanti sono così egoisti…» Le cade l'occhio sul bancone. «Non hai ancora finito di preparare la mousse? Ma insomma, Samantha! Cos'hai fatto in tutto questo tempo?»

«Mmh… niente!» dico, deglutendo. «Finisco subito.» Prendo la ciotola e comincio a versare il preparato nelle coppette.

Ho la sensazione di trovarmi in una sorta di realtà parallela. Sta per uscire tutto allo scoperto. È solo questione di tempo. Cosa faccio?

«Hai visto quei manifestanti?» domanda Trish quando Eddie arriva in cucina. «Davanti ai nostri cancelli! Dovremmo dirgli di spostarsi da un'altra parte.»

«Non sono manifestanti» dice lui, aprendo il frigorifero e sbirciando dentro. «Sono giornalisti.»

«Giornalisti?» Trish lo guarda, incuriosita. «E cosa diavolo ci fanno qui dei giornalisti?»

«Forse abbiamo un nuovo vicino famoso» suggerisce Eddie, versandosi un bicchiere di birra.

Trish si porta una mano alla bocca. «Joanna Lumley! Avevo sentito dire che stava per comperare casa qui in paese! Samantha, tu ne sai niente?»

«Io… no» mormoro, con le guance in fiamme.

Devo dire qualcosa. Su, avanti, di' qualcosa. Ma cosa? Da dove comincio?

«Samantha, dovresti stirarmi questa camicia per stasera.» Melissa entra in cucina, tenendo in mano una camicia stampata senza maniche. «E stai molto attenta al colletto, okay?» aggiunge, sgarbata. «L'ultima che hai stirato, non aveva la piega dritta.»

«Ah, d'accordo. Mi dispiace. Se vuole metterla in lavanderia…»

«E dovresti anche passare l'aspirapolvere nella mia stanza» aggiunge. «Ho rovesciato il fard per terra.»

«Non so se avrò tempo…»

«Trovalo» ribatte lei, secca, prendendo una mela. «Cosa sta succedendo là fuori?»

«Nessuno lo sa» risponde Trish, tutta eccitata «ma penso che si tratti di Joanna Lumley!»

Improvvisamente suona il campanello.

Ho la sensazione che lo stomaco mi si pieghi in due. Per un attimo prendo in considerazione l'idea di scappare dalla porta sul retro.

«Chissà se sono loro!» esclama Trish. «Eddie, va' ad aprire. Samantha, metti su un po' di caffè.» Mi guarda spazientita. «Dài, svelta!»

Sono paralizzata. Devo parlare. Devo spiegare. Ma la mia bocca non vuole saperne di muoversi. Niente di me vuole muoversi.

«Samantha?» dice lei, osservandomi. «Ti senti bene?»

Con uno sforzo enorme alzo lo sguardo. «Ehm… signora Geiger…» La voce mi esce rauca per il nervoso. «C'è una cosa… c'è una cosa che dovrei…»

«Melissa!» La voce di Eddie mi interrompe. Sta tornando di corsa in cucina, con un grande sorriso stampato sulla faccia. «Melissa, tesoro! Vogliono te!»

«*Me?*» Melissa alza gli occhi, sorpresa. «Cosa intendi dire, zio Eddie?»

«È il "Daily Mail". Vogliono intervistarti!» Poi Eddie si rivolge a Trish, raggiante d'orgoglio. «Lo sapevi che la nostra Melissa è una delle menti legali più brillanti del paese?»

Oh, no. Oh, no.

«Cosa?» Per poco Trish non molla per terra il suo libro.

«È quello che hanno detto loro!» Eddie fa un cenno col capo in direzione del giardino. «Hanno detto che sarebbe stata certo una grossa sorpresa per me scoprire di avere un avvocato così famoso in casa. Sciocchezze, ho risposto io!» Circonda con il braccio le spalle di Melissa. «Abbiamo sempre saputo che eri una celebrità!»

«Signora Geiger» dico, con insistenza, ma nessuno mi dà retta.

«Dev'essere per quel premio che ho vinto alla facoltà di legge! Probabilmente l'hanno scoperto!» Melissa è tutta emozionata. «Oh, mio Dio! Il "Daily Mail"!»

«Vogliono anche farti delle foto!» aggiunge Eddie. «Vogliono un'esclusiva!»

«Devo truccarmi!» Melissa è agitatissima. «Come sto?»

«Ecco!» Trish apre la borsetta. «Qui c'è il mascara, il rossetto…»

Devo fermarli. Devo raccontare tutto.

«Signor Geiger…» Mi schiarisco la voce. «È sicuro… voglio dire, hanno chiesto di Melissa per nome?»

«Non ce n'era bisogno!» risponde lui, strizzando l'occhio. «C'è solo un avvocato in questa casa!»

«Prepara un po' di caffè, Samantha» mi ordina Trish, brusca. «E usa le tazze rosa. Presto! Lavale.»

«Il fatto è che io… io ho una cosa da confessarvi.»

«Non adesso, Samantha! Lava quelle tazze!» Trish mi mette in mano i guanti di gomma. «Io non so cosa ti prende oggi…»

«Io non credo che siano qui per Melissa» dico, disperata. «C'è una cosa… una cosa che dovete sapere…»

Nessuno mi presta attenzione. Sono tutti concentrati su Melissa.

«Come sto?» Si liscia i capelli, impacciata.

«Sei splendida, tesoro!» Trish si sporge in avanti verso di lei. «Ancora un po' di rossetto… sei davvero carina…»

«È pronta per l'intervista?» domanda dalla soglia della cucina una voce femminile che non conosco, e tutti si immobilizzano.

«Entri!» Eddie apre la porta a una donna di mezza età, coi capelli scuri e un tailleur pantalone, che passa in rassegna con occhio esperto la cucina.

«Ecco la nostra star!» Eddie indica Melissa con un sorriso d'orgoglio.

«Salve.» Melissa scosta indietro i capelli, poi fa un passo avanti con la mano tesa. «Sono Melissa Hurst.»

La donna la guarda, interdetta, per qualche istante. «Non lei» dice. «Lei.» E indica me.

Tutti si voltano di scatto a guardarmi, perplessi, in silenzio. Melissa stringe gli occhi, sospettosa. Vedo che i Geiger si scambiano un'occhiata.

«Quella è Samantha» dice Trish, confusa. «La governante.»

«Lei è Samantha Sweeting, giusto?» dice la donna, tirando fuori un taccuino. «Posso farle qualche domanda?»

«Volete intervistare la governante?» chiede Melissa con un sorriso sarcastico.

La giornalista la ignora. «Lei è Samantha Sweeting, vero?» insiste.

«Io… sì» ammetto, alla fine, arrossendo. «Ma non voglio rilasciare interviste. Non ho alcun commento da fare.»

«Commento?» Gli occhi di Trish schizzano da una parte all'altra, incerti. «Commento a proposito di cosa?»

«Cosa sta succedendo, Samantha?» domanda Eddie preoccupato. «Ti sei cacciata in qualche guaio?»

«Non gliel'ha detto?» La giornalista del "Daily Mail" solleva lo sguardo dal taccuino. «Non sanno nulla?»

«Detto cosa?» chiede Trish, tutta agitata. «Cosa?»

«È un'immigrata clandestina!» dice Melissa, trionfante. «Lo sapevo! Lo sapevo che c'era qualcosa…»

«La vostra "governante" è un importante avvocato della City.» La donna getta una copia della rivista sul tavolo della cucina. «E ha appena rinunciato a uno stipendio a sei cifre per lavorare da voi.»

È come se qualcuno avesse lanciato in casa una granata. Eddie barcolla visibilmente. Trish ondeggia sugli zoccoli col tacco alto e si aggrappa a una sedia per non cadere. La faccia di Melissa sembra un palloncino scoppiato.

«Io volevo dirvelo…» Mi mordo il labbro, imbarazzata, osservando i loro volti. «Io… ci stavo arrivando…»

Quando vede il titolo, Trish spalanca gli occhi. Apre e chiude la bocca, ma non ne esce alcun suono.

«Tu sei… un avvocato?» balbetta, alla fine.

«C'è un errore!» Le guance di Melissa sono di un rosa acceso. «L'avvocato sono io. Sono io che ho vinto un premio alla facoltà di legge! Lei è la donna delle pulizie.»

«Lei invece ne ha vinti tre di premi alla facoltà di legge.» La giornalista fa un cenno col capo verso di me. «E ha preso il voto più alto del suo corso.»

«Ma…» Il volto di Melissa sta diventando di un brutto color porpora. «È impossibile.»

«Il socio più giovane della Carter Spink…» La giornalista consulta i suoi appunti. «È corretto, signorina Sweeting?»

«No» rispondo. «O meglio… quasi. Qualcuno desidera una tazza di tè?» aggiungo, disperata.

Ma sembra che a nessuno interessi. Anzi, pare che Melissa sia sul punto di vomitare.

«Sapevate che la vostra governante ha un QI di 158?» È chiaro che la giornalista si sta divertendo. «È praticamente un genio.»

«Sapevamo che era molto intelligente» dice Eddie, sulla difensiva. «Siamo noi che ce ne siamo accorti! La stavamo aiutando a…» Si interrompe, con un'aria stupida. «A prendere un diploma.»

«E io ve ne sono grata!» mi affretto a replicare. «Davvero.»

Eddie si asciuga la fronte con uno strofinaccio. Trish è ancora aggrappata allo schienale della sedia come se avesse paura di cadere da un momento all'altro.

«Non capisco.» Eddie posa lo strofinaccio e si volta verso di me. «Come sei riuscita a combinare l'attività di avvocato con quella di governante?»

«Già!» esclama Trish, riavendosi. «Appunto. Come hai potuto fare l'avvocato nella City e fare pratica sotto Michel de la Roux de la Blanc?»

Oh, mio Dio. Non hanno ancora capito?

«Io non sono una governante» dico, disperata. «Io non sono una cuoca Cordon Bleu. Michel de la Roux de la Blanc non esiste. E non ho la più pallida idea di come si chiami questo aggeggio.» Prendo in mano il "frullino da tartufo" appoggiato sul bancone. «Io sono un'impostora.»

Non ce la faccio a guardarli. All'improvviso mi sento un mostro. «Se desiderate che me ne vada, lo capisco» mormoro. «Ho avuto il posto con l'inganno.»

«Andartene?» Trish sembra sconvolta. «Noi non vogliamo che tu te ne vada, non è vero, Eddie?»

«Assolutamente no.» La sua faccia diventa ancora più paonazza. «Tu hai fatto un buon lavoro, Samantha. Non è colpa tua se sei un avvocato.»

«"Io sono un'impostora"» dice la giornalista, prendendo nota con cura sul suo taccuino. «Si sente in colpa per questo, signorina Sweeting?»

«La smetta!» sbotto. «Questa non è un'intervista.»

«La signorina Sweeting dice che preferisce pulire i gabinetti anziché diventare socio della Carter Spink» prosegue la giornalista, rivolgendosi a Trish. «Potrei vedere i gabinetti in questione?»

«I *nostri* bagni?» Due chiazze rosa appaiono sulle guance di Trish, mentre mi lancia un'occhiata dubbiosa. «Be', li abbiamo fatto ristrutturare di recente, e sono tutti della Royal Doulton…»

«Quanti sono?» domanda la giornalista, sollevando lo sguardo dal taccuino.

«Basta!» dico, portandomi le mani alla testa. «Senta, farò… farò una dichiarazione alla stampa. Dopodiché voglio che lasciate in pace me e i miei datori di lavoro.»

Corro fuori dalla cucina, con la donna del "Daily Mail" che mi segue, e spalanco la porta d'ingresso. La folla di giornalisti è ancora lì, oltre il cancello. È la mia immaginazione, o sono più di prima?

«È Martine» dice sarcastico il tizio con gli occhiali scuri, mentre mi avvicino al cancello.

Lo ignoro. «Signore e signori della stampa» attacco «vi sarei grata se mi lasciaste in pace. Non c'è niente che possa interessarvi qui.»

«Intende continuare a fare la governante?» urla un tipo grasso in jeans.

«Sì» rispondo, sollevando il mento. «Ho fatto una scelta personale e sono molto felice in questo posto.»

«E il femminismo?» domanda una ragazza. «Le donne hanno lottato per anni per ottenere pari opportunità. Ora lei sta dicendo che dovrebbero tornarsene ai fornelli?»

«Io non sto dicendo proprio niente alle donne!» replico, presa in contropiede. «Io sto soltanto vivendo la mia vita.»

«Ma secondo lei non c'è niente di male nel fatto che le donne siano schiave della casa?» domanda una donna coi capelli grigi, guardandomi con aria di sfida.

«No!» rispondo, allarmata. «Voglio dire, sì! Io penso che…» La mia risposta viene sommersa da una serie infinita di domande e di flash.

«La Carter Spink era un ambiente sessista?»

«La sua è una strategia per ottenere di più?»

«Pensa che le donne dovrebbero fare carriera?»

«Che ne dice di collaborare a una rubrica di consigli sulla casa?» chiede cinguettando una bionda in impermeabile blu. «Vorremmo intitolarla *Samantha dice*.»

«Cosa?!» La guardo, allibita. «Io non ho consigli da dare!»

«Una ricetta, allora? Qual è il suo piatto preferito?»

«Si farebbe fotografare col suo grembiule?» urla il tizio grasso, strizzando l'occhio con aria lasciva.

«No!» rispondo, inorridita. «Non ho altro da dire! Nessun commento da fare! Andate via!»

Ignorando le loro proteste mi volto e con le gambe che mi tremano corro verso casa.

Sono tutti impazziti.

Entro come una furia in cucina e trovo Trish, Eddie e Melissa impietriti davanti al giornale.

«Oh, no!» esclamo, disperata. «Non leggetelo. Davvero. È solo… una stupida rivista.»

I tre alzano la testa e mi guardano come fossi un alieno.

«Tu prendi… cinquecento sterline l'ora?» Trish non riesce a controllare la voce.

«Ti hanno offerto un posto di socio anziano?» Melissa è verde in faccia. «E tu hai detto di no? Ma sei pazza?»

«Non leggete questa roba!» Cerco di afferrare il giornale. «Signora Geiger, io voglio soltanto continuare come al solito. Sono sempre la sua governante…»

«Tu sei uno dei maggiori talenti legali del paese!» Trish batte il dito sul giornale con fare isterico. «Lo dice qui!»

«Samantha?» Si sente bussare alla porta e Nathaniel entra in cucina con in mano delle patate appena raccolte. «Basteranno per il pranzo?»

Lo guardo ammutolita, e sento una stretta al cuore. Non ha idea. Non sa nulla. Oh, mio Dio.

Avrei dovuto dirglielo. Perché non gliel'ho detto? Perché non gliel'ho detto?

«E tu chi sei, in realtà?» domanda Trish, voltandosi verso di lui con aria spiritata. «Un ingegnere aeronautico? Un agente segreto del governo?»

«Prego?» Nathaniel mi lancia un'occhiata perplessa, ma io non ho la forza di sorridere.

«Nathaniel...»

Lascio la frase in sospeso; non riesco a proseguire. Lui guarda un viso dopo l'altro, sempre più confuso.

«Cosa sta succedendo?» chiede, alla fine.

Non mi sono mai incasinata così tanto con le parole come adesso, mentre provo a spiegare la situazione a Nathaniel. Balbetto, farfuglio, mi ripeto, giro in tondo.

Lui ascolta in silenzio, appoggiato a una vecchia colonna di pietra di fronte alla panca appartata su cui sono seduta. Vedo il suo volto di profilo, in ombra, e non capisco cosa stia pensando.

Quando finalmente termino il mio racconto, lui solleva piano la testa. Se speravo in un sorriso, rimango delusa. Non l'ho mai visto così sconvolto.

«Tu sei un avvocato» dice, alla fine.

«Sì.» Annuisco, imbarazzata.

«Credevo avessi avuto una brutta storia con un uomo violento.» Spalanca le braccia. «Credevo fosse questo il motivo per cui non volevi parlare del tuo passato. E tu me lo hai lasciato credere. Cristo, quando sei andata a Londra, io ero preoccupato per te.»

«Mi dispiace.» Mi sento tremendamente in colpa. «Mi dispiace. Io... io non volevo che tu scoprissi la verità.»

«Perché no?» ribatte lui, e a me non sfugge il tono risentito della sua voce. «Non ti fidavi di me?»

«No!» esclamo, con sgomento. «Certo che mi fido di te! Se si fosse trattato di qualsiasi altra cosa...» Non termino la frase. «Nathaniel, cerca di capirmi. Quando ci siamo conosciuti, come facevo a dirtelo? Lo sanno tutti che tu odi gli avvocati. Hai persino appeso un cartello nel pub... NIENTE AVVOCATI!»

«Quel cartello è uno scherzo» dice, con un gesto spazientito.

«No, non del tutto.» Lo guardo negli occhi. «Nathaniel, se quando ci siamo conosciuti ti avessi rivelato che ero un avvocato della City, mi avresti trattata allo stesso modo?»

Lui non risponde. So che è troppo sincero per darmi la risposta più facile. E lui sa bene quanto me che la risposta è no.

«Io sono sempre la stessa.» Mi avvicino a lui e gli prendo la mano. «Anche se prima facevo l'avvocato, sono sempre io.»

Per un po' Nathaniel non dice nulla. Si limita a guardare per terra. Io trattengo il fiato, cullandomi in una disperata speranza. Poi solleva lo sguardo, rivolgendomi un sorriso riluttante.

«Allora, quanto mi chiederai per questa conversazione?»

Faccio un sospiro di sollievo. Non è arrabbiato. Non è arrabbiato.

«Oh, facciamo... mille sterline» rispondo con indifferenza. «Ti manderò la fattura.»

«Samantha Sweeting, esperta in diritto societario.» Mi osserva per qualche istante. «No. Non ti ci vedo.»

«Neppure io! Quella parte della mia vita è finita.» Gli stringo forte la mano. «Nathaniel, mi dispiace molto. Non avrei mai voluto che tutto questo accadesse.»

«Lo so.» Ricambia la stretta e io mi rilasso. Una foglia d'alloro cade dall'albero alle mie spalle e mi si posa in grembo. La prendo e, con un gesto automatico, la sfrego per sentirne il profumo dolciastro.

«E adesso cosa succede?» chiede Nathaniel.

«Niente. L'attenzione dei giornalisti si calmerà. Si stancheranno.» Mi sporgo in avanti, gli appoggio la testa sulla spalla, e lui mi stringe in un abbraccio. «Io sono felice del mio lavoro. Sono felice in questo posto. Sono felice insieme a te. Voglio che resti tutto così.»

## 24

Mi sbagliavo. L'interesse dei media non si placa. La mattina dopo, quando mi sveglio, vedo accampati fuori dalla casa il doppio dei giornalisti di ieri, più due troupe televisive. Mentre scendo, portando un vassoio con le tazze sporche, trovo Melissa che osserva la scena, appoggiata al davanzale.

«Ciao» dice. «Hai visto quanti giornalisti?»

«Sì.» Mi fermo accanto a lei per dare un'altra occhiata. «È pazzesco.»

«Dev'essere davvero estenuante.» Scosta i capelli indietro e si studia le unghie per un momento. «Ma... se hai bisogno io sono qui.»

Per un attimo ho il sospetto di aver capito male.

«Come?»

«Se hai bisogno, io sono qui.» Melissa solleva lo sguardo. «Io sono tua amica. Ti aiuterò a superare questo momento.»

Sono troppo sbalordita anche per ridere. «Melissa, tu non sei mia amica» dico, il più educatamente possibile.

«Invece sì!» esclama lei, imperturbabile. «Io ti ho sempre ammirato, Samantha. Ho sempre saputo che in realtà non eri una governante. Sapevo che c'era qualcos'altro.»

Non ci posso credere. Che faccia tosta!

«Sei diventata mia amica tutto d'un colpo» osservo, senza neppure cercare di nascondere il mio scetticismo. «E questo, ovviamente, non ha niente a che vedere col fatto che hai scoperto che sono un avvocato? E che tu vuoi fare carriera in questo campo?»

«Mi sei sempre piaciuta» insiste lei, ostinata.

«Melissa, per favore.» Le rivolgo un'occhiata severa e, con mia grande soddisfazione, vedo una leggera sfumatura rosa comparirle intorno alle orecchie. Ma la sua espressione rimane impassibile.

Odio ammetterlo... ma questa ragazza diventerà un ottimo avvocato.

«Allora, vuoi davvero aiutarmi?» chiedo, con un'espressione pensierosa.

«Sì!» Annuisce, eccitata. «Potrei fare da collegamento tra te e la Carter Spink, oppure potresti assumermi come portavoce.»

«Mi reggi questo, per favore?» Le allungo il vassoio che stavo portando, con un sorriso dolce. «E ho una camicia da stirare... ma stai molto attenta al colletto, d'accordo?»

La sua espressione furibonda non ha prezzo. Sforzandomi di non ridere, vado in cucina. Eddie è seduto al tavolo coperto di quotidiani, e quando entro solleva lo sguardo.

«Sei su tutti i giornali» mi informa. «Guarda.» Mi mostra un articolo di due pagine sul "Sun". C'è una mia foto con un bagno sullo sfondo, e qualcuno mi ha messo uno scopino in mano. PREFERISCO PULIRE I GABINETTI! dice una grossa scritta accanto al mio viso.

«Oh, mio Dio!» Mi lascio cadere su una sedia e fisso l'immagine. «Perché?»

«È agosto» risponde Eddie, sfogliando il "Telegraph". «Non c'è nient'altro di interessante. Qui dice che sei una "vittima della società moderna ossessionata dal lavoro".» Volta il giornale verso di me per mostrarmi il titolo di un articolo: *Ambizioso avvocato dello studio Carter Spink opta per un lavoro umile dopo un presunto scandalo.*

«Qui dice che sei un "Giuda per tutte le donne in carriera".»

Alle mie spalle Melissa ha posato il vassoio sul bancone con un gran fracasso e ha preso in mano l'"Herald". «Guarda, questa giornalista, Mindy Malone, è davvero arrabbiata con te.»

«Arrabbiata?» ripeto, perplessa. «Perché qualcuno dovrebbe essere arrabbiato con me?»

«Sul "Daily Mail", però, ti descrivono come una paladina dei valori tradizionali.» Eddie prende il quotidiano e lo apre. «"Samantha Sweeting ritiene che le donne dovrebbero tornare al focolare per salvaguardare la propria salute e per il bene della società."»

«Cosa? Io non ho mai detto una cosa simile!» Afferro il giornale e scorro velocemente il testo, incredula. «Perché sono tutti così ossessionati?»

«Stagione morta» ribadisce Eddie, allungando una mano verso l'"Express". «È vero che hai smascherato da sola dei collegamenti tra la mafia e il tuo studio legale?»

«No!» Sollevo lo sguardo, inorridita. «Chi l'ha detto?»

«Adesso non ricordo più dove l'ho letto» risponde, sfogliando le pagine. «Qui c'è una foto di tua madre. Bella donna.»

«*Mia madre?*» La guardo, scioccata.

«"Ambiziosa la madre, ambiziosa la figlia"» legge Eddie, a voce alta. «"Le sono state fatte troppe pressioni per arrivare al successo?"»

Oh, mio Dio. La mamma mi ucciderà.

«Guarda, questo riporta anche un sondaggio.» Eddie ha aperto un altro quotidiano. «"Samantha Sweeting: eroina o ingenua? Per votare telefona o manda un sms." Poi c'è il numero per chiamare.» Allunga la mano verso il telefono ma poi si blocca, aggrottando la fronte. «Per cosa voto?»

«Ingenua» dice Melissa, strappandogli il telefono di mano. «Faccio io.»

«Samantha? Sei sveglia?»

Sollevo lo sguardo e vedo Trish che entra in cucina con un pacco di giornali sotto il braccio. Mi guarda con lo stesso timore reverenziale di ieri, come se fossi un'opera d'arte d'inestimabile valore che si è materializzata all'improvviso nella sua cucina. «Ho finito adesso di leggere gli articoli su di te.»

«Buongiorno, signora Geiger.» Poso il "Daily Mail" e mi alzo in piedi. «Cosa le preparo per colazione? Un bel caffè per cominciare?»

«Non farlo tu, Samantha!» risponde lei, agitata. «Puoi prepararlo tu, Eddie!»

«Io non ho alcuna intenzione di fare il caffè!»

«Allora fallo tu, Melissa!» dice Trish. «Sì, preparaci un bel caffè. Samantha, tu siediti, una volta tanto! Sei nostra ospite!» E poi fa una risata innaturale.

«Io non sono vostra ospite» protesto. «Sono la vostra governante.»

Vedo che Eddie e Trish si scambiano un'occhiata dubbiosa. Cosa pensano? Che abbia intenzione di andarmene?

«Non è cambiato niente!» insisto. «Io sono ancora la vostra governante. Io voglio continuare il mio lavoro come prima.»

«Tu sei pazza.» Melissa alza gli occhi al cielo con aria sprezzante. «Hai visto quant'è disposta a pagarti la Carter Spink?»

«Tu non puoi capire» ribatto. «Ma voi, signori Geiger, voi capite. Ho imparato molto, vivendo qui. Sono cambiata come persona e adesso mi sento appagata. Sì, potrei guadagnare un sacco di soldi facendo l'avvocato a Londra. Potrei avere una carriera brillante, frenetica. Ma non è ciò che desidero.» Allargo le braccia. «È questo che voglio. È qui che voglio stare.»

Ero convinta che Trish ed Eddie si sarebbero commossi a queste parole, invece si limitano a osservarmi come se non capissero, poi si scambiano un'altra occhiata.

«Io penso che tu dovresti prendere in considerazione l'offerta» dice Eddie. «Sul giornale c'è scritto che lo studio farebbe carte false pur di riaverti.»

«Noi non ci offendiamo se te ne vai» aggiunge Trish, annuendo con vigore. «Ti capiamo.»

È tutto qui quello che sanno dire? Non sono felici che io desideri restare? Non mi vogliono come loro governante?

«Io non voglio andarmene!» esclamo, arrabbiata. «Io intendo restare qui. Voglio sentirmi appagata e voglio che la mia vita abbia un ritmo diverso.»

«D'accordo» risponde Eddie, dopo un po', poi lancia un'occhiata furtiva a Trish come per dire: "E adesso?".

Squilla il telefono e Trish va a rispondere.

«Pronto?» Resta in ascolto per un momento. «Sì, certo, Mavis. E Trudy. Ci vediamo dopo!» Posa il ricevitore. «Altre due ospiti al pranzo di beneficenza.»

«Bene.» Guardo l'orologio. «Sarà meglio che cominci a preparare gli antipasti.»

Sto tirando fuori la pasta, quando il telefono squilla di nuovo. Trish fa un sospiro. «Se sono altri ritardatari per il pranzo… Pronto?» Mentre ascolta, la sua espressione cambia. Mette una mano sul microfono.

«Samantha» dice, con un sussurro. «È un'agenzia di pubblicità. Vogliono sapere se sei disposta a girare uno spot per l'Anitra WC. Dovresti indossare parrucca e toga da avvocato, e dire...»

«No!» rispondo, inorridita. «Certo che no!»

«Non dovresti rifiutare offerte del genere» dice Eddie, con aria di rimprovero. «Potrebbe essere una grossa occasione.»

«No, invece! Io non voglio comparire in nessuna pubblicità.» Mi accorgo che Eddie sta per obiettare. «Io non voglio concedere interviste» aggiungo. «Non voglio essere un modello per nessuno. Voglio soltanto che tutto torni alla normalità.»

All'ora di pranzo niente è tornato alla normalità. Anzi, è tutto più surreale di prima.

Ho ricevuto altre tre offerte per comparire in tivù e una per fare un servizio fotografico "di buongusto" per il "Sun", in divisa da cameriera francese. Trish ha rilasciato un'intervista esclusiva al "Mail". Melissa ha insistito per ascoltare un programma radiofonico in cui gli ascoltatori possono intervenire telefonando. Sono stata definita una "stupida antifemminista", una "brutta copia di Martha Steward" e una "parassita dei contribuenti che hanno pagato per la mia istruzione". Ero così furiosa che mi è venuta voglia di telefonare.

Invece mi sono limitata a spegnere la radio e a fare tre respiri profondi. Non ho intenzione di farmi coinvolgere. Ho altre cose a cui pensare. Sono arrivati quattordici ospiti per il pranzo di beneficenza, e adesso stanno gironzolando per il giardino. Devo ancora cuocere le tortine coi funghi, finire la salsa di asparagi e arrostire i filetti di salmone.

Vorrei tanto che Nathaniel fosse qui a tranquillizzarmi, ma è andato a Buckingham a prendere delle carpe per lo stagno che Trish ha improvvisamente deciso che deve avere. Sembra che costino centinaia di sterline e che tutte le persone famose le abbiano. È ridicolo. Nessuno guarda mai nello stagno.

Il campanello suona proprio mentre sto aprendo il forno, e io faccio un sospiro. No, speriamo che non sia un altro ospite. Quattro persone si sono aggiunte all'ultimo momento, e la cosa ha sconvolto completamente i miei programmi. Per non parlare della giornalista del "Mirror" che si è messa un abito a fiori e ha cercato di far credere a Eddie di essere una nuova del paese.

Metto la teglia con le tortine nel forno, raccolgo i rimasugli di pasta e comincio a pulire il mattarello.

«Samantha?» Trish bussa alla porta. «Abbiamo un altro ospite!»

«Un altro?» Mi volto, pulendomi la farina dalle guance. «Ma ho appena infornato gli antipasti...»

«È un tuo amico. Dice che ha bisogno di parlarti urgentemente... d'affari.» Trish aggrotta le sopracciglia, eloquente, poi si sposta di lato. Io resto impietrita per lo stupore.

È Guy. Qui, nella cucina di Trish. Col suo completo di Jermyn Street e i polsini inamidati.

Lo guardo, allibita. Sono senza parole.

A giudicare dalla sua espressione, anche lui è piuttosto scioccato.

«Oh, mio Dio» esclama lentamente, passando lo sguardo sulla mia uniforme, le mani infarinate, il mattarello. «Fai davvero la governante.»

«Sì» dico, a testa alta. «Davvero.»

«Samantha...» chiama Trish dalla soglia «non voglio interrompervi, ma... gli antipasti sono pronti fra dieci minuti?»

«Certo, signora Geiger.» Con un gesto automatico mi inchino mentre Trish esce dalla cucina. Guy spalanca gli occhi per lo stupore.

«Tu fai l'inchino?»

«L'inchino è stato un errore» ammetto. Noto la sua espressione allibita e scoppio a ridere. «Guy, cosa ci fai qui?»

«Sono qui per convincerti a tornare.»

Ovvio. Avrei dovuto immaginarlo.

«Io non ho intenzione di tornare. Scusami.» Prendo scopa e paletta e comincio a spazzare la farina e le briciole di pasta dal pavimento. «Attento ai piedi!»

«Oh. Certo.» Impacciato, si fa da parte.

Getto i pezzetti di pasta nella pattumiera, poi prendo dal frigo la salsa di asparagi, la verso in una casseruola e la metto sul fornello a fuoco basso.

Guy mi osserva stupefatto. «Samantha» dice, quando mi volto di nuovo verso di lui «noi dobbiamo parlare.»

«Ho da fare.» Il timer emette uno squillo stridulo e io apro il forno più basso per togliere i panini all'aglio e rosmarino. Provo un moto di orgoglio nel vederli, così dorati e deliziosamente profumati alle erbe. Non resisto e ne assaggio uno, poi lo offro a Guy.

«Questi li hai fatti tu?» domanda lui. «Non sapevo che fossi capace di cucinare.»

«Non ero capace. Ho imparato.» Apro di nuovo il frigorifero, prendo del burro non salato e ne metto una noce nella salsa di asparagi. Poi do uno sguardo a Guy che è in piedi vicino alla rastrelliera degli utensili. «Potresti passarmi una frusta, per favore?»

Guy scruta impotente gli attrezzi. «Quale sarebbe...»

«Lascia perdere» dico, con uno schiocco della lingua. «Faccio io.»

«Ho un'offerta di lavoro da farti» dice Guy, mentre io afferro la frusta e comincio ad amalgamare il burro. «Credo che dovresti valutarla.»

«Non mi interessa» rispondo, senza neppure alzare la testa.

«Non l'hai ancora vista.» Infila una mano nella tasca interna della giacca e tira fuori un foglio. «Ecco. Dài un'occhiata.»

«Non mi interessa!» ripeto, esasperata. «Non lo capisci? Io non voglio tornare. Non voglio fare l'avvocato.»

«Vuoi fare la governante.» Il suo tono è così sprezzante che mi sento punta sul vivo.

«Sì!» Appoggio la frusta con violenza. «Proprio così! Qui sono felice. Sono rilassata. Tu non capisci. È tutta un'altra vita!»

«Già. Questo l'ho intuito» dice, lanciando un'occhiata alla scopa. «Samantha, tu mi devi stare a sentire.» Prende il cellulare dalla tasca interna. «C'è una persona con cui dovresti parlare.» Compone un numero e poi mi guarda. «Mi sono tenuto in contatto con tua madre per aggiornarla sulla situazione.»

«Cos'hai fatto?» lo fisso, inorridita. «Come hai osato?»

«Samantha, io voglio solo il meglio per te. E anche tua madre. Ciao, Jane» dice, al telefono. «Sono con lei. Te la passo.»

Non posso crederci. Per un attimo ho la tentazione di lanciare il telefono dalla finestra. Ma non lo faccio. Sono in grado di affrontare la cosa.

«Ciao, mamma» dico, prendendo il cellulare dalla mano di Guy. «È un po' che non ci sentiamo.»

«Samantha.» La sua voce è gelida come l'ultima volta che ci siamo parlate. Ma adesso non sono tesa né preoccupata. Non può dirmi cosa devo fare. Non ha idea di come sia la mia vita adesso. «Cosa vuoi dimostrare facendo la domestica?»

«Giusto. Faccio la governante. E suppongo che tu voglia che ricominci a fare l'avvocato. Be', qui sono felice e non ho intenzione di tornare indietro.» Assaggio la salsa di asparagi e aggiungo un po' di sale.

«Forse ti diverti a fare l'impertinente» ribatte lei, brusca. «Stiamo parlando della tua vita, Samantha. Della tua carriera. Non capisci...»

«Sei tu che non capisci! Nessuno di voi capisce!» Rivolgo uno sguardo duro a Guy, poi abbasso il fuoco e mi appoggio al bancone. «Mamma, ho imparato che esiste un modo diverso di vivere. Faccio il mio lavoro e alla sera ho finito... punto. Non devo portarmi dei documenti a casa. Non devo tenere il palmare acceso ventiquattr'ore su ventiquattro, sette giorni alla settimana. Posso andare al pub, fare progetti per il weekend, posso starmene seduta in giardino per mezz'ora... e non succede nulla. Non vivo più sotto quella pressione costante. Non sono stressata. E mi va bene così.» Prendo un bicchiere, lo riempio d'acqua e ne bevo un lungo sorso, poi mi asciugo la bocca. «Mi dispiace, ma sono cambiata. Mi sono fatta degli amici. Conosco tutti, in paese. È... come in *Una famiglia americana*.»

«*Una famiglia americana*?» Sembra allarmata. «Ci sono dei bambini in quella casa?»

«No!» rispondo, esasperata. «Non hai capito! Loro... ci tengono a me. Un paio di settimane fa, per esempio, mi hanno fatto una meravigliosa festa di compleanno.»

Lei resta in silenzio. Forse ho toccato un punto dolente. Magari si sentirà in colpa... e capirà...

«Che strano» dice lei, secca. «Il tuo compleanno è stato quasi due mesi fa.»

«Lo so» dico, con un sospiro. «Senti, mamma, io ho deciso.» Il timer del forno suona e io prendo un guantone. «Devo andare.»

«Samantha, questa conversazione non è terminata!» sbotta lei, furibonda. «Non abbiamo ancora finito.»

«Invece sì, okay? Abbiamo finito!» Spengo il telefono, lo getto sul tavolo. Faccio un respiro profondo e, mio malgrado, sono un po' scossa. «Grazie mille, Guy» dico, brusca. «Hai altre sorprese per me?»

«Samantha…» Lui spalanca le braccia come per scusarsi. «Cercavo soltanto di comunicare con te…»

«Non c'è bisogno che "comunichi con me".» Mi volto. «E ora ho da fare. Sto lavorando.»

Apro lo sportello del forno più basso, tiro fuori la teglia con le tortine e comincio a sistemarle sui piattini caldi.

«Ti aiuto» dichiara Guy, avvicinandosi.

«Non puoi» ribatto, alzando gli occhi al cielo.

«Certo che posso.» Con mio grande stupore, si toglie la giacca, si arrotola le maniche e indossa un grembiule con delle ciliegie stampate sopra. «Cosa devo fare?»

Non riesco a trattenere una risata. Sembra così assurdo!

«Bene» dico, porgendogli un vassoio. «Puoi aiutarmi a servire gli antipasti.»

Ci avviamo verso la sala da pranzo con le tortine coi funghi e i panini caldi. Quando entriamo nella sala, il brusio si interrompe all'istante e quattordici teste tinte e laccate si voltano verso di noi. Le ospiti di Trish sono sedute a tavola e sorseggiano champagne. Tutte in tailleur tinta pastello. Sembra di essere entrati nella cartella colori di un negozio di belle arti.

«E questa è Samantha» dice Trish, che ha le guance di un rosa acceso. «Conoscete tutte Samantha, la nostra governante… nonché avvocato di grido!»

Con mio grande imbarazzo si alza un applauso.

«L'abbiamo vista sui giornali!» esclama una donna vestita color crema.

«Le devo parlare» dice una donna in azzurro, allungandosi verso di me con espressione intensa. «Del mio accordo di divorzio!»

Faccio finta di non aver sentito.

«Questo è Guy, che oggi mi dà una mano» annuncio, cominciando a servire le tortine coi funghi.

315

«Anche lui è un socio della Carter Spink» aggiunge Trish, tutta orgogliosa.

Vedo che le signore sedute intorno alla tavola si scambiano occhiate impressionate. Un'anziana signora si rivolge a Trish, perplessa. «Tutti i tuoi domestici sono avvocati?»

«Non tutti» risponde Trish con noncuranza, bevendo un sorso di champagne. «Certo, però, che dopo aver avuto una governante che ha studiato a Cambridge, non potrò più tornare indietro.»

«Dove li prendi?» domanda una donna dai capelli rossi, con espressione avida. «C'è un'agenzia speciale?»

«Si chiama "Governanti da Oxbridge"» risponde Guy, servendole una tortina ai funghi. «È molto selettiva. Solo chi ha ottenuto il massimo dei voti può fare domanda.»

«Buon Dio!» La donna coi capelli rossi solleva lo sguardo, sbalordita.

«Io, invece, sono andato ad Harvard» continua Guy. «Quindi sono della "Domestici da Harvard". Il nostro motto è: "Per questo è necessaria un'istruzione di prestigio". Dico bene, Samantha?»

«Chiudi quella boccaccia» mormoro. «Servi e basta.»

Alla fine tutte le signore sono servite e noi torniamo in cucina.

«Molto divertente» dico, posando il vassoio con violenza. «Come sei spiritoso.»

«Santo cielo, Samantha! Ti aspetti davvero che prenda tutto questo seriamente?» Si toglie il grembiule e lo getta sul tavolo. «Servire il pranzo a un branco di oche. E farsi trattare con condiscendenza.»

«Io devo lavorare» dico, brusca, aprendo lo sportello del forno per controllare il salmone. «Quindi, se non hai intenzione di aiutarmi…»

«Non è il lavoro che dovresti fare!» sbotta Guy, all'improvviso. «Samantha, questa è solo una stupida farsa. Tu hai più cervello di chiunque altro in quella stanza e li stai servendo? Fai l'inchino? Pulisci i loro gabinetti?»

Parla con tale enfasi che mi volto verso di lui, scioccata. È paonazzo in volto e non sta più scherzando.

«Samantha, tu sei una delle persone più intelligenti che io conosca.» La voce gli esce a scatti per la rabbia. «Sei l'avvocato più brillante che si sia mai visto. Non posso permettere che tu getti via la tua vita per queste... illusioni di merda.»

Lo guardo, furibonda. «Non sono illusioni di merda! Solo perché non sto "mettendo a frutto la mia laurea", e perché non sono in un ufficio, sto sprecando la mia vita? Guy, io sono felice. Mi sto godendo la vita per la prima volta. Mi piace cucinare. Mi piace occuparmi della casa. Mi piace raccogliere fragole...»

«Tu stai vivendo in un mondo fantastico!» urla lui. «Samantha, è la novità! È divertente perché non l'hai mai fatto. Ma passerà. Non lo capisci?»

Mi viene un piccolo dubbio, ma lo ignoro. «No, non passerà.» Do un'energica mescolata alla mia salsa di asparagi. «Io amo questa vita.»

«La amerai ancora fra dieci anni? Cerca di essere realista.» Si avvicina ai fornelli e io gli volto le spalle. «Avevi bisogno di una vacanza. Di una pausa. D'accordo. Ma adesso devi tornare alla vita reale.»

«Questa è la vita reale per me» ribatto. «È più reale di quanto fosse prima.»

Guy scuote la testa. «L'anno scorso Charlotte e io siamo andati in Toscana e abbiamo imparato a dipingere con gli acquerelli. Mi piaceva tantissimo. L'olio di oliva... i tramonti... tutto.» Mi guarda intensamente negli occhi per qualche istante, poi si sporge verso di me. «Ma non per questo mi sono trasferito in Toscana a fare il pittore.»

«Ma è diverso!» Distolgo lo sguardo. «Guy, io non ho intenzione di tornare a quella mole di lavoro, a quelle pressioni. Ho lavorato sette giorni alla settimana per sette anni...»

«Appunto. Appunto! E proprio quando stai per raccogliere i frutti, te ne vai?» Si porta le mani alla testa. «Samantha, forse non hai capito in che posizione ti trovi. Ti hanno offerto la carica di socio anziano. Praticamente puoi chiedere qualunque cifra. Li hai in pugno!»

«Cosa?» Lo guardo, perplessa. «Cosa intendi dire?»

Guy sbuffa e alza gli occhi al cielo, come se volesse chiedere aiuto al dio degli avvocati. «Ti rendi conto del polverone che hai sollevato? Ti rendi conto della figura che ci fa la Carter Spink? È la peggiore pubblicità negativa dallo scandalo Storesons, negli anni Ottanta.»

«Non era voluto» ribatto, sulla difensiva. «Non ho chiesto io ai giornalisti di presentarsi alla porta di casa...»

«Lo so. Ma è successo. E la reputazione della Carter Spink è in caduta libera. Quelli dell'ufficio risorse umane sono disperati. Hanno fatto un mucchio di programmi per creare un ambiente di lavoro sereno, innumerevoli incontri per reclutare laureati, e tu annunci al mondo che preferisci pulire i gabinetti.» Guy fa una risatina. «Alla faccia della pubblicità negativa.»

«Be', è vero» dico, sollevando il mento. «È proprio così.»

«Non essere tanto ostinata!» Guy dà una gran botta con la mano sul tavolo, esasperato. «Hai in pugno la Carter Spink. Loro vogliono soltanto che tutto il mondo ti veda rimettere piede in quell'ufficio. Ti pagheranno qualsiasi cifra! Sei pazza a non accettare la loro offerta!»

«A me non interessano i soldi» ribatto. «Ne ho già a sufficienza...»

«Continui a non capire! Samantha, se torni, guadagnerai tanto da poter andare in pensione fra dieci anni. Ti sistemerai per tutta la vita! E allora potrai raccogliere fragole, spazzare pavimenti o qualsiasi altra scemenza tu decida di fare.»

Sto per replicare... ma all'improvviso non so più cosa dire. Non riesco a seguire i miei pensieri. Rimbalzano ovunque, confusi.

«Tu ti sei meritata questo posto di socio» dice Guy, più calmo. «Te lo sei meritato, Samantha. Approfittane.»

Guy non aggiunge altro sull'argomento. Sa sempre quando chiudere una discussione: avrebbe dovuto fare il penalista. Mi aiuta a servire il salmone, poi mi abbraccia e mi dice di chiamarlo appena ci avrò riflettuto sopra. Se ne va e io mi ritrovo sola in cucina, con la testa in subbuglio.

Ero così convinta. Ero così sicura di me stessa. Ma adesso...

Le sue argomentazioni continuano a tormentarmi. Continuano a premere il tasto giusto. Forse sono un'illusa. Forse si tratta solo della novità. Forse dopo qualche anno di questa vita non sarò più così soddisfatta, sarò frustrata e amareggiata. Mi vedo mentre lavo i pavimenti con un foulard di nylon legato sulla testa, e tormento tutti ripetendo: "Lo sapete che io ero un'esperta di diritto societario?".

Ho un cervello. Ho una vita davanti.

E poi Guy ha ragione: ho lavorato sodo per quel posto di socio. Me lo sono meritato.

Affondo la testa fra le mani, i gomiti appoggiati sul tavolo. Ascolto il battito del mio cuore, che martella con una domanda. Cosa faccio? Cosa faccio?

Eppure tutto mi spinge verso un'unica risposta. La risposta razionale. La risposta più sensata.

So qual è. È solo che non sono sicura di essere ancora pronta ad accettarla.


Mi ci vuole tutto il pomeriggio. Alle sei il pranzo è terminato e io ho riordinato. Le ospiti di Trish hanno passeggiato per il giardino, hanno preso il tè e se ne sono andate. La serata è mite e profumata, e quando esco trovo Nathaniel e Trish vicino allo stagno. Nathaniel ha un secchio di plastica ai piedi.

Mentre vado verso di lui, è come se qualcosa mi attanagliasse lo stomaco.

«Questo è un Kumonryu» dice lui, tirando fuori una cosa dal secchio con un retino verde. «Vuole dargli un'occhiata?» Mi avvicino e vedo un enorme pesce di vari colori che si dibatte furiosamente. Nathaniel lo allunga a Trish, ma lei indietreggia con un urlo.

«Mettilo via! Mettilo nello stagno!»

«Le è costato duecento sterline» precisa Nathaniel, stringendosi nelle spalle. «Pensavo volesse almeno salutarlo.» Mi lancia un'occhiata divertita e in qualche modo riesco a ricambiare il suo sorriso.

«Buttali tutti dentro.» Trish rabbrividisce. «Verrò a vederli quando nuotano.»

Si volta e si avvia verso la casa.

«Tutto bene?» domanda Nathaniel, guardandomi. «Com'è andato il grande pranzo di beneficenza?»

«È andato bene.»

«Hai sentito la novità?» Prende un altro pesce e lo mette nello stagno. «Eamonn si è appena fidanzato! Darà una festa al pub il prossimo weekend.»

«È... è fantastico.»

Ho la bocca asciutta. Dài, diglielo.

«Sai, pensavo che dovremmo allevare carpe koi al vivaio» dice lui, rovesciando i pesci direttamente nello stagno. «Guadagneremo un sacco...»

«Nathaniel, io torno.» Chiudo gli occhi, sforzandomi di ignorare la fitta di dolore che sento dentro. «Io torno a Londra.»

Per un attimo lui non si muove. Poi si gira lentamente, col retino ancora in mano, il volto impassibile.

«Bene» dice.

«Torno a fare l'avvocato.» Mi trema un po' la voce. «Oggi è venuto qui Guy, un mio collega, e mi ha convinto... mi ha fatto capire. Mi ha dimostrato...»

«Ti ha dimostrato cosa?» chiede Nathaniel, aggrottando la fronte.

Non ha sorriso. Non ha detto: "Buona idea, è quello che stavo per suggerirti". Perché vuole rendermi le cose difficili?

«Non posso fare la governante per tutta la vita.» Sono sulla difensiva più di quanto avrei voluto. «Io sono un avvocato! Ho un cervello!»

«Lo so che hai un cervello.» Ora è lui a essere sulla difensiva. Oh, mio Dio. Sto gestendo male la situazione.

«Mi sono meritata quel posto di socio. Socio anziano della Carter Spink.» Sollevo lo sguardo cercando di fargli capire l'importanza della cosa. «È il posto più prestigioso... remunerativo... straordinario... in pochi anni posso guadagnare abbastanza per andare in pensione!»

Nathaniel non sembra molto impressionato. Si limita a guardarmi. «A che prezzo?»

«Cosa intendi dire?» Evito il suo sguardo.

«Intendo dire che quando sei arrivata qui avevi i nervi a pezzi. Eri come un coniglio spaventato. Sembrava che non avessi mai visto il sole, sembrava che non ti fossi mai divertita...»

«Stai esagerando.»

«No. Non vedi quanto sei cambiata? Non sei più irascibile. Non sei più un fascio di nervi.» Mi afferra un braccio e lo lascia ricadere. «Prima questo braccio sarebbe rimasto teso!»

«E va bene, mi sono rilassata un po'!» ammetto, spalancando le braccia. «So di essere cambiata. Mi sono calmata, ho imparato a cucinare, a stirare, a spillare birra... e a divertirmi. Ma è come una vacanza. Non può durare per sempre.»

Nathaniel scuote il capo, disperato. «E così, dopo tutto questo, te ne torni da dove sei venuta, riprendi in mano le redini e prosegui come se niente fosse successo?»

«Questa volta sarà diverso! Farò in modo che sia diverso. Troverò un equilibrio.»

«Chi vuoi prendere in giro?» Nathaniel mi afferra per le spalle. «Samantha, sarà lo stesso stress, lo stesso modo di vivere…»

Sento una rabbia improvvisa nei suoi confronti, perché non capisce, perché non mi appoggia.

«Be', se non altro ho provato qualcosa di nuovo!» Le parole mi escono come un torrente. «Se non altro per un po' ho vissuto una vita diversa!»

«Cosa vorresti dire?» Lascia la presa, sconvolto.

«Significa… tu cosa hai provato, Nathaniel?» So che la mia voce suona stridula e aggressiva, ma non posso farci niente. «Hai una mentalità così ristretta! Vivi nel paese in cui sei nato e cresciuto, gestisci l'attività di famiglia, stai per comperare un vivaio qui vicino… praticamente sei ancora nel grembo materno. Quindi, prima di farmi la predica su come dovrei condurre la mia vita, cerca di vivere la tua, okay?»

Mi interrompo, affannata. Nathaniel ha l'aria di uno che è appena stato schiaffeggiato.

Mi pento immediatamente di ciò che ho detto. «Io… io non volevo» mormoro.

Mi allontano di qualche passo, sentendo arrivare le lacrime. Non è così che dovevano andare le cose. Lui avrebbe dovuto appoggiarmi, abbracciarmi e dirmi che era la decisione giusta. Invece eccoci qui, a qualche metro l'uno dall'altra, incapaci persino di guardarci in faccia.

«Avevo pensato di spiegare le ali» dice Nathaniel, all'improvviso, con voce fredda. «C'è un vivaio in Cornovaglia che avrei tanto voluto comperare. Terreno fantastico, azienda fantastica… ma non sono neppure andato a vederlo. Non volevo essere a sei ore di auto da te.» Si stringe nelle spalle. «Suppongo che tu abbia ragione. Ho proprio una mentalità ristretta.»

Non so cosa rispondere. Fra noi c'è silenzio, interrotto solo dal tubare dei piccioni in fondo al giardino. Improvvisamente mi rendo conto che è una serata meravigliosa. La luce del sole filtra attraverso i rami del salice e l'erba ha un profumo dolce.

«Nathaniel… io devo tornare.» Ho la voce rotta. «Non ho altra scelta. Ma noi possiamo restare insieme. Possiamo cercare di far funzionare le cose. Avremo le vacanze… i fine settimana… verrò per la festa di Eamonn… non ti accorgerai neppure che me ne sono andata!»

Resta in silenzio per un momento, giocherellando col manico del secchio. Quando, alla fine, alza gli occhi, la sua espressione mi spezza il cuore.

«Già» dice, con voce sommessa. «Hai ragione.»

## 25

La notizia finisce sulla prima pagina del "Daily Mail". Sono diventata una vera celebrità. *Samantha sceglie la legge anziché i gabinetti*. Quando entro in cucina, la mattina seguente, trovo Trish ed Eddie intenti a leggere.

«Guarda! L'intervista di Trish è stata pubblicata!» annuncia lui.

«"'Ho sempre saputo che Samantha era molto più di una governante' dichiara Trish Geiger, trentasette anni"» legge lei, orgogliosa. «"'Abbiamo discusso spesso insieme di etica e di filosofia davanti ai fornelli.'"»

Alza lo sguardo e la vedo cambiare espressione. «Samantha, ti senti bene? Sembri a pezzi.»

«Non ho dormito molto» ammetto, mettendo la caffettiera sul fuoco.

Ho passato la notte da Nathaniel. Non abbiamo più parlato della mia decisione, ma alle tre, quando mi sono voltata per guardarlo, neanche lui stava dormendo, e fissava il soffitto.

«Devi essere in forze!» esclama Trish, allarmata. «È il tuo grande giorno! Devi essere in forma!»

«Ci proverò.» Mi costringo a sorridere. «Ho solo bisogno di una tazza di caffè.»

Sarà una giornata campale. L'ufficio stampa della Carter Spink si è messo subito in moto appena ho reso pubblica la mia decisione, e ha trasformato il mio ritorno in un grande evento mediatico. È stata indetta una grossa conferenza stampa davanti alla casa dei Geiger per l'ora di pranzo, nel corso della quale dovrò dire quanto sono felice di tornare alla Carter

Spink. Saranno presenti alcuni soci anziani, che mi stringeranno la mano a beneficio dei fotografi, e io concederò brevi interviste. Poi torneremo tutti a Londra col treno.

«Allora» chiede Eddie mentre preparo il caffè. «Hai fatto i bagagli?»

«Più o meno. Ah, signora Geiger… tenga.» Porgo a Trish l'uniforme azzurra che tenevo sotto il braccio. «È lavata e stirata. Pronta per la prossima governante.»

Trish prende l'uniforme con aria improvvisamente triste. «Certo» dice, con voce tremante. «Grazie, Samantha.» Poi si asciuga gli occhi con un tovagliolo.

«Su, su!» Eddie le dà qualche pacca sulla schiena. Anche lui ha gli occhi lucidi. Oh, mio Dio, adesso mi metto a piangere anch'io.

«Vi sono molto grata per tutto» dico, con un nodo in gola. «E mi dispiace piantarvi in asso così.»

«Sappiamo bene che hai preso la decisione giusta. Non è per questo» prosegue Trish, asciugandosi gli occhi.

«È che siamo orgogliosi di te» aggiunge Eddie, con voce roca.

«Comunque…» Trish si riprende e beve un sorso di caffè. «Ho deciso di fare un discorso alla conferenza stampa. Sono sicura che tutti si aspettano che io dica qualcosa.»

«Certo» confermo, un po' sconcertata. «Buona idea.»

«Dopotutto, stiamo diventando dei personaggi pubblici…»

«Personaggi pubblici?» la interrompe Eddie, scettico. «Noi non siamo personaggi pubblici!»

«Certo che lo siamo. Io sono sul "Daily Mail"!» Trish arrossisce appena. «Questo potrebbe essere solo l'inizio, per noi, Eddie. Se ci trovassimo un bravo agente, potremmo fare un reality in tivù! O… la pubblicità del Campari!»

«Campari?» obietta Eddie. «Trish, tu non bevi Campari!»

«Ma potrei farlo!» esclama lei sulla difensiva, mentre suona il campanello. «Oppure si potrebbe usare dell'acqua colorata…»

Sorrido e vado verso l'ingresso, stringendomi nella vestaglia. Forse è Nathaniel, che è venuto ad augurarmi buona fortuna.

Ma, quando apro la porta, mi trovo davanti l'ufficio stampa

della Carter Spink al completo, tutti vestiti con tailleur pantalone identici.

«Samantha.» Hilary Grant, capo ufficio stampa, mi squadra dalla testa ai piedi. «Sei pronta?»

A mezzogiorno indosso un tailleur nero, collant neri, scarpe nere col tacco alto e la camicia bianca più immacolata che io abbia mai visto. Sono truccata e ho i capelli raccolti in uno chignon.

È stata Hilary a portare i vestiti, il parrucchiere e la truccatrice. Adesso siamo in salotto e lei mi sta dando istruzioni su cosa dire alla stampa. Per la centesima volta.

«Qual è la cosa più importante che ti devi ricordare?» mi sta domandando. «Più importante di tutte?»

«Non devo parlare di gabinetti» rispondo, stancamente. «Prometto che non lo farò.»

«E se ti chiedono delle ricette?» mi domanda, smettendo di camminare avanti e indietro e voltandosi di scatto verso di me.

«Risponderò: "Io faccio l'avvocato. La mia unica ricetta è quella per il successo".» Non so come riesco a non ridere.

Avevo dimenticato quanto prendano sul serio queste cose quelli dell'ufficio stampa. Ma è il loro lavoro, suppongo. E suppongo anche che tutta questa faccenda l'abbiano vissuta come un incubo. Hilary è stata particolarmente gentile da quando è arrivata qui, ma ho come l'impressione che sulla sua scrivania ci sia una piccola bambola di cera con la mia faccia trafitta da puntine da disegno.

«Vogliamo soltanto essere certi che tu non faccia altre dichiarazioni *infelici*.» Mi rivolge un sorrisino crudele.

«Non lo farò! Mi atterrò al copione.»

«E poi la troupe di "News Today" ti seguirà fino a Londra.» Consulta il palmare. «Staranno con te per il resto della giornata, se sei d'accordo.»

«Be'… sì, direi di sì.»

Non riesco a credere quanto si sia gonfiata questa storia. Un programma di cronaca vuole fare uno speciale sul mio ritorno alla Carter Spink. Ma non succede nient'altro nel mondo?

«Non guardare nella telecamera.» Hilary continua a darmi

istruzioni. «Dovresti mostrarti allegra e positiva. Puoi parlare delle opportunità di carriera che ti ha offerto la Carter Spink e di quanto tu sia impaziente di tornare. Non dire una parola riguardo allo stipendio...»

La porta si apre e sento la voce di Melissa nel corridoio.

«Allora posso chiamarla in ufficio per parlare dei miei progetti di lavoro? O per bere qualcosa insieme?»

«Certamente. Ehm... buona idea.» Guy entra nella stanza e chiude in fretta la porta prima che Melissa lo segua dentro. «Chi diavolo è *quella*?»

«Melissa» rispondo, alzando gli occhi al cielo. «Non me ne parlare.»

«Dice di essere la tua protetta, e che tu le hai insegnato tutto quello che c'è da sapere.» Guy mi rivolge un sorriso divertito. «Si riferisce al diritto societario o alle focaccine?»

«Simpatico» faccio io, educatamente.

«Hilary, abbiamo un problema qui fuori» dice Guy, voltandosi verso di lei. «Un tizio della tivù sta facendo un macello.»

«Come?» Hilary mi guarda. «Posso lasciarti per un momento?»

«Certo!» rispondo io, cercando di non sembrare troppo impaziente. «Vai pure!»

Quando esce dalla stanza tiro un sospiro di sollievo.

«Allora» dice Guy, inarcando le sopracciglia «come va? Sei eccitata?»

«Sì!» rispondo, con un sorriso.

In effetti è tutto un po' surreale: essere tornata al tailleur nero, avere intorno gente della Carter Spink. Sono ore che non vedo Trish ed Eddie. Lo studio ha praticamente requisito la casa.

«Hai preso la decisione giusta, lo sai?»

«Lo so.» Passo una mano sulla gonna.

«Hai un aspetto fantastico. Farai un figurone.» Si siede sul bracciolo di un divano di fronte a me e sospira. «Dio, quanto mi sei mancata, Samantha. Senza di te non era più lo stesso.»

Lo osservo per qualche istante. Ha un senso dell'umorismo innato, oppure ad Harvard gli hanno insegnato pure quello?

«Dunque adesso sei di nuovo il mio migliore amico? Strano, eh?» osservo, con una nota di sarcasmo nella voce.

«Cosa vorresti dire?»

«Dài, Guy.» Mi verrebbe voglia di mettermi a ridere. «Quando ero nei guai non volevi saperne di me. E adesso, improvvisamente, siamo di nuovo grandi amici?»

«Sei ingiusta» replica lui con foga. «Io ho fatto tutto quello che ho potuto per te. Ti ho difeso, a quella riunione. È stato Arnold che non ha voluto riprenderti. E noi non ne conoscevamo il motivo…»

«Però non mi hai voluta a casa tua.» Gli rivolgo un mezzo sorriso. «L'amicizia non arriva fino a questo punto.»

Guy sembra sinceramente sconcertato. Si tira indietro i capelli con le mani.

«Mi è dispiaciuto molto» dice. «Non è stata colpa mia, ma di Charlotte. Ero furioso con lei…»

«Ma certo.»

«Sì, è così!»

«Sicuro» dico, sarcastica. «Quindi suppongo che abbiate litigato e vi siate lasciati.»

«Sì.»

Resto letteralmente senza fiato.

«Sì?» ripeto, alla fine.

«Ci siamo lasciati» dichiara, stringendosi nelle spalle. «Non lo sapevi?»

«No! Non lo sapevo, mi dispiace. Io proprio non…» Mi interrompo, confusa. «Non è stato… non è stato davvero per me, vero?»

Guy non risponde. Ha la fronte sempre più corrugata. E io mi sento profondamente turbata.

«Samantha» confessa lui, senza staccare gli occhi dai miei «io ho sempre pensato…» Infila le mani nelle tasche. «Ho sempre pensato che in qualche modo… noi due abbiamo perso un'occasione.»

No. No. Non è possibile.

Abbiamo perso un'occasione?

Adesso lo dice?

«Io ti ho sempre ammirata. Ho sempre pensato che fra noi ci fosse un'intesa.» Esita un istante. «Mi domandavo se… se anche tu provi la stessa cosa.»

È pazzesco. Quante volte ho sognato che Guy mi dicesse

queste parole? Quante volte ho sognato che mi guardasse con quei suoi occhi scuri, limpidi? E adesso che succede davvero, è troppo tardi. È tutto sbagliato.

«Samantha?»

Di colpo mi rendo conto che lo sto guardando come una stupida.

«Ah, sì.» Cerco di riprendermi. «Be'… sì, forse una volta lo pensavo anch'io» rispondo, giocherellando con la gonna. «Ma il fatto è che… ho conosciuto una persona, quando sono venuta qui.»

«Il giardiniere» dice Guy, pronto.

«Sì!» Alzo lo sguardo, sorpresa. «Come hai fatto…»

«Ne stavano parlando dei giornalisti, là fuori.»

«Oh, be', è vero. Si chiama Nathaniel.» Mi sento arrossire. «È… è molto carino.»

Guy aggrotta la fronte come se non capisse dove voglio arrivare. «Ma è solo un'avventura estiva.»

«Non è un'avventura estiva!» ribatto, presa in contropiede. «È un rapporto vero. Facciamo sul serio.»

«Si trasferirà a Londra?»

«Be'… no. Lui odia Londra. Ma sono sicura che troveremo una soluzione.»

Guy mi guarda incredulo per qualche secondo, poi getta indietro la testa e scoppia in una fragorosa risata. «Tu sei davvero un'illusa. Vivi in un mondo di fantasie.»

«Cosa vorresti dire?» replico, furibonda. «Noi troveremo una soluzione. Se tutti e due lo vogliamo…»

«Forse non ti è ancora ben chiara la situazione.» Guy scuote la testa. «Samantha, tu stai lasciando questo posto. Stai tornando a Londra, stai tornando alla realtà, al lavoro. Credimi, non riuscirai a tenere in piedi un'avventura estiva.»

«Non è stata un'avventura!» urlo, fuori di me. La porta si apre e appare Hilary. Osserva prima Guy e poi me con uno sguardo attento e sospettoso.

«Tutto bene?»

«Sì» rispondo, voltando le spalle a Guy. «Tutto bene.»

«Ottimo!» dice, dando un colpetto col dito sull'orologio. «Perché è quasi ora!»

Sembra che tutto il mondo si sia dato appuntamento davanti alla casa dei Geiger. Quando esco con Hilary e due dirigenti dell'ufficio stampa, il vialetto è invaso da centinaia di persone. Una fila di telecamere è puntata su di me. Dietro ci sono i fotografi e i giornalisti. Assistenti della Carter Spink girano in mezzo a loro per tenerli a bada e distribuiscono tazze di caffè che sembra si siano materializzate dal nulla. Vicino al cancello scorgo un gruppo di clienti del pub che guardano dentro incuriositi. Io sorrido mortificata.

«Ci vorrà ancora qualche minuto» dice Hilary, col cellulare incollato all'orecchio. «Stiamo aspettando il "Daily Telegraph".»

Vedo David Elldridge e Greg Parker in piedi accanto al tavolino con la macchinetta del caffè, occupati con il loro palmare. L'ufficio stampa ha chiesto che fosse presente il maggior numero possibile di soci anziani per le foto, ma alcuni non ce l'hanno fatta a venire. Francamente, sono già fortunati ad avere questi. Li guardo, e, con mia grande sorpresa, vedo avvicinarsi Melissa, tutta elegante nel tailleur beige; sta allungando... è un curriculum, quello?

«Salve» la sento dire. «Sono una cara amica di Samantha Sweeting e di Guy Ashby. Tutti e due mi hanno consigliato di presentare domanda d'assunzione alla Carter Spink.»

Non riesco a trattenere un sorriso. Quella ragazza ha una gran faccia tosta.

«Samantha.» Alzo gli occhi e scorgo Nathaniel che risale lungo il vialetto. È scuro in volto, teso. «Come ti senti?»

«Bene.» Lo guardo per qualche secondo. «Sai, è tutto un po' frenetico.»

Mi prende la mano e io intreccio le dita alle sue più forte che posso.

Guy si sbaglia. Funzionerà. Durerà. Non può essere altrimenti.

Sfrega il pollice contro il mio, proprio come la prima sera che siamo usciti insieme. Come fosse un linguaggio segreto, come se la sua pelle stesse parlando alla mia.

«Non ci presenti, Samantha?» Guy si avvicina con passo disinvolto.

«Questo è Guy» dico, con riluttanza. «Un collega della Carter Spink. Guy... questo è Nathaniel.»

«Felice di conoscerla!» Guy porge la mano e Nathaniel è costretto a lasciare la mia per stringergliela. «Grazie per essersi preso cura della nostra Samantha.»

Che necessità aveva di essere così condiscendente? E perché poi "la nostra Samantha"?

«È stato un piacere» risponde Nathaniel, squadrandolo torvo.

«Dunque lei si occupa del giardino» prosegue Guy, guardandosi intorno. «Molto bello. Bravo!»

Vedo che Nathaniel sta stringendo la mano a pugno.

Per favore, non prenderlo a botte, prego in silenzio...

Con grande sollievo vedo Iris varcare il cancello: sta osservando i giornalisti con interesse.

«Guarda, c'è tua madre!» dico a Nathaniel.

La saluto con la mano. Indossa pantaloni di cotone e scarpe di corda, e ha le trecce raccolte sulla testa. Quando si avvicina, mi osserva per qualche istante, passando in rassegna il mio chignon, il tailleur nero, le scarpe col tacco alto.

«Dio mio!» esclama, alla fine.

«Lo so» faccio io, con una risata imbarazzata. «Sono un po' diversa, eh?»

«Samantha...» dice, guardandomi negli occhi con dolcezza «hai trovato la tua strada.»

«Sì» rispondo, deglutendo. «Sì. È la cosa giusta per me, Iris. Io sono un avvocato. Lo sono sempre stata. È una grande opportunità. Sarebbe... da pazzi lasciarsela sfuggire.»

Iris annuisce, cauta.

«Nathaniel mi ha raccontato tutto. Sono sicura che hai preso la decisione giusta.» Fa una pausa. «Be'... addio, piccola. E buona fortuna. Ci mancherai.»

Mentre mi allungo in avanti per abbracciarla, sento improvvisamente le lacrime pizzicarmi gli occhi. «Iris... non so come ringraziarla» sussurro. «Per tutto quello che ha fatto.»

«Hai fatto tutto tu» ribatte, stringendomi forte. «Sono molto orgogliosa di te.»

«E questo non è un addio.» Mi asciugo gli occhi con un fazzoletto di carta, sperando che non mi sia colato il trucco. «Tornerò presto. Verrò a trovarvi tutti i weekend che potrò.»

«Aspetta, lascia fare a me.» Mi prende il fazzoletto dalle mani e mi tampona gli occhi.

«Grazie» dico, con un debole sorriso «il trucco mi deve durare tutto il giorno.»

«Samantha?» Hilary mi chiama; è vicino al tavolino con il caffè e sta parlando con David Elldridge e Greg Parker. «Puoi venire un attimo qui?»

«Vengo subito!» grido.

«Samantha, prima che tu te ne vada…» Iris mi afferra le mani, sul volto un'ombra di preoccupazione. «Tesoro, sono sicura che stai facendo ciò che è meglio per te. Ma ricordati, si è giovani una volta sola nella vita.» Guarda le mie mani, lisce rispetto alle sue. «Sono anni preziosi, e non tornano più.»

«Me ne ricorderò» rispondo, mordendomi il labbro. «Glielo prometto.»

«Bene.» Mi dà un colpetto sulla mano. «Adesso vai.»


Mentre mi avvio verso Hilary, stringo con forza la mano di Nathaniel. Fra un paio d'ore dovremo salutarci.

No. Non ci voglio pensare.

Quando la raggiungo, Hilary mi sembra un po' agitata.

«Ce l'hai il comunicato? Sei pronta?»

«Tutto a posto.» Tiro fuori un foglio di carta piegato. «Ti presento Nathaniel.»

Lei lo guarda senza interesse. «Salve» dice. «Dunque, Samantha, rivediamo un attimo insieme la scaletta. Leggi il comunicato, poi vengono le domande, infine le foto. Cominceremo fra tre minuti. I miei assistenti stanno distribuendo i comunicati stampa…» Improvvisamente mi scruta con attenzione. «Cos'è successo al trucco?»

«Ehm… stavo salutando una persona» spiego, con aria di scusa. «Non si è rovinato, vero?»

«Dovremo rifarlo» risponde lei, stizzita. «Ci mancava questo.» Si allontana a grandi passi, per chiamare una delle sue assistenti.

Ancora tre minuti. Tre minuti e poi la mia vecchia vita ricomincerà.

«Tornerò per la festa di Eamonn» dico a Nathaniel, sempre stringendogli la mano. «Sono solo pochi giorni. Prenderò il treno venerdì sera e passerò il weekend qui…»

«Non il prossimo weekend» si intromette Guy, mettendo

un po' di cacao nel caffè. «Il prossimo weekend sarai a Hong Kong.»

«Cosa?» dico, come una sciocca.

«La Samatron è felice che tu sia tornata e ha chiesto espressamente che sia tu a occuparti di questa fusione. Partiamo per Hong Kong domani. Non te l'hanno detto?»

«No» rispondo, sconvolta. «Nessuno mi ha detto niente.»

Guy si stringe nelle spalle. «Credevo lo sapessi. Cinque giorni a Hong Kong e poi ci trasferiamo a Singapore. Dobbiamo incontrare dei nuovi clienti.» Beve un sorso di caffè. «Devi cominciare a portare a casa qualche buon affare, Samantha Sweeting, socio anziano. Non puoi dormire sugli allori.»

Non ho ancora cominciato a lavorare e mi stanno già dicendo che dormo sugli allori?

«Allora quanto staremo via?»

«Forse un paio di settimane.»

«Samantha!» dice Elldridge, avvicinandosi. «Guy ti ha detto che ti vogliamo con noi per una partita di caccia fra soci alla fine di settembre? Andremo in Scozia. Sarà divertente.»

«Certo. Ehm, sì… un'idea fantastica.» Mi sfrego il naso. «Il fatto è che sto cercando di tenermi qualche fine settimana libero… per dedicare un po' di tempo alla mia vita…»

Elldridge sembra perplesso. «Ti sei già presa una pausa, Samantha» osserva allegramente. «Adesso si torna al lavoro. Ah, devo anche parlarti di New York.» Mi dà un colpetto sulla spalla e si volta verso il cameriere. «Un altro caffè, per favore.»

«A conti fatti, direi che non avrai un fine settimana libero fino a Natale» interviene Guy. «Io ti avevo avvertito» aggiunge, inarcando le sopracciglia con aria eloquente, poi si allontana per andare a parlare con Hilary.

Restiamo in silenzio. Io non so cosa dire. Si sta muovendo tutto troppo in fretta. Io pensavo che questa volta sarebbe stato diverso. Pensavo che avrei avuto un maggiore controllo sulla mia vita.

«Natale» ripete Nathaniel alla fine, sconsolato.

«No» ribatto subito «stava esagerando. Non sarà così. Organizzerò le cose diversamente.» Mi passo la mano sulla fronte. «Senti, Nathaniel… io tornerò prima di Natale, a qualunque costo. Te lo prometto.»

Sul suo viso compare un'espressione strana. «Non dev'essere un dovere.»

«Un dovere?» ripeto, guardandolo. «Non era questo che intendevo. Tu lo sai che non era questo che intendevo.»

«Due minuti!» Hilary arriva insieme alla truccatrice, ma io la ignoro.

«Nathaniel...»

«Samantha!» esclama Hilary, seccata, cercando di trascinarmi via. «Non c'è più tempo!»

«Sarà meglio che tu vada» dice Nathaniel, facendo un cenno col capo. «Hai da fare.»

È orribile. Sembra che tutto quello che c'è fra noi stia cadendo a pezzi. Devo fare qualcosa. Devo arrivare a lui.

«Nathaniel, prima che me ne vada, dimmi una cosa.» Mi trema un po' la voce. «Quel giorno, quando eravamo alla casa che volevi comperare... cosa mi hai detto?»

Nathaniel mi guarda a lungo, poi è come se qualcosa nei suoi occhi si chiudesse. «Era un discorso lungo e noioso, e le parole erano tutte sbagliate.» Mi volta le spalle.

«Ti prego, fai qualcosa per queste sbavature!» sta dicendo Hilary. «Potrebbe spostarsi, per favore?» aggiunge poi brusca, rivolta a Nathaniel.

«Mi tolgo dai piedi.» Nathaniel mi lascia andare la mano e si allontana prima che io possa dire qualcosa.

«Non mi stai fra i piedi!» gli grido, ma non so se mi ha sentito.

Mentre la truccatrice comincia il suo lavoro, la mia mente inizia a girare così vorticosamente che mi sento svenire. All'improvviso non ho più certezze.

Sto facendo la cosa giusta?

Oh, mio Dio. Sto facendo la cosa giusta?

«Chiuda, per favore.» La truccatrice mi sta spennellando le palpebre. «Adesso apra...»

Apro gli occhi e vedo Nathaniel e Guy insieme, a qualche metro da me. Guy sta parlando e Nathaniel lo ascolta con un'espressione tesa. All'improvviso mi sento a disagio. Cosa gli starà dicendo?

«Chiuda ancora» chiede la truccatrice. Riluttante, chiudo gli occhi e sento che mi mette dell'altro ombretto. Non ha ancora finito? Il mio aspetto è così importante?

Alla fine allontana il pennello. «Apra.»

Apro gli occhi e vedo Guy ancora nello stesso punto. Ma Nathaniel è sparito. Dov'è andato?

«Chiuda le labbra...» mi ordina la truccatrice, tirando fuori un pennello da rossetto.

Non posso parlare. Non posso muovermi. Guardo da una parte all'altra alla ricerca di Nathaniel. Ho bisogno di lui. Ho bisogno di parlargli prima che cominci la conferenza stampa.

La vita è una sola. È davvero questo che voglio fare della mia vita? Ci ho riflettuto abbastanza?

«Pronta per il grande momento? Hai il comunicato?» Hilary mi è di nuovo addosso, circondata da una nuvola di profumo che si è appena spruzzato. «Così va molto meglio! Su, testa alta!» Mi dà una pacca così forte che ho un sussulto. «Hai qualche domanda da fare?»

«Ehm... sì» rispondo, disperata. «Mi chiedevo... potremmo ritardare di un attimo? Solo un paio di minuti.»

Il volto di Hilary si irrigidisce.

«Come?» dice, alla fine. Ho la terribile sensazione che stia per esplodere.

«Sono un po'... confusa.» Deglutisco. «Non so se ho preso la decisione giusta. Ho bisogno ancora di un po' di tempo per pensarci...» Vedendo la sua espressione mi interrompo.

Lei fa un passo avanti e avvicina il viso al mio. Sorride, ma sbatte le palpebre rapidamente, e ha le narici bianche e dilatate. Io faccio un passo indietro, spaventata, ma lei mi afferra per le spalle con tanta forza che sento le sue unghie conficcarsi nella carne.

«Samantha» dice, con un sibilo «tu andrai là fuori, leggerai il tuo comunicato e dirai che la Carter Spink è il miglior studio legale del mondo. E se non lo fai... io ti ammazzo.»

Credo stia parlando sul serio.

«Siamo tutti confusi, Samantha. Abbiamo tutti bisogno di più tempo. È la vita.» Mi dà una scrollatina. «Ti devi abituare.» Fa un grosso respiro e si liscia il tailleur. «Bene! Adesso ti annuncio.»

Raggiunge a grandi passi il prato e io resto lì, tremante.

Mi rimangono trenta secondi. Trenta secondi per decidere cosa fare della mia vita.

«Signore e signori della stampa!» dice la voce di Hilary nel microfono. «Sono felice di darvi il benvenuto qui, stamattina.»

All'improvviso vedo Guy, si sta versando un bicchiere di acqua minerale. «Guy! Dov'è Nathaniel?» gli grido.

«Non ne ho idea» risponde lui, stringendosi nelle spalle.

«Cosa gli hai detto quando parlavate un attimo fa?»

«Non è stato necessario dirgli molto» replica lui. «Ha capito subito da che parte tirava il vento.»

«Cosa intendi dire?» domando, fissandolo a bocca aperta. «Il vento non tirava da nessuna parte.»

«Samantha, non essere ingenua.» Guy beve un sorso d'acqua. «È un uomo adulto. Capisce le cose.»

«… l'ultimo socio anziano della Carter Spink, Samantha Sweeting!» La voce di Hilary e l'applauso che segue mi sfiorano appena.

«Capisce cosa?» ribatto, inorridita. «Cosa gli hai detto?»

«Samantha!» Hilary ci interrompe con un sorriso soave e minaccioso. «Ti stiamo aspettando! C'è un sacco di gente molto impegnata!» Mi afferra per la mano con una stretta d'acciaio e mi trascina con una forza sorprendente sul prato. «Su, vai!» Mi dà uno spintone nella schiena e si allontana.

Okay. Trenta secondi non sono bastati. Mi ritrovo sola, davanti alla stampa di tutto il paese, e non so cosa voglio. Non so cosa devo fare.

Non mi sono mai sentita così confusa in vita mia.

«Datti una mossa!» Il bisbiglio minaccioso di Hilary mi fa sussultare. È come se mi trovassi sulle scale mobili. L'unica possibilità è andare avanti.

Con le gambe che mi tremano arrivo in mezzo al prato, dove è stato sistemato un microfono ad asta. Il sole che si riflette sugli obiettivi delle macchine fotografiche è accecante. Cerco Nathaniel tra la folla, ma non lo vedo da nessuna parte. Trish è alla mia destra, a qualche metro da me, in tailleur fucsia, e mi sta salutando con la mano. Eddie è al suo fianco con una piccola telecamera.

Con gesti lenti apro il foglio, con il mio comunicato.

«Buongiorno» dico nel microfono con voce innaturale. «Sono felice di potervi dare questa meravigliosa notizia. Ho ricevuto un'offerta splendida dalla Carter Spink, e oggi tornerò allo studio come socio anziano. Inutile dire... che sono entusiasta.»

Ma non riesco a infondere alcun entusiasmo nella mia voce. Le parole suonano vuote.

«Sono sbalordita per il calore e la generosità con cui la Carter Spink mi ha accolto» proseguo esitante «e sono onorata di entrare a far parte di un gruppo di soci così prestigioso...»

Continuo a cercare Nathaniel con gli occhi. Non riesco a concentrarmi su quanto sto dicendo.

«E di talento!» suggerisce brusca Hilary, poco lontano.

«Ehm... sì.» Ritrovo il punto sul foglio. «E di talento.»

Qualcuno fra i giornalisti sorride. Non sta andando molto bene.

«La qualità dei servizi della Carter Spink non è... seconda a nessuno» proseguo, cercando di sembrare convincente.

«Migliore di quella dei gabinetti che puliva?» grida un giornalista con le guance rosse.

«Niente domande in questa fase!» Hilary avanza furiosa in mezzo al prato. «E niente domande su gabinetti, bagni o altro genere di sanitari. Samantha, continua.»

«Erano indecenti, vero?» urla il tizio dalle guance rosse con una risata.

«Samantha, continua» ordina Hilary, livida di rabbia.

«Non erano affatto indecenti!» Trish avanza a grandi passi sul prato, con i tacchi fucsia che affondano nell'erba. «Non permetterò che i miei gabinetti vengano screditati! Sono tutti della Royal Doulton. Royal Doulton» ribadisce, nel microfono. «Della migliore qualità. Te la stai cavando molto bene, Samantha!» aggiunge poi, dandomi una pacca sulla spalla.

A questo punto tutti i giornalisti stanno ridendo. Hilary è paonazza.

«Mi scusi» dice a Trish, con rabbia a stento trattenuta «questa è una conferenza stampa. Potrebbe allontanarsi, per favore?»

«Questo è il mio prato!» ribatte Trish, sollevando il mento. «La stampa vuole sentire anche me! Eddie, dov'è il mio discorso?»

«Lei non farà alcun discorso!» esclama Hilary, inorridita, mentre Eddie schizza verso la moglie con in mano un rotolo di pergamena stampato.

«Vorrei ringraziare mio marito Eddie per l'aiuto che mi ha dato» attacca Trish, ignorando Hilary. «Vorrei ringraziare il "Daily Mail"...»

«Non siamo alla cerimonia degli Oscar!» Hilary è furibonda.

«Non urli con me!» ribatte Trish, secca. «Vorrei ricordarle che sono la proprietaria di questa casa.»

«Signora Geiger, ha visto Nathaniel?» Mi guardo intorno, disperata, per la milionesima volta. «È scomparso.»

«Chi è Nathaniel?» domanda uno dei giornalisti.

«È il giardiniere» interviene il tizio dalle guance rosse. «Il suo amante. Allora fra voi è finita?» aggiunge, rivolto verso di me.

«No!» ribatto, offesa. «Noi terremo in piedi il nostro rapporto.»

«E come farete?»

Avverto un rinnovato interesse fra i giornalisti.

«Ci riusciremo e basta!» All'improvviso, senza motivo, ho le lacrime agli occhi.

«Samantha» dice Hilary, furiosa «ti prego di tornare al comunicato ufficiale!» Dà una spinta a Trish per allontanarla dal microfono.

«Non mi tocchi o la denuncio!» strilla lei. «Samantha Sweeting è il mio avvocato, sa?»

«Ehi, Samantha! Cosa ne pensa Nathaniel del fatto che te ne torni a Londra?» urla qualcuno.

«Hai rinunciato all'amore per la carriera?» fa eco una ragazza.

«No!» rispondo, disperata. «Io... io ho solo bisogno di parlare con lui. Dov'è?» Improvvisamente vedo Guy su un lato del prato. «Dov'è andato? Cosa gli hai detto?» Corro verso di lui incespicando nell'erba. «Devi dirmelo. Cosa gli hai detto?»

«Gli ho consigliato di non rendersi ridicolo» risponde Guy, stringendosi nelle spalle con arroganza. «A essere sincero, gli ho detto la verità. Gli ho detto che non tornerai.»

«Come hai osato?» Sto boccheggiando per la rabbia. «Come

hai osato dire una cosa del genere? Io tornerò! E lui può venire a Londra…»

«Ma fammi il piacere!» Guy alza gli occhi al cielo. «Lui non ha nessuna intenzione di ciondolarti intorno come un poveraccio, di starti fra i piedi e di metterti in imbarazzo…»

«In imbarazzo?» Lo fisso a bocca aperta. «È questo che gli hai detto? È per questo che se n'è andato?»

«Per amor del cielo, Samantha, lascialo perdere» sbotta Guy, spazientito. «È un *giardiniere*.»

Il mio braccio parte prima che possa fermarlo. Il pugno colpisce Guy alla mascella.

Sento esclamazioni sorprese, urla e lo scatto di centinaia di macchine fotografiche, ma non mi importa. È la cosa più intelligente che io abbia mai fatto.

«Cazzo, che male!» Guy si porta una mano sul viso. «Perché cavolo l'hai fatto?»

I giornalisti sono tutti intorno a noi, urlano, ma io li ignoro.

«Sei tu che mi metti in imbarazzo» dico, con disprezzo. «In confronto a lui, tu non sei niente. Niente.» Con orrore sento gli occhi riempirsi di lacrime. Devo trovare Nathaniel. Adesso.

«È tutto a posto! È tutto a posto!» Hilary si precipita in mezzo al prato, una macchia grigiastra indistinta. «Oggi Samantha è un po' nervosa!» Mi afferra per un braccio con una morsa d'acciaio, la bocca aperta in una smorfia. «Si tratta soltanto di un'amichevole discussione fra soci! Samantha non vede l'ora di affrontare le sfide che comporta la gestione di uno studio legale noto in tutto il mondo. Vero, Samantha?» La sua stretta si fa più violenta. «Vero, Samantha?»

«Non lo so» rispondo, disperata. «Non lo so. Mi dispiace, Hilary» dico, liberandomi dalla sua presa.

Hilary fa per afferrarmi di nuovo, ma io comincio a correre sull'erba, verso il cancello.

«Fermatela!» grida lei alle sue assistenti. «Bloccatela!»

Ragazze in tailleur pantalone si precipitano verso di me da ogni direzione, come una specie di squadra di pronto intervento. In qualche modo riesco a evitarle. Una mi afferra per la giacca, ma io me la levo. Mi tolgo anche le scarpe e riprendo a correre, soffrendo per il male ai piedi.

Quando arrivo al cancello, il cuore prende a battermi forte. Ci sono tre ragazze in fila, che mi bloccano la strada.

«Dài, Samantha» dice una con l'aria suadente da poliziotto. «Non essere sciocca.»

«Torniamo alla conferenza stampa.» Una di loro si sta avvicinando con cautela, le braccia tese in avanti.

«Lasciatela passare!» ordina una voce squillante alle mie spalle. Mi giro e, con stupore, vedo Trish avanzare traballando verso di me alla velocità massima consentitale dai tacchi fucsia. «Aiutatemi, stupidi!» aggiunge poi, rivolta a un gruppo di giornalisti lì vicino.

Un attimo dopo le ragazze dell'ufficio stampa sono imprigionate tra i giornalisti, che spalancano il cancello con la forza, aprendo un varco per farmi passare. E io sono fuori, e inizio a correre lungo la strada, senza voltarmi indietro.

Quando arrivo al pub, ho i collant smagliati, lo chignon mezzo disfatto, il trucco che mi cola per il sudore e il cuore che mi fa male per la fatica.

Ma non m'importa. Devo trovare Nathaniel. Devo dirgli che lui è la cosa più importante della mia vita, più importante di qualsiasi lavoro.

Devo dirgli che lo amo.

Non so perché non l'ho capito prima, perché non gliel'ho mai detto. È così ovvio. Così lampante.

«Eamonn!» grido, entrando, e lui, sorpreso, solleva lo sguardo dai bicchieri che sta sistemando. «Devo parlare con Nathaniel. È qui?»

«Qui?» Eamonn sembra senza parole. «Samantha, sei arrivata tardi. È già andato via.»

«Andato?» Mi fermo, ansimante. «Andato dove?»

«A vedere un vivaio che vuole comperare. È partito in macchina poco fa.»

«Quello a Bingley?» Deglutisco, sollevata, ancora senza fiato. «Potresti darmi un passaggio fin là? Devo assolutamente parlargli.»

«Non è là che...» Eamonn si sfrega le guance arrossate, imbarazzato. Lo fisso, con un brutto presentimento. «Samantha... è andato in Cornovaglia.»

È come se avessi ricevuto un pugno nello stomaco. Non riesco a parlare. Non riesco a muovermi.

«Credevo che lo sapessi.» Eamonn fa un passo avanti, proteggendosi gli occhi dal sole con una mano. «Ha detto che starà via un paio di settimane. Credevo che te ne avesse parlato.»

«Oh… no.» Non ho quasi voce. «Non me l'ha detto.»

All'improvviso mi sento le ginocchia molli. Mi lascio cadere su uno dei barili. Se n'è andato in Cornovaglia, così. Senza neppure dirmi addio. Senza neppure parlarmene.

«Ha lasciato un biglietto, nel caso tu fossi passata.» Eamonn si fruga in tasca e prende una busta. Me l'allunga con aria triste. «Samantha, mi dispiace tanto.»

«È tutto a posto» dico, con un sorriso. «Grazie, Eamonn.» Prendo la busta e tiro fuori il foglio.

> S.
> Sappiamo tutti e due che questo è il capolinea. Ritiriamoci finché siamo in vantaggio.
> Sappi comunque che quest'estate è stata perfetta.
> N.

Mentre leggo, le lacrime mi bagnano le guance, e non si fermano. Non riesco a credere che se ne sia andato. Come può aver rinunciato? Qualunque cosa Guy gli abbia detto, qualunque cosa lui abbia pensato, come può essersene andato?

Avrebbe potuto funzionare. Non l'ha capito? Non l'ha sentito dentro?

Avverto un rumore, sollevo lo sguardo e mi ritrovo circondata da una folla di giornalisti. C'è anche Guy. Non mi ero neppure accorta di loro.

«Vattene» dico, con voce smorzata. «Lasciami stare.»

«Samantha» dice lui, con voce bassa e conciliante. «So che ti senti ferita. Scusami se ti ho turbata.»

«Adesso ti do un altro pugno.» Mi asciugo gli occhi col dorso della mano. «Guarda che parlo sul serio.»

«Forse adesso ti sembrerà tutto orribile.» Guy dà un'occhiata al biglietto. «Ma hai davanti a te una carriera fantastica.»

Non rispondo. Me ne sto a testa bassa, col naso che mi cola

e le ciocche impastate di lacca che mi ricadono ai lati della faccia.

«Cerca di essere ragionevole. Non tornerai a pulire i gabinetti. Non c'è più niente che ti trattenga qui.» Guy fa un passo avanti e appoggia le mie scarpe col tacco sul tavolo lì accanto. «Avanti, andiamo, socio anziano. Ci stanno aspettando.»

## 26

Mi sento frastornata. È davvero tutto finito. Sono seduta in un vagone di prima classe sul treno per Londra, con altri soci. È un espresso: fra un paio d'ore saremo arrivati. Ho dei collant nuovi; mi hanno ritoccato il trucco, e ho persino fatto un nuovo annuncio alla stampa, preparato da Hilary in tutta fretta: «"Il mio affetto per gli amici di Lower Ebury resterà immutato, ma al momento nella mia vita non c'è niente di più importante e stimolante della mia carriera alla Carter Spink"».

Sono stata abbastanza convincente. Sono addirittura riuscita a sorridere mentre stringevo la mano a David Elldridge. È probabile che decidano di pubblicare questa foto anziché quella in cui do un pugno a Guy. Ma non si può mai dire.

Quando il treno lascia la stazione, avverto una fitta di dolore e chiudo gli occhi per un istante, cercando di restare calma. Sto facendo la cosa giusta. Lo dicono tutti. Bevo un sorso di caffè, poi un altro. Se ne bevo tanto forse mi sveglierò. Forse smetterò di sentirmi come se vivessi in un sogno.

Nell'angolo di fronte a me c'è il cameraman del famoso "speciale-verità", insieme a Dominic, il produttore, un tizio con occhiali alla moda e giacca di jeans. L'obiettivo della telecamera è puntato su di me, segue i miei movimenti, zoomando avanti e indietro per cogliere ogni mia espressione. Farei volentieri a meno di tutto questo.

«E così l'avvocato Samantha Sweeting lascia il paese dove tutti la credevano una governante» sta dicendo Dominic nel microfono, con la voce bassa del commentatore televisivo. «La domanda è… ha qualche rimpianto?» Mi lancia un'occhiata interrogativa.

«Credevo si trattasse di uno speciale» ribatto, seccata.

«Eccoti!» Guy mi mette in grembo una pila di contratti. «Questo è l'accordo Samatron. Comincia a dargli un'occhiata.»

Osservo la pila di carte alta qualche centimetro. Un tempo, un contratto nuovo mi procurava una scarica di adrenalina. Volevo essere la prima a scoprire un'anomalia, a sollevare un quesito. Adesso, però, la cosa mi lascia indifferente.

Tutti gli altri stanno lavorando. Sfoglio il contratto cercando di ritrovare un po' del vecchio entusiasmo. Coraggio. Questa è la mia vita, adesso. Quando avrò ripreso il ritmo, comincerò di nuovo a divertirmi.

«Dai libri di cucina ai contratti» mormora Dominic nel microfono. «Dai cucchiai di legno alle carte.»

Questo tizio sta davvero cominciando a scocciarmi.

Torno al mio contratto. Ma le parole mi si confondono davanti agli occhi. Non riesco a concentrarmi. Riesco soltanto a pensare a Nathaniel. Ho cercato di chiamarlo, ma non risponde. Né alle telefonate, né ai messaggi. È come se non volesse più saperne di me.

Come può essere finito tutto? Perché se n'è andato così?

Gli occhi mi si riempiono di lacrime e io comincio a sbattere forte le palpebre. Non posso piangere. Sono un socio anziano. I soci anziani non piangono. Guardo fuori dal finestrino, cercando di riprendere il controllo. Ho l'impressione che stiamo rallentando. Strano.

«Annuncio a tutti i passeggeri…» dice all'improvviso una voce gracchiante dall'altoparlante. «Questo treno seguirà la linea locale. Fermerà a Hitherton, Marston Bridge, Bridbury…»

«Cosa?» Guy alza lo sguardo. «Un locale?»

«Oh, mio Dio!» esclama David Elldridge, torvo. «Quanto ci metteremo?»

«… e arriverà a Paddington con mezz'ora di ritardo sull'orario previsto» conclude la voce dall'altoparlante. «Ci scusiamo per…»

«Mezz'ora?» David Elldridge prende il cellulare, livido di rabbia. «Dovrò spostare il mio appuntamento.»

«Dovrò rinviare l'incontro con quelli della Pattinson Lobb.»

Anche Guy è seccato e sta già pigiando sui tasti del cellulare. «Pronto, Mary? Sono Guy. Senti, ci sono dei problemi col treno. Arriverò con mezz'ora di ritardo...»

«Sposta Derek Tomlinson...» sta ordinando David.

«Dovremo posticipare l'incontro con la Pattinson Lobb, quindi cancella l'appuntamento con quel tizio del "Lawyer".»

«Davina» sta dicendo Greg Parker «questo stronzo di un treno è in ritardo. Di' agli altri che arriverò con mezz'ora di ritardo. Ora mando comunque un'e-mail.» Chiude il cellulare e subito comincia a digitare sul palmare, seguito a ruota da Guy.

Osservo incredula quest'attività frenetica. Sembrano tutti così stressati. Il treno è in ritardo. E allora? Si tratta soltanto di mezz'ora. Trenta minuti. Perché se la prendono tanto per trenta minuti?

E io dovrei essere come loro? Il problema è che ho dimenticato come si fa. Forse ho addirittura dimenticato come si fa l'avvocato.

Il treno entra nella stazione di Hitherton e si ferma lentamente. Guardo fuori dal finestrino e lancio un'esclamazione di sorpresa. In cielo c'è un'enorme mongolfiera, qualche metro sopra l'edificio della stazione. È rossa e gialla, e i passeggeri stanno salutando dal cesto. Sembra uscita da una fiaba.

«Guardate!» esclamo. «Guardate fuori!»

Nessuno alza la testa. Sono tutti impegnati a digitare freneticamente sulle tastiere.

«Guardate!» ripeto. «È incredibile!» Nessuna risposta. A loro interessa solo il contenuto dei loro palmari. E adesso la mongolfiera si è alzata. Fra un attimo scomparirà. Se la sono persa.

Li osservo, la crème del mondo legale, nei loro abiti di alta sartoria da mille sterline, con i palmari ultimo modello. Che si lasciano sfuggire la vita, senza curarsi di cosa si sono persi. Che vivono in un mondo a parte.

Io però non appartengo a tutto questo. Non è più il mio mondo. Non sono una di loro.

Lo capisco all'improvviso, con la certezza più assoluta. Io non sono adatta. Non ho nulla a che fare con tutto questo. Forse un tempo, ma adesso non più. Non posso farlo. Non posso trascorrere la vita chiusa in una sala riunioni. Non posso lasciarmi ossessionare da ogni piccolo frammento di tempo. Non posso più farmi sfuggire niente.

Seduta lì, coi contratti impilati in grembo, sento la tensione crescere. Ho fatto un errore. Un errore enorme. Non dovrei essere qui. Non è questo che voglio dalla vita. Non è questo che voglio fare. Non è questo che voglio essere.

Devo scendere. Subito.

I passeggeri salgono e scendono dal treno, sbattendo le porte, sollevando le valigie. Con la maggiore calma possibile prendo la mia valigia, la borsa e mi alzo.

«Scusate» dico. «Ho fatto un errore. Me ne sono resa conto soltanto adesso.»

«*Cosa?*» Guy solleva lo sguardo.

«Mi dispiace di avervi fatto perdere tempo.» Mi trema un po' la voce. «Ma... non posso restare. Non posso farlo.»

«Oh, Dio!» Guy si porta le mani alla testa. «Non ricominciamo, Samantha...»

«Non cercare di convincermi» lo interrompo. «Ho deciso. Non posso essere come voi. Non è la cosa giusta per me. Mi dispiace, non avrei dovuto venire.»

«È sempre per quel giardiniere?» domanda lui, esasperato. «Perché, francamente...»

«No! È per me! Io...» Esito, cercando le parole adatte. «Guy, io non voglio essere una che non guarda dal finestrino.»

Guy è interdetto. Non ha capito niente. Ma io me l'aspettavo.

«Addio.» Apro lo sportello del treno e faccio per scendere, ma lui mi afferra bruscamente.

«Samantha, per l'ultima volta, piantala con queste stronzate! Io ti conosco. E tu sei un avvocato.»

«Tu non mi conosci, Guy!» Le parole mi escono come spinte da una rabbia improvvisa. «Non mi devi mettere un'etichetta. Io non sono un avvocato. Sono una *persona*.»

Mi libero dalla sua stretta e richiudo lo sportello sbattendolo con forza. Un attimo dopo la porta si riapre e scendono Dominic e il cameraman.

«E così» mormora eccitato Dominic nel microfono «con un sorprendente colpo di scena, Samantha Sweeting ha rifiutato una brillante carriera legale!»

Tra un secondo gli mollo un pugno.

Mentre il treno lascia la stazione, vedo Guy e gli altri soci in piedi ai finestrini che mi guardano costernati. A questo punto credo proprio che non potrò più tornare indietro.

Gli altri passeggeri si allontanano, e io resto sola. Sola nella stazione di Hitherton con una valigia come unica compagnia. Non so neppure dove si trovi Hitherton. La telecamera è ancora puntata su di me e la gente che passa mi lancia occhiate incuriosite.

E adesso cosa faccio?

«Samantha guarda i binari e si ritrova a un punto morto.» Il tono di Dominic è sommesso e comprensivo.

«Non è vero» ribatto, a denti stretti.

«Questa mattina era sconvolta perché ha perso l'uomo che ama. Adesso ha perso anche il lavoro.» Fa una pausa e poi aggiunge, con voce cupa: «Quali oscuri pensieri le passano per la mente?».

Cosa sta cercando di insinuare? Che ho intenzione di gettarmi sotto il prossimo treno? Gli piacerebbe, eh? Probabilmente gli farebbe vincere un Emmy.

«Sto benissimo.» Sollevo il mento e stringo con maggior forza la valigia. «Starò benissimo. Io… io ho fatto la cosa giusta.»

Quando però mi guardo intorno nella stazione deserta e prendo piena coscienza della mia situazione, comincio a provare un leggero senso di panico. Non ho idea di quando sarà il prossimo treno. E non ho idea di dove voglio andare.

«Hai qualche progetto, Samantha?» domanda Dominic, piazzandomi il microfono sotto il naso. «Hai una meta?»

Perché non mi lascia in pace?

«Talvolta non è necessario avere una meta nella vita» ribatto, sulla difensiva. «Non è necessario avere il quadro completo. È sufficiente sapere qual è il prossimo passo da fare.»

«E quale sarà il tuo prossimo passo?»

«Io… ci sto pensando.» Gli volto le spalle e mi allontano decisa dalla telecamera, diretta verso la sala d'aspetto. Sono quasi arrivata, quando vedo uscire un ferroviere.

«Salve» dico «vorrei sapere come si fa ad arrivare a…» Mi interrompo, indecisa. Dove sto andando? «A… ehm…»

«A…?» chiede lui, gentile.

«A... in Cornovaglia» sento la mia voce rispondere.

«In Cornovaglia?» Sembra perplesso. «Dove, in Cornovaglia?»

«Non lo so.» Deglutisco. «Non lo so di preciso, ma devo andare là il più in fretta possibile.»

Non ci saranno tanti vivai in vendita in Cornovaglia. Scoprirò quello giusto. Lo troverò. In un modo o nell'altro.

«Be'...» Il ferroviere aggrotta la fronte. «Devo guardare l'orario» dice, e scompare nel suo ufficio. Sento Dominic parlare concitatamente nel microfono, ma lo ignoro.

«Ecco qui.» Il ferroviere esce tenendo in mano un pezzo di carta scritto a matita. «Purtroppo per arrivare a Penzance dovrà cambiare sei volte. E fanno centoventi sterline. Il treno sarà qui fra poco» aggiunge. «Binario due.»

«Grazie.» Prendo la valigia e mi dirigo verso la passerella. Dominic mi corre dietro insieme al cameraman.

«Sembra che Samantha abbia perso la ragione» dice, ansimando, nel microfono. «La tensione le ha fatto saltare i nervi. Farà un gesto sconsiderato?»

Vorrebbe tanto vedermi saltare giù, eh? Farò finta che non ci sia. Aspetto risoluta al binario, guardando nella direzione opposta alla telecamera.

«Senza un indirizzo, senza un appoggio» prosegue lui. «Samantha sta partendo per un viaggio lungo e pieno di incognite per trovare l'uomo che questa mattina l'ha respinta. L'uomo che se n'è andato senza neppure dirle addio. È una mossa saggia?»

Okay. Adesso basta.

«Forse non è una mossa saggia!» Mi volto verso di lui, col respiro affannoso. «Forse non lo troverò. Forse lui non vorrà più vedermi. Ma devo provarci.»

Dominic sta per dire ancora qualcosa.

«Zitto» gli ordino. «Chiuda quella bocca.»

Mi sembra che passino ore prima di sentire il rumore del treno in lontananza. Ma è sul lato sbagliato. È un altro treno per Londra. Quando entra nella stazione, sento le porte aprirsi e la gente salire e scendere.

«Treno per Londra!» sta annunciando il capostazione. «Treno per Londra. Binario uno.»

Questo è il treno su cui dovrei essere, se avessi un po' di sale in zucca. Se non avessi perso la ragione. Il mio sguardo si sposta avido sui finestrini, sui passeggeri che parlano, dormono, leggono, ascoltano musica coi loro iPod...

E poi tutto sembra fermarsi. Sto sognando?

È Nathaniel. Sul treno per Londra. È a tre metri da me, seduto accanto al finestrino, e guarda fisso davanti a sé.

Cosa... Perché...?

«Nathaniel!» Cerco di gridare, ma dalla mia bocca esce solo un sussurro roco. «Nathaniel!» Agito le braccia, frenetica, tentando di attirare la sua attenzione.

«Gesù, è lui!» esclama Dominic. «Nathaniel!» urla, con un tono che sembra una sirena da nebbia. «Ehi, da questa parte, amico!»

«Nathaniel!» Finalmente la mia voce si è decisa a uscire. «Natha-niel!»

Al mio urlo disperato finalmente lui alza gli occhi e, nel vedermi, ha un sussulto. Per un attimo ha un'espressione incredula. Poi sul suo viso si dipinge un'immensa felicità.

Sento le porte del treno che sbattono. Sta per partire.

«Vieni!» urlo, facendogli segno di scendere.

Lo vedo alzarsi in piedi, afferrare lo zaino, passare davanti alla donna che gli è seduta accanto. Poi scompare dalla mia vista, proprio mentre il treno comincia a muoversi.

«Troppo tardi» commenta tetro il cameraman. «Non ce la farà mai.»

Ho il cuore troppo stretto per rispondere. Non posso fare altro che restare a guardare il treno che riparte e mi passa davanti, una carrozza dopo l'altra, prendendo velocità, fino a scomparire.

E Nathaniel è là, fermo sul binario.

Senza staccare gli occhi da lui comincio a camminare, accelerando il passo man mano che mi avvicino alla passerella. Lui fa lo stesso, sul lato opposto. Arriviamo in cima alle scale, avanziamo sulla passerella e ci fermiamo, a qualche metro l'uno dall'altra. Ho il respiro affannoso e le guance in fiamme. Sono euforica ed esitante al tempo stesso.

«Credevo stessi andando in Cornovaglia a comperare il vivaio» dico, alla fine.

«Ho cambiato idea.» Anche Nathaniel sembra abbastanza

sconcertato. «Ho deciso di andare a far visita a un'amica a Londra.» Lancia un'occhiata alla mia valigia. «E tu dove stavi andando?»

Mi schiarisco la voce. «Pensavo... in Cornovaglia.»

«Cornovaglia?» ripete lui, fissandomi.

«Già.» Gli mostro l'orario, e a un tratto mi viene voglia di ridere per l'assurdità della situazione.

Nathaniel si appoggia alla ringhiera, i pollici infilati nelle tasche, gli occhi fissi sulle assi di legno della passerella. «Allora... dove sono i tuoi amici?»

«Non lo so. Sono partiti. E non sono miei amici. Ho dato un pugno a Guy» aggiungo, orgogliosa.

Nathaniel scoppia a ridere. «E così ti hanno licenziata.»

«Sono stata io a licenziare loro» lo correggo.

«Davvero?» dice lui, meravigliato. Allunga una mano verso la mia, ma io non la stringo. Nonostante la felicità, c'è qualcosa che mi turba. La ferita di questa mattina è ancora aperta. Non posso fingere che vada tutto bene.

«Ho ricevuto il tuo biglietto.» Lo guardo negli occhi e lui trasalisce.

«Samantha... sul treno te ne ho scritto un altro, diverso, nel caso non avessi voluto vedermi, a Londra.»

Cerca nella tasca e tira fuori una lettera con parecchi fogli, molto fitti. La stringo per qualche istante, senza leggerla.

«Cosa... cosa c'è scritto?» domando, alzando lo sguardo verso di lui.

«È un discorso lungo e noioso.» I suoi occhi fissano i miei. «E le parole sono tutte sbagliate.»

Giro le pagine lentamente. Qua e là leggo parole che mi fanno venire le lacrime agli occhi.

«Allora...» dico.

«Allora.» Nathaniel mi circonda la vita con le braccia. La sua bocca si posa sulla mia. Mentre mi stringe forte, sento le lacrime che mi rigano le guance. Questo è il mondo a cui appartengo. Alla fine mi allontano da lui e lo fisso, asciugandomi gli occhi.

«E adesso dove andiamo?» Lui guarda in basso e io seguo il suo sguardo. I binari si allungano in entrambe le direzioni verso l'orizzonte. «Da che parte?»

Scruto le rotaie senza fine, strizzando gli occhi per il sole. Ho ventinove anni. Posso andare ovunque. Fare qualunque cosa. Essere chiunque io desideri.

«Non c'è fretta» dico, alla fine, e sollevo il viso per baciarlo di nuovo.